DE SARIWINKEL

Rupa Bajwa

De sariwinkel

ROMAN

Uit het Engels vertaald
door Sjaak de Jong

Deze vertaling is mede tot stand gekomen door een werkbeurs van de Stichting Fonds voor de Letteren.

Oorspronkelijke titel *The Sari Shop*

Vormgeving omslag Mariska Cock
Foto voorzijde omslag Sue Wilson
Foto achterzijde omslag Pradip Krishen
Vormgeving binnenwerk Adriaan de Jonge

Meulenhoff Editie 2086
www.meulenhoff.nl
ISBN 90 290 7406 X / NUR 302

Ter nagedachtenis aan twee zeer bijzondere mannen:
Sardaar Piara Singh Goraya en
Harvinder Jit Singh Goraya

DEEL I

I

Ramchand had zich verslapen, was pas wakker geworden toen een lawaaiige woordenwisseling buiten op straat hem met een ruk uit zijn slaap haalde. Hij wreef zijn ogen uit, stond op en liep naar het raam. Tussen de roestige ijzeren spijlen door gluurde hij naar de beide ruziemakers. De ene was een melkman die klaar was met zijn ronde en nu naar huis fietste. Aan weerskanten van zijn fiets hingen verzinkte bussen (die van aluminium leken) en in de smalle straat was een van die inmiddels lege melkbussen tegen een voetganger gebotst. Er was een ruzie opgelaaid en met kwaaie, rood aangelopen koppen stonden de twee nu luid te schreeuwen.

Tegen de muur geleund stond Ramchand slaperig zijn tanden te poetsen. Hij bleef naar buiten kijken totdat de aanvankelijk belangstellende toeschouwers verveeld raakten, de mannen tot kalmte maanden en de ruzie voorbij was. Het was gewoon een ritueel; men zag het als een afgang om met bekvechten te stoppen voordat de omstanders tussenbeide kwamen. Uiteindelijk gingen ze allebei weg. Daarna vergat Ramchand op de tijd te letten. Lange tijd bleef hij, nog slaapdronken, gedachteloos naar buiten staren. Het was een koude ochtend. Zowel zijn lijf als zijn gedachten waren verkleumd. Hij bewoog traag.

Tegen de tijd dat Ramchand op het rode klokje op tafel keek en besefte dat hij te laat was, was het leed al geschied. In allerijl waste hij zich en kleedde zich aan, en intussen liet hij van alles vallen, brandde zich aan het petroleum-fornuis toen hij zijn waswater warmde, klungelde met de knoopjes van zijn overhemd en morste haarolie op de toch al vieze vloer. Toen maakte hij ook nog het zware ijzeren hangslot zoek, mét de sleutel die erin stak. Pas nadat hij een kwartier lang overal had lopen zoeken vond hij ze terug, op tafel, vlak voor zijn neus. Hij stoof zijn kamer uit en, deels lopend en deels hollend door de volle steegjes van de drukke bazaar, voetgangers voorbijschietend, wegduikend voor riksja's, soms bijna in botsing komend met een groentekar, repte hij zich naar de winkel. In zijn grijze wollen sokken voelde hij zijn tenen zweten.

Al om tien uur 's ochtends was het razend druk in de bazaar. De *halwai* had zich met zijn grote ijzeren ketel vol bruisende olie al voor Mishthaan Zoetwaren geposteerd om er zijn *jalebi*-beslag in grillige krullen te kneden. De winkels waren open en, zo zag Ramchand schuldbewust, de winkelbedienden stonden allemaal al met een oplettende glimlach op hun glimmend gewassen gezicht geplakt paraat.

In het oudste deel van Amritsar, de ooit ommuurde binnenstad, stierf het van de bazaars – piepkleine, alleen bekend bij de buurtbewoners, kleine, waar ze voor weinig geld armbanden en stoffen verkochten maar die alleen te voet, via smalle steegjes, te bereiken waren, en de grote, belangrijke bazaars, met bredere en iets schonere straten. De bazaars van Amritsar waren drukbezochte plaatsen, waar het hele jaar door werd gekocht en verkocht, werd gemarchandeerd en de zaken van 's morgens vroeg tot 's avonds laat open waren. Zo leek het vanaf het begin der tijden te zijn geweest en zo leek het altijd te zullen blijven.

Lege ruimte was er niet. Het was er gewoon een wirwar van vervallen huizen van rode baksteen, oude, grijze betonnen gebouwen, winkels, reclameborden, talloze tempeltjes en drukke straten vol mensen, koeien, zwerfhonden en karren met groente en fruit. Er waren geen poorten, van de straat kwam je meteen de huizen in. Afbrokkelende panden hingen tegen elkaar als onderling vastgelijmde kartonnen dozen. Hun platte daken liepen in elkaar over en scheidingsmuren waren er niet – je zag niet waar een gebouw begon of ophield. Hier en daar, waar een heel nauw steegje de weerbarstige muren even opzij schoof om zich met pijn en moeite door de stevige huizenmassa te persen en ergens verderop met een soortgelijk steegje samen te komen, was er een spleet. Het kostte jaren om met de doolhof van straatjes en steegjes en doorgangetjes van de oude stad vertrouwd te raken.

Zonder ruimte te laten voor iets anders, iets vriendelijkers, dansten geld, verkeersdrukte en lawaai er een eeuwigdurende, wilde dans. De muren die ooit om de stad hadden gelegen waren verdwenen, maar de geesten van de muur zonderden de oude stad nog altijd af van de nieuwe, die buiten de muren tot ontplooiing kwam.

De winkel waar Ramchand werkte, netjes weggestopt tussen Meubel- en Gordijnstoffenhuis Talwaar en Stoffenwinkel Chanduram, was een van de oudste van de stad. Hij stond in een van de hoofdbazaars, met parkeerruimte voor klanten die met de auto kwamen, ook al was hij in het hart van de stad gelegen. In deze bazaar had je de oudere en grotere winkels, zaken van aanzien, met een vaste klantenkring en in het bezit van van oudsher gerespecteerde zakenfamilies.

In rode, ouderwets gekalligrafeerde krulletters op een verschoten groen bord boven de ingang stond 'Sarihuis Sevak' te lezen, zowel in het Engels als in het Punjabi. Het bord was enigszins misleidend. Er werden niet alleen sari's verkocht. Op de benedenverdieping hadden ze ook stoffen voor mannenkleding. Daar vond je saai bruin, blauw en zwart. Maar slechts een enkeling kwam naar

Sarihuis Sevak om stof te kopen voor een kostuum of overhemd. Daarvoor had je grotere winkels met een bredere, alleen op de man gerichte sortering, zoals bijvoorbeeld Raymonds Toonzaal, een paar straatjes verderop. En daarom oogde de benedenverdieping van de winkel stoffig en vermoeid. Sari's kocht je op de eerste verdieping.

En die eerste verdieping, die met haar schappen vol frisse katoenen uit Bangladesh, oogverblindende stoffen uit Kanjeevaram, zijdes uit Benares en met haar chiffons, crêpes en satijnen bruiste van een rijk, bedwelmend leven, bracht de klanten en de winst binnen. Het was door het enorme succes van de eerste verdieping dat Sarihuis Sevak al tientallen jaren als de beste sarizaak van Amritsar bekendstond. Nederig bogen de voorgesneden pakken en overhemden van beneden voor de zelfverzekerde pracht en praal van boven.

Er was nog een tweede verdieping, maar die zagen de klanten nooit. Ze herbergde een groot magazijn en een klein toilet waar Mahajan en de verkopers gebruik van maakten.

Ramchand was een van de zes verkopers van de sariafdeling.

*

De kille decemberochtend ten spijt stond Ramchand, met het klamme zweet in zijn handen bij de gedachte aan de woede van Mahajan die spoedig op hem zou neerdalen, voor de winkeldeur te weifelen. Hij gluurde naar binnen. Mahajan was aan het bellen. Ramchand nam zijn kans waar en spurtte onder Mahajans afkeurende blik naar de andere kant van de benedenverdieping.

Onder aan de trap die naar de eerste verdieping leidde, was een beeld van Ganesha neergezet. Normaal gesproken bleef Ramchand er even met gevouwen handen en gesloten ogen voor staan, waarna hij dan na een omslachtige buiging naar boven ging. Maar vandaag liep hij alleen maar zo snel mogelijk de gammele houten trap op. Zijn hart klopte in zijn keel. Ieder moment kon Mahajan hem een halt toeroepen om hem een uitbrander te geven. Maar hij bereikte veilig de eerste verdieping. In de kleine ruimte boven aan de trap, voor de grote glazen deur naar de sari-afdeling, kwam hij weer op adem. Daarna probeerde hij zich, van het ene been op het andere springend, uit zijn schoenen te worstelen. De houten trap dreunde ervan.

Pas toen kwam er eindelijk een brul van beneden. 'Kan het niet wat rustiger?' riep Mahajan. 'Een beetje te laat komen, hè? Ik zag je wel. Ik heb ogen in mijn hoofd, hoor. Ik ben niet stom. Denk je dat ik zo een bedrijf kan leiden? Als jij komt en gaat wanneer het je uitkomt! *Raja* Ramchand! Moeten we voortaan een volledig opgetuigde *bagghi* bij je laten voorrijden?'

Ramchand hield onmiddellijk op en wachtte af. Stilte. Toen trok hij omzichtig zijn schoenen verder uit. Hij wou dat zijn voeten niet zo stonken. Hij had zich gewassen en schone sokken aangetrokken, maar toch... Tegen de avond roken ze vast nog erger. Ramchand zette zijn schoenen netjes in het houten schoenenrek dat tegen de muur stond, op het schap dat de verkopers was toegewezen. De andere schappen waren voor de ranke sandalen, de *kolhapuri chappals* en de van plateauzolen of hoge hakken voorziene schoenen van de vrouwelijke clientèle. Ramchand streek zijn haar glad en trok zijn *kurta* recht als tegenwicht voor zijn voeten en ging naar binnen.

Hij liep naar zijn plek en ging met gekruiste benen zitten. Het was een ouderwetse winkel zonder toonbanken. Van muur tot muur lagen dikke matrassen met witte lakens eroverheen, en op die matrassen zaten de verkopers, met hun gezicht naar de klanten, dag in dag uit aan een stuk door kostbare, kleurige stoffen af en weer op te wikkelen.

'*Namaste*, Ramchand *Bhaiya*. Weer eens te laat?' grinnikte Hari, die even verderop zat. Hari was jonger dan alle andere verkopers. Het was een zorgeloze, opgewekte adolescent met een ondeugend gezicht, die vaak door Mahajan werd uitgefoeterd.

Maar in tegenstelling tot Ramchand bleef Hari immer volstrekt onaangedaan onder die onplezierige confrontaties. Wanneer het een dag wat rustiger was, vrolijkten ze hem juist op. Wanneer Mahajan Hari weer eens uitgebreid had laten weten wat hij van Hari dacht, zei Hari steevast met een stralend gezicht: 'Het ene oor in en het andere oor uit.' Vanwege zijn ondergeschikte positie, zijn onervarenheid en zijn onverschillige houding tegenover de *ins and outs* van het textielvak ging Hari over de 'daagse sari's' van Paraag en de 'luxe gelegenheidssari's' van Paraag. Om die te verkopen was niet veel vakkennis of gespecialiseerde stoffenkennis nodig. Het zou nog wel even duren voordat Hari ergens anders over zou gaan. Niet dat het hem wat uitmaakte.

Ramchand beantwoordde de glimlach. 'Wat doe je eraan, *yaar*?'

'Zelfs door de deur heen hoorden we hem tegen je tekeergaan,' zei Hari, nog steeds grinnikend.

'Wat doe je eraan, yaar?' zei Ramchand nog eens, mistroostiger ditmaal.

'Trek het je niet aan,' zei Hari troostend. 'Je hebt onze Mahajan een dienst bewezen. Sommige mensen krijgen last van hun spijsvertering als ze 's morgens vroeg niet even tegen iemand tekeer kunnen gaan. Nu blijft het ontbijt die *raakshas* vast niet zo zwaar op de maag liggen.' Hari giechelde om zijn eigen grap. 'Want een raakshas is die Mahajan van ons wél,' voegde hij er met een knipoog naar Ramchand aan toe, waarna hij nog eens giechelde. Vervolgens slaakte hij een overdreven zucht.

Gokul zat bedaard een paar sari's in nette rechthoeken te vouwen. Hij ging over de peperdure crêpes en in het trouwseizoen hielp hij ook een handje bij de rijkversierde bruids-*lehnga's* en -sari's. Hij was een bedachtzaam kijkende man van boven de veertig die zijn werk zeer ernstig nam. Mahajan achtte zijn ervaring en oprechtheid zeer hoog, maar dat weerhield hem er niet van ook Gokul nu en dan de mantel uit te vegen. Ongeveer tien jaar terug had Sarihuis Sevak besloten ook *chunni's* te gaan voeren. Er waren namelijk veel Sikh-vrouwen van gevestigde families, zowel voorname, oudere *Sardaarni's* als jonge, die naast hun nieuwe sari ook graag een chunni aan wilden schaffen. Een sari was een must voor ze, een sari was modieus, maar wat ze eigenlijk droegen was een *salwaar kameez*. En dus hadden Bhimsen en Mahajan na vele smachtende verzoeken om een chunni – waar dan bij werd gezegd dat Sarihuis Sevak toch zo'n betrouwbaar adres was en dat het echt vreselijk moeilijk was tegenwoordig nog aan een chunni van hoge kwaliteit te komen – de koppen bij elkaar gestoken en besloten ook chunni's in het assortiment op te nemen.

En Gokul had zich erop toegelegd alles over chunni's te weten te komen. Een gewone chunni kwam je in Sarihuis Sevak niet tegen. Sarihuis Sevak was een sariwinkel en als ze chunni's moesten hebben, dan alleen bijzondere. Ze waren allemaal tweeëneenhalve meter lang en van de voorgeschreven breedte. Sardaarni's die zich wisten te kleden wilden ze niet korter of smaller; in hun ogen waren die voor hindoevrouwen of heel jonge meisjes. Behalve de lengte werd ook de kwaliteit in het oog gehouden. Er waren chunni's van zuiver chiffon, chunni's van prachtige witte zijde die in de kleur van een willekeurige zijden salwaar kameez konden worden geverfd, er waren goudgerande bruids-*odhni's* in roze, rood en kastanje, er waren witte, met onopvallend lichtgekleurd borduurwerk afgezette chunni's voor weduwen van goeden huize, er waren veelkleurige chunni's met het traditionele *phulkari*-borduurwerk – doorgaans kochten Sikh-vrouwen die voor de uitzet van hun dochters – en vele andere. En Gokul kon iedereen helpen die voor een chunni kwam.

Toch liep Gokul niet met zijn neus in de wind. Hij had ontzag voor Mahajan en liet niet af Hari te waarschuwen dat hij Mahajan niet tegen de haren in moest strijken.

Nu zei Gokul, naar Hari opkijkend: 'Stil, Hari. Je noemt Mahajan geen raakshas! En zeker niet zo luid! Je praat te veel. Er komt een dag dat ze je horen en je eruit gooien. Je tong is te scherp. Met zo'n tong komt er geen brood op de plank, jongen.'

Maar Gokul zei het met een glimlach. Hij had een klein, goedmoedig gezicht en een ronde schedel met hier en daar een plukje haar. Ramchand schonk ook hem een flauwe glimlach. Vlakbij ontsloot Chander een kast. De muren van de winkel waren voorzien van schappen en, voor de duurdere en de kwetsbare waar, robuuste en afsluitbare ingebouwde kasten. Chander keek niet één keer op terwijl de drie in gesprek waren. Het was een stille, boomlange man met een zeer geprononceerde adamsappel. Hij kwam dikwijls niet opdagen en wanneer Mahajan om die of om een andere reden tegen hem tekeerging, bewaarde hij een droefgeestig stilzwijgen. Voor zich uit starend, op zijn onderlip bijtend en zonder ook maar een van Mahajans boze vragen te beantwoorden, liet hij alle op hem afgevuurde beschimpingen simpelweg over zich heen komen.

Shyam en Rajesh, de twee oudste verkopers, werkten al veel langer bij Sarihuis Sevak dan de rest. Shyam had grijzend haar, een smal gezicht en een grote spleet tussen zijn beide voortanden. Rajesh was gezet en had enigszins waterige ogen. Ze hielden zich afzijdig van de anderen en keuvelden op fluistertoon met elkaar over de stijgende prijzen, over renteloze hypotheken of de plek om het voordeligst huishoudelijke apparaten te kopen. Ze kregen iets meer betaald dan de anderen. Iedereen wist het, maar er werd nooit over gepraat en geen van beiden erkende het openlijk. Shyam had een jonge dochter die hij aan de zoon van Rajesh hoopte uit te huwelijken. Ze leefden in hun eigen, vastomlijnde middelbare-leeftijdwereld, gingen getweeën theedrinken of eten en noemden de andere verkopers, ook Gokul, die maar een paar jaar jonger was, allemaal 'jongen'.

Ramchand besteedde de ochtend aan het ordenen van nieuwe voorraad. Bhimsen Seth, de eigenaar, arriveerde rond elven. Zijn grootvader, Sevak Ram, had de winkel opgezet. Bhimsen had op zijn twintigste de leiding overgenomen. En het was toen dat Mahajan, vijftien jaar oud op dat moment, bij hem had aangeklopt om werk. Bhimsen had hem aangenomen en Mahajan had zich opgewerkt. Over een periode van dertig jaar had Mahajan zich eerlijk, betrouwbaar en ondernemend betoond, en ook een harde leermeester. Nu was hij het die, weliswaar onder supervisie van Bhimsen, de meeste praktische zaken op zich nam. Bhimsen Seth hoefde niet meer dagelijks naar de winkel te komen. Bhimsen Seth had nog een paar andere bedrijven om op toe te zien. Ramchand wist niet of Seth zijn familienaam was of gewoon een eerbiedige aanspreekvorm. Hij had het Gokul een keer gevraagd, maar die had het ook niet geweten, en iemand anders durfde hij het niet te vragen.

De enkele keer dat Bhimsen Seth wél naar de winkel kwam, liet hij zich alleen maar welgedaan op de eerste verdieping in een hoek neer om er, te midden van felgekleurde prenten van hindoegoden en brandende wierookstaafjes, met zijn mollige, stompe vingers begerig de briefjes van honderd roepie te tellen.

Soms keek Ramchand naar hem vanuit zijn ooghoek. Als Bhimsen, terwijl hij de briefjes oplettend door zijn vingers liet gaan, bij een toevallige oogopslag Ramchands blik opving, schonk hij hem met zijn dikke lippen een lusteloze glimlach waar Ramchand het koud van kreeg. Ramchand vond Bhimsens welwillende manier van doen wat onheilspellends hebben.

2

In een ander deel van Amritsar, ver van de oude stad, in een gebied waar een groot aantal regeringsambtenaren, artsen en enkele zakenlieden nieuwe, ruime huizen met een gazon voor en een moestuin achter hadden neergezet, stond mevrouw Sandhu in haar keuken naar de schuimende melk op het gasfornuis te kijken. Het was een dikke vrouw met een lichte huid, een heldere blos en lang, glanzend haar in een keurige wrong.

Ze stond in een smetteloze, van de nieuwste snufjes voorziene keuken. De droge, schone marmeren werkbladen blonken. Hawkins anti-aanbakpannen stonden netjes in een kast, op de LG-magnetron was geen druppel of vlek te zien en de vloer glom. De echtgenoot van mevrouw Sandhu was hoofdingenieur bij het staatselektriciteitsbedrijf van Punjab. De kapitale woning werd tiptop in orde gehouden door ondergeschikten die in groten getale langskwamen om klusjes in de keuken, de tuin of het huishouden op te knappen. Eerder hadden de Sandhu's in de Energiebuurt gewoond, in een huis dat de regering ter beschikking had gesteld, en hun eigen nieuwgebouwde huis hadden ze nog maar net betrokken.

De betrokkenheid van meneer Sandhu bij het huis was groot en zowel aan de bouw als aan de inrichting had hij van tevoren veel zorg besteed. Alleen het beste was goed genoeg. Ook als hij straks met pensioen was, moest men kunnen zien dat hij hoofdingenieur was geweest. Het huis was dus groot en in het ontwerp waren de modernste stijlkenmerken toegepast. In de badkamers lag graniet. Een grote boog gaf toegang tot de zitkamer, die twee, drie treden in de vloer verzonken was. Er lagen tapijten die meneer Sandhu uit Kasjmir had laten komen. De deuren waren van teakhout en de kostbare meubels en bekleding had meneer Sandhu persoonlijk uitgekozen. Veel mensen zeiden het raar te vinden dat een regeringsambtenaar, ook al was hij nog zo hooggeplaatst, zich zo'n luxe onderkomen kon veroorloven, maar, zo voegden ze eraan toe, de Sandhu's hadden natuurlijk bezittingen, hadden land in hun dorp, en – met een veelbetekenende blik – welke regeringsambtenaar liet zich tegenwoordig niet iets toeschuiven?

Ook een andere hoofdingenieur had vlak in de buurt een huis neergezet, maar die had dat in stappen gedaan. Eerst had hij zijn kavel bijeengespaard. Daarna had hij in de loop van enkele jaren zoveel opzij gezet dat hij met de bouw kon beginnen. Nog voordat het huis klaar was, was hij er met zijn gezin ingetrokken. Vijf jaar later had hij timmerlieden ingehuurd om de twee stalen Godrej *almirah's* door ingebouwde houten schappen en kasten te laten vervangen. Een gazon en een moestuin had hij ook, maar verder alleen een oude, gedeukte Fiat, één gewoon kleed in de zitkamer, armoedige, oude meubels, waar zijn vrouw van hield en geen afstand van kon doen, en een niet al te grote som geld op de bank. Die man was bepaald niet handig, werd gezegd, niet verstandig... bijna dom.

Nu deed ze voor niemand meer onder, vond mevrouw Sandhu. Haar maakte het niet uit dat ze zwaar was, ze was in ieder geval niet zo'n mager mens met een ruwe, donkere huid en vaal haar. Een prachtig huis, een familie van stand, een zorgzame man en een knap gezicht... wat kon een vrouw meer verlangen? Als de kinderen nu ook nog goed terechtkwamen...

Ze draaide het gas uit en de melk kwam tot rust. Zorgvuldig goot ze een hoge stalen beker tot de rand toe vol. Met lillende vetrollen schommelde ze, de hete beker in haar handen, naar de kamer van haar zoon. De deur stond op een kier. Ze stootte hem open en liep op haar tenen naar het bureau waar hij aan zat te werken.

'Hier, Manu, *beta*, opdrinken,' spoorde ze hem aan. Manu keek op. Hij was een slungelige puber met een beginnend snorretje en knokige knieën. Binnenkort zou hij toelatingsexamen doen voor de studie medicijnen. Alle ogen waren op hem gericht. Die jongen deed de PMT, die deed de *premedical test*. Hij had trotse, bezorgde, liefhebbende ouders. Sloom nam hij de stalen beker van haar over, leunde achterover en nam een slokje. Met haar mond een stukje open en haar vetrollen in stille verwachting bleef mevrouw Sandhu staan.

'Gátver!' Met een vertrokken gezicht drukte Manu de beker terug in haar handen. 'Heb je die melk niet gezeefd? Je weet toch dat ik er geen room in wil. Neem maar weer mee.'

Zonder haar aan te kijken ging hij weer aan het werk. Zij ging naar de keuken terug en haalde haar stalen zeef tevoorschijn, de zeef die ze bij haar trouwen van haar moeder had gekregen. Wat is hij nog mooi, dacht ze vergenoegd. Zorgvuldig goot ze de melk in een andere beker over. De aanstootgevende room bleef achter in de zeef. Ze bracht de tweede beker naar zijn kamer. Stilletjes prevelend zat hij weer boven zijn papieren gebogen. Zonder haar aan te kijken nam hij de beker uit haar handen. Hij dronk traag, zonder iets te zeggen. Ze glipte de kamer uit.

De telefoon in de zitkamer ging. Ze rende ernaartoe en hoopte maar dat het gerinkel Manu niet uit zijn concentratie had gehaald.

Haar man belde van zijn werk. Hij was goedgeluimd; hij had zojuist een beleefd als geschenk ingeklede omkoopsom ontvangen. Lief vroeg hij zijn vrouw waar Manu mee bezig was.

'Hij studeert,' antwoordde ze trots.

*

Twee huizen verderop zat mevrouw Gupta in haar slaapkamer op de perzikkleurige satijnen sprei van een groot bed. Ze was achter in de vijftig, al leek ze jonger doordat ze goed op haar eten lette en regelmatig oefeningen deed. Ze had een bleke, doorschijnende huid en haar haar was dun. Om dat te camoufleren had ze het tot op haar schouders laten knippen en van achter met een speld vastgezet. Een andere vrouw van haar leeftijd zou er misschien voor gek mee lopen, maar zij, met haar zwierige, uiterst zelfbewuste houding, haar kwieke tred en haar smalle taille kon het heel goed hebben. Ze had kleine ogen en een beetje een haakneus. Die twee dingen aan haar gezicht bevielen haar niet – haar dunne haar natuurlijk ook niet –, maar ze wist dat ze er alles bij elkaar goed uitzag: vief, modieus, fatsoenlijk en tegelijkertijd van rijken huize.

Op een plank in een nis stonden kristallen hebbedingetjes; kristal was het helemaal tegenwoordig en wanneer ze maar kon, vulde ze haar collectie aan. Naast andere snuisterijen stonden er een kristallen vaas met witte geïmporteerde kunstbloemen, een kristallen miniatuurviool en een beeldje van een dansende vrouw. De laatste tijd vroeg ze zich echter af of ze het kristal niet beter in de woonkamer kon zetten. Hier zag bijna niemand het...

De grote spiegel op de kaptafel met het glazen blad weerkaatste de verzorgde kamer: het prachtige tweepersoonsbed met zijn roodfluwelen hoofdeinde, het kristal, de van een glazen blad voorziene wandtafels, het roestbruine tapijt en de geruite plooigordijnen in roestbruin en perzik. Hij weerkaatste ook de in gedachten verzonken mevrouw Gupta, in volle glorie te midden van dat al.

Op de kaptafel, onder de weerspiegeling van de kamer, stonden een pot antirimpelcrème van l'Oréal, een fles Lakme reinigingsmelk, pakjes dieprode *bindi's* en een grote fles parfum. Ook stond er een rij sierlijke Revlon lipsticks, als identieke, rood geüniformeerde dwergsoldaten. Dit waren de dingen voor dagelijks gebruik. Haar andere cosmetica lagen netjes in de laden van de kaptafel opgeborgen.

Laatst had mevrouw Gupta op een van haar theekransjes over Feng Shui gehoord. Ze had haar man erover verteld. 'Het is net onze Vaastu Shastra, alleen moderner. Er zijn boeken over in het Engels en mevrouw Bhandari doet er ook aan. Ze heeft een rotstuintje aangelegd, precies waar dat volgens dat boek moet.'

Mevrouw Gupta kwam niet erg aan boeken toe, maar ze had heel wat mensen weten uit te horen over Feng Shui en inmiddels had ze, naast de vele andere aanpassingen van en aanvullingen op het interieur, bij de deur naar de kamer een windgong hangen, die af en toe licht trillend een tinkelend geluid gaf.

Afwezig, met haar gestifte lippen in een voldane glimlach, streelde ze de satijnzachte perzikkleurige sprei. De huwelijksdag van Tarun, haar oudste zoon, was net vastgesteld en ze was zeer te spreken over de regeling. Shilpa heette het meisje. Het was een ingetogen meisje, niet echt mooi – ze had een vrij onopvallend gezicht – maar haar huid was licht en ze was slank. Daar ging het toch om, dacht mevrouw Gupta. Aan de rest kon worden gewerkt. Ze leek gedwee en dienstvaardig, en haar schuchtere gedrag leek in niets op de onbeschaamdheid die je tegenwoordig wel bij meisjes zag. Ze was in elk geval kneedbaar. Waar het echt om draaide, het belangrijkst van al, was dat ze de dochter was van een rijke, geziene fabrikant. De beide families waren van precies gelijke stand en dus zouden noch het paar, noch de families aanpassingsproblemen krijgen. Misschien kon Tarun in een later stadium wel een vennootschap met haar broers aangaan…

Mevrouw Gupta had veel te overdenken, de complete voorbereiding van de bruiloft namelijk. Haar jongste zoon Puneet, computertechnicus in Amerika, zou ook voor de bruiloft overkomen. Die hielp natuurlijk. Meneer Gupta was een zakenman met veel connecties. Hij wist de dingen wel te regelen. Hij zou vooral de praktische zaken doen, zoals relaties bellen en zorgen dat mensen als juweliers, cateraars en tentverhuurders inschikkelijk waren, maar zíj moest de inkopen doen.

De Gupta's hadden uitgebreid en openhartig met de ouders van Shilpa gesproken en gezamenlijk besloten drie 'feestelijke bijeenkomsten' te houden: de *sangeet* voor de vrouwen, die met het *mehndi*-feest kon worden gecombineerd, het eigenlijke huwelijk en een receptie.

Dus moest ze voor elk van de drie gelegenheden een set kleren en bijpassende sieraden verzorgen. Ook moest ze bepalen wat Shilpa op de receptie aan kleren en sieraden zou dragen en dat aanschaffen, want de traditie wilde dat wat Shilpa direct na het huwelijk droeg een geschenk van haar schoonouders was. En ook over Taruns kleding moesten ze een beslissing nemen.

Voor zichzelf had mevrouw Gupta al besloten wat ze op de huwelijksdag aan zou trekken. Ze had een oude sieradenset van *kundan* en in goud gezette smaragden. Daar zou ze een zijden sari bij kopen. Ze kon haar haren natuurlijk niet los dragen, ook al wist ze dat ze er dan stukken jonger uitzag, maar voor de moeder van de bruidegom ging dat gewoon niet.

Met een zucht concentreerde mevrouw Gupta zich weer op de inkopen. Allereerst zou ze een stuk of twintig salwaar kameezes voor Shilpa laten naaien. Ook zou ze eenzelfde hoeveelheid sari's voor haar kopen. Dan kwamen er nog sari's bij voor haar eigen familie, en kleren voor de mannelijke verwanten natuurlijk. En goedkopere sari's voor de dienstmeisjes... Heel wat inkopen te doen, dacht mevrouw Gupta begeesterd. Onlangs had ze Shilpa's moeder aan de lijn gehad. Beide ouderparen, de Gupta's en Shilpa's ouders, waren van plan de sari's bij Sarihuis Sevak te kopen. Ze hoopte dat ze elkaar daar niet tegen het lijf zouden lopen... dan werd het gênant om over de prijs te praten.

Er was geen lol aan om dit allemaal alleen te bedenken, dacht mevrouw Gupta. Ze had veel familie in Amritsar, maar over tien dagen was er nog een bruiloft in de familie en als ze over haar eigen plannen begon voordat die achter de rug was, vonden ze haar natuurlijk een egoïst.

Mevrouw Gupta pakte de snoerloze telefoon op, die Puneet voor haar had meegenomen toen hij voor het eerst weer thuiskwam, en belde mevrouw Sandhu.

Bij het eerste overgaan nam mevrouw Sandhu op.

'Hallo, *ji*,' zei ze, toen ze de stem van mevrouw Gupta herkende. 'Hoe is het met u?'

'*Bas*, goed hoor.'

'Al met de voorbereidingen begonnen?' vroeg mevrouw Sandhu, want al op de dag dat Taruns huwelijk was geregeld, had ze er bericht over gekregen.

'Nee, nog niet. Nauwelijks tijd gehad. Over tien dagen trouwt mijn nicht, moet u weten. De familie heeft dus het een en ander te doen. Voor haar huwelijk heb ik gelukkig alles al gekocht, dus dat is een zorg minder.'

'Dat vind ik nou zo knap van u. Ik zou niemand kennen die zo praktisch is als u,' zei mevrouw Sandhu zonder adem te halen.

'Ach nee, zeg...' protesteerde mevrouw Gupta.

Toen kwam ze ter zake. 'Eigenlijk dacht ik eraan om te gaan winkelen. Gaat u mee? Al die sari's die we moeten hebben.'

Dit herinnerde mevrouw Sandhu eraan dat zij er ook een moest kopen voor de toekomstige schoondochter van mevrouw Gupta.

Toen Mini, de nicht van mevrouw Sandhu, trouwde, was mevrouw Gupta op de bruiloft uitgenodigd. Mini had voor tandarts gestudeerd en was met een tandarts getrouwd. Het paar was een kliniek begonnen; alleen de tandartsstoel al had anderhalf *lakh* roepie gekost. Op de bruiloft was mevrouw Gupta zo aardig geweest de blozende bruid/tandarts een prachtige paarse, rijk geborduurde zijden sari te schenken.

Zonde dat Mini hem nooit aan had gehad, dacht mevrouw Sandhu, maar volgens Mini diende ze er als arts, ook al was het maar tandarts, vlot en professioneel uit te zien en zei dat ze er met een korte, eenvoudige salwaar kameez vlotter uitzag. Maar goed, nu moest ze voor de schoondochter van mevrouw Gupta een sari kopen die evenveel, zo niet meer, kostte, want mevrouw Gupta onthield die dingen en vertelde ze ook aan andere vrouwen door.

'Natuurlijk, ik kom,' zei ze hardop tegen mevrouw Gupta.

'O, dank u. U weet hoe het is met sari's kopen, dat gaat gewoon niet in je eentje.'

'Geen dank, geen dank. Het is tenslotte net alsof mijn eigen zoon zou trouwen,' zei mevrouw Sandhu vroom, terwijl ze zich nog steeds het hoofd brak over hoe duur die sari nu eigenlijk was geweest. 'En Manu blijft zeker nog drie uur weg. Hij is naar school. En daarna heeft die arme jongen nog bijles natuurkunde, en dan nog scheikunde ook. En de jongste heeft sportdag. Dus die komt ook niet voor de avond thuis, hoewel hij...'

Mevrouw Gupta onderbrak haar. 'Goed, dus over een halfuur bij mij en dan gaan we,' zei ze.

'Goed, ik kom eraan,' zei mevrouw Sandhu, die zich

nog steeds afvroeg hoeveel ze zou moeten uitgeven aan een sari voor het meisje dat de schoondochter van mevrouw Gupta zou worden. Het lastige was dat de Gupta's de enigen in de buurt waren met een eigen bedrijf. Dat mens vond dus dat ze er warmpjes bij zat, maar op haar eigen, rustige manier zou mevrouw Sandhu wel laten zien dat ze voor niemand onderdeed.

'Afgesproken. Ik zal de chauffeur de auto klaar laten zetten,' zei mevrouw Gupta, waarna ze haar nieuwe, snoerloze telefoon uit Japan uitschakelde.

*

'Ramchand Bhaiya, ik heb ineens enorme trek in een warme *samosa*,' peinsde Hari hardop in de richting van Ramchand. 'Of twee warme samosa's,' voegde hij eraan toe.

Onmiddellijk verscheen er een gekwelde uitdrukking op Ramchands gezicht.

'Nou moet je eens luisteren, Hari,' zei hij, 'Gokul brengt een grote bestelling weg en als jij er dan tussenuit piept...'

'Nee, ik piep er niet tussenuit, echt niet,' zei Hari sussend. Maar even later begon hij weer: 'Stel je voor. Zo'n grote, dikke, warme samosa. Knapperig vanbuiten, en die warme aardappelpuree vanbinnen. Met pepertjes en koriander en uien. O, en met chutney. Van die rooie met *imli*, of die groene met munt. En die dan met een warme, knapperige samosa. Zo uit de *kadhai*. Ooo.' Hari sloot verrukt zijn ogen. Zijn woorden deden ook Ramchand watertanden.

Ramchand probeerde net zo streng te doen als Gokul altijd deed. 'Nou moet je eens goed luisteren, Hari. Je kunt niet...'

'Ik heb echt honger, Ramchand Bhaiya,' zei Hari quasizielig. 'Ik ga even snel de deur uit, eet wat, en ben net zo snel weer terug. Ik moest het toch maar doen. Mensen als Seth en zo, die zijn al zo rijk. Dan hoef ik me toch niet kapot te werken of te verhongeren? En voor jou neem ik er ook een mee.'

'Ja, maar...' probeerde Ramchand weer, maar Hari was al opgestaan. Met een enkel knipoogje naar Ramchand sloop hij heel overdreven naar buiten, wat helemaal niet hoefde omdat er verder niemand was. Ramchand slaakte een zucht en ging, gespannen en geërgerd, continu knakkend met zijn vingers en snakkend naar een kop thee om tot rust te komen, weer aan het werk. De klanten zouden zo wel komen. Hij hoopte dat Gokul of Hari dan terug was. Chander was niet op komen dagen en Shyam en Rajesh waren wat gaan eten in een *dhaba*. Hij was helemaal alleen. Als er een klant kwam en hij wat verkocht, moest hij naar de toonbank beneden, waar de betalingen plaatsvonden, en er notitie van maken in het schrift met het carbonpapier. Hij had het maar één keer eerder gedaan, toen Mahajan er niet was, en toen die terugkwam, had hij het laten zien. Mahajan had goedkeurend geknikt, maar hijzelf had de zenuwen gekregen van het hele gedoe en voor hem hoefde het niet een tweede keer.

In de meeste winkels rekenden de verkopers niet af, maar Mahajan was ervan overtuigd dat in een zaak waar híj de leiding had, niemand de boel belazerde en zei altijd dat hij het meteen door zou hebben als er een sari zoek raakte en de politie zou bellen. En niemand twijfelde eraan, want niets ontging zijn scherpe blik. In Mahajans afwezigheid haalde niemand het in zijn hoofd een sari te verkopen zonder er een rekening voor uit te schrijven. Maar meestal was het dan Shyam of Rajesh die dat deed. Hari was de enige die het niet mocht, omdat Mahajan, zoals hij zei, niet zozeer aan zijn eerlijkheid twijfelde als wel aan zijn geestvermogens, voorzover aanwezig. 'De komende tien jaar laat ik die aap van een jongen niet bij de kassa in de buurt, niet voordat hij een man is,' had hij gezegd zodat iedereen het kon horen. 'En als ik na tien jaar nog een aap ben, *Bauji*?' had Hari toen gevraagd.

'In jouw plaats, Hari, had ik me diep geschaamd als ik op mijn tweeëntwintigste nog een aap werd genoemd,' had Mahajan boos gezegd voordat hij wegliep, 'en jij lacht er gewoon om. Je bent echt een onbeschaamde aap.'

'Volgens mij is het probleem,' had Hari geschaterd toen Mahajan weg was, 'dat ík over tien jaar misschien geen aap meer ben en wel een man, maar dat hij Mahajan blijft. Dat is pas een probleem. En nu ben ik Mahajan nog vergeten te vragen wat het verschil is tussen een schaamteloze aap en een aap die zich wél schaamt.'

*

Toen Hari de deur uit was, liet Ramchand zich tegen de muur zakken. Hij drukte zijn handen tegen zijn vermoeide ogen. Hij wist niet waarom hij tegenwoordig zo vaak hoofdpijn had. En er waren dagen dat hij 's morgens om vier, vijf uur wakker werd en dan gewoon, zonder ergens aan te denken, naar het plafond lag te staren om er dan ineens achter te komen dat het al acht uur was. Wie was hij in die drie, vier eenzame uren? En waarom was de winkel hem zo gaan benauwen? Waarom had hij langzaamaan het idee gekregen dat er iets niet goed ging, het gevoel dat hij voor de gek werd gehouden en iedereen de hele tijd, dag in dag uit, tegen hem liep te draaien en te liegen? Steeds dat afschuwelijke gevoel, die leegte, dat gemis, iets wat hij niet kende, iets wat hij niet zag, iets van levensgroot belang. En vanwege dat iets voelde hij zich in de winkel, tussen al die mensen, heel anders dan wanneer hij alleen op zijn kamer was.

En soms voelde hij zich wéér heel anders, vooral wanneer hij midden in de nacht wakker werd en, vlak voordat hij weer in slaap gleed, in het donker een paar tellen tussen waken en slapen zweefde.

Op dat moment hoorde Ramchand de houten trap kraken. Alleen 's ochtends was de trap te horen. Later wemelde het van de vrouwen, werd er aldoor maar weer om sari's geroepen, vlogen er opgevouwen sari's uit de handen van de ene verkoper in die van een andere en hoorde je jezelf niet eens denken, laat staan dat je de traptreden hoorde. De deur ging open en mevrouw Gupta verscheen, met een hijgende mevrouw Sandhu in haar kielzog. Ramchand kreunde. Moesten ze nu echt komen wanneer hij alleen in de winkel was?

Ze praten allebei te veel, dacht hij ongelukkig.

Zelfs terwijl ze gingen zitten, kwebbelden die twee nog door.

'Ik zei het toch, je kunt het beste gaan als het nog niet druk is. Later op de dag is het alleen maar dringen geblazen, en sari's, ho maar,' zei mevrouw Gupta.

'Weet ik toch. Voor een belangrijke beslissing moet je rust in je hoofd hebben,' antwoordde mevrouw Sandhu.

Ramchand glimlachte flauwtjes en vroeg wat hij ze mocht laten zien.

'Goed nieuws, goed nieuws,' zei mevrouw Gupta glunderend. 'Mijn zoon gaat trouwen. Laat dus maar het beste zien wat jullie in huis hebben.'

Ramchand zuchtte. Het was vanochtend zo heerlijk rustig geweest. Er werd maar op los getrouwd. Hij wou dat ze dat niet deden. Hij werd er bloedchagrijnig van. Maar evengoed begon hij sari's tevoorschijn te trekken. Zij bleven intussen kletsen en zo te horen gingen ze verder waar ze waren opgehouden toen ze zuchtend en steunend de trap op moesten.

'Hij trouwt precies op het juiste moment. Hij is net zelf een fabriek begonnen en, afkloppen, die doet het heel goed,' zei mevrouw Gupta met een glimlach.

Mevrouw Sandhu vouwde haar handen en hief haar ogen ten hemel. 'Dan is God u genadig. U mag God danken dat uw kinderen het er goed afbrengen.'

'Dat doe ik, heus. En elke maandag geef ik een paar van die arme drommels bij de Shivalaya-tempel te eten.'

Ietwat geschrokken keek Ramchand op. Toen hij nog heel klein was, nam zijn moeder hem altijd mee naar de Shivalaya-tempel. Hij rook de goudsbloemen weer...

Terwijl hij nog meer sari's tevoorschijn haalde, kwekte mevrouw Gupta door.

'Ik tref het toch maar. En dan vind ik dat ik ook wat voor een ander moet doen. Ik sprak laatst met mevrouw Bhandari en ze spoorde me aan iets voor de armen te doen. Ze is zó idealistisch. Altijd op zoek naar wat ze voor de maatschappij kan betekenen. Weet u... het enige is... u heeft het vast ook weleens gemerkt, soms vind ik haar een beetje verwaand, misschien omdat ze zo goed Engels spreekt, want je kunt niet zeggen dat de Bhandari's rijk zijn.'

'Ach, wat maakt het uit?' zei mevrouw Sandhu terwijl ze een prachtige lichtgele, met kwastjes afgezette sari aan een nader onderzoek begon te onderwerpen.

Glimlachend knikte mevrouw Gupta. 'Misschien is ze onzeker. Alleen een dochter, weet u. Nog steeds niet getrouwd.' Daarna ging het over andere dingen.

Ramchand bracht nog een stapel sari's. Mevrouw Gupta dook op een blauwe zijden sari af met een drukke rand van dansende pauwen. Ze liet hem aan mevrouw Sandhu zien, die meteen zei dat ze hem mooi vond. Mevrouw Gupta vroeg naar de prijs en legde hem toen voor zichzelf opzij. De twee bekeken nog meer sari's. Hari keek zeer geamuseerd toen hij bij zijn terugkeer Ramchands boze blikken opving. Hij liet Ramchand een vettige papieren zak zien met de samosa voor hem. Shyam en Rajesh kwamen ook binnenkuieren. De beide vrouwen bleven nog twee uur sari's bekijken en toen was Mahajan inmiddels terug. Mevrouw Gupta kreeg zijn gelukwensen, toen hij hoorde dat haar zoon ging trouwen, waarna ze met drie aankopen vertrok. Voordat ze dat deed, gaf ze Ramchand glimlachend de verzekering dat ze spoedig om meer zou komen. Ramchand was opgelucht toen ze eindelijk, voorzichtig tree voor tree de trap afdalend, naar beneden verdwenen.

Ramchand vond dat mevrouw Gupta een te schelle stem had. En hij at zijn samosa op, ook al was die inmiddels steenkoud.

Dit was nog maar het begin van de dag. Na elven kwam een gestage stroom vrouwen binnen om sari's. Ramchand wist niet of het echt zo was of dat hij het alleen maar zo voelde omdat hij hoofdpijn had, maar vandaag leek iedereen extra veeleisend. Ze wilden precies dát groen, en een smallere rand alsjeblieft, en nee, nee, zoveel borduursel op de *pallu* wilden ze niet. Er was geen ruimte voor twijfel of verstrooidheid, er was eigenlijk nergens ruimte voor, en naarmate de ochtend zich voortsleepte, voelde Ramchand de muren van de winkel dichterbij komen. Ademhalen ging hem moeilijk af.

Om twee uur ging hij naar buiten voor een snelle lunch. Ze werden geacht om de beurt te lunchen, maar als Mahajan er niet was, werd vaak van die regel afgeweken. Bij een kraam een straat verderop, op een houten bank die schudde als je te hard kauwde, schrokte hij vette *puri's* naar binnen. Daar nam hij ook thee. Pal tegenover Sarihuis Sevak stond weliswaar een theekraam, maar dat was de officiële. Tweemaal per dag – eenmaal 's ochtends en eenmaal 's avonds – dronken de verkopers en ook Mahajan een glas thee, 's zomers *elaichi*-thee en 's winters gemberthee. Die werd besteld met een simpele schreeuw uit het raam en dan verscheen algauw een jongen met een houder van staaldraad waar acht glazen in konden. De jongen bracht er zeven en als ze leeg waren, kwam hij ze weer ophalen. Aan het eind van de maand werd de rekening gebracht, in zevenen gedeeld, en ieder betaalde dan zijn deel. Een enkele keer nam Mahajan een tweede glas, voor zichzelf of voor een vriend die langskwam, en dat betaalde hij direct.

Maar omdat Ramchand het bij lange na niet redde op twee glazen per dag, nam hij vaak thee bij een van de andere, over de markt verspreide kraampjes, ergens in een steeg buiten Mahajans gezichtsveld en weg van de energie vretende herrie in Sarihuis Sevak, ergens waar hij in zijn eentje met zijn thee tot rust kon komen.

Nu, na de vette puri's en met een glas hete thee in zijn handen, kwam hij weer wat tot zichzelf. Nippend aan het hete, geurige brouwsel probeerde hij te bedenken waar zijn onrust vandaan kwam. Die onrust was trouwens niet nieuw. Die was er altijd geweest, maar de laatste tijd wilde die hem niet meer verlaten. Hij beeldde zich in dat hij af en toe een beetje zicht kreeg op een bepaalde werkelijkheid, al wist hij niet welke. Hij had het gevoel dat hij, wanneer hij zich echt concentreerde, wanneer hij echt nádacht, in staat zou zijn om tot een zekere absolute waarheid te komen. Het probleem was dat hij de dingen niet goed onder woorden kon brengen. Daar kon hij niet omheen. Als je de anderen hoorde, als je hoorde hoe helder zíj spraken. Als je hoorde hoe duidelijk en precies Hari een cricketwedstrijd beschreef of Gokul een voorbijganger de weg wees of mevrouw Gupta had uitgelegd wat voor sari's ze zocht. En zijn eigen gedachten? Zijn eigen gedachten vlogen altijd alle kanten op, kringelden dom omhoog en omlaag, rolden zich willekeurig op, renden hun eigen staart achterna en kwamen nergens uit. Hij was zesentwintig en als je dan zag hoe het er in zijn eigen hoofd toeging!

Ramchand dronk zijn thee verder op en staarde naar de theevlekken in het lege glas.

Of was hij gewoon onnozel? Wat had hij allemaal zitten bedenken? Welke werkelijkheid? Bij het afrekenen wist Ramchand het helemaal niet meer.

Met een zorgelijk gefronst voorhoofd kwam hij in de winkel terug, precies op tijd om de twee vrouwen te helpen die net binnen waren gekomen. Hij wist wie het waren. De ene, mevrouw Sachdeva, stond aan het hoofd van de Engelse sectie van een plaatselijk *college*. Het was een plompe vrouw met een krassende stem en strak naar achteren getrokken en in een eenvoudige wrong vastgezette haren. Het was algemeen bekend dat ze dingen schreef en dat die in het zondagse supplement van *The Tribune* werden gepubliceerd.

De andere, mevrouw Bhandari, een hooghartige mooie vrouw, was getrouwd met de substituut-inspecteur-generaal van politie. Op het college was ze schoonheidskoningin geweest en nu was ze voor in de veertig. Haar haar zat ingewikkeld opgestoken, met piepkleine krulletjes in een soort hoge dot boven op haar hoofd. Wanneer ze iemand voor het eerst ontmoette, stelde ze zich voor als maatschappelijk activiste en voor de Rotary Club organiseerde ze dikwijls liefdadigheidsactiviteiten. Mevrouw Bhandari, zo was de algemene opinie, was een vrouw van vele talenten. Zelfs vrouwen die haar niet mochten moesten dat tandenknarsend erkennen. Ze bakte fantastische taarten die niet onderdeden voor de taarten van de beste bakkerijen in Delhi, kende elke bestaande borduursteek, maakte hemelse soepen en kon zelfs soufflés maken, wat bijna niemand in Amritsar kon. Ze sprak perfect Engels, had een onfeilbare hand van kleren kiezen en als ze een feest organiseerde, werd dat gegarandeerd een succes.

Beide vrouwen waren vaste klanten, maar Ramchand zelf had ze nog nooit geholpen. Hij begroette ze met een respectvol 'Namaste'. Het werd met een vriendelijk knikje beantwoord.

Het hoofd van een Engelse sectie kon in de ogen van de onzekere Ramchand niet anders dan ontzettend knap en belezen zijn. Zelf had hij maar een paar boeken gelezen, aangeschaft bij de handelaar in tweedehands boeken achter de Sangam-bioscoop, waar de stadsbussen stonden. En dat waren nog niet eens Engelse boeken geweest, maar Hinditalige pockets, detectives met revolvers en half ontklede vrouwen op het omslag. De eerste drie had hij erg goed, erg spannend en inventief gevonden. Maar toen hij de vierde uit had, was het hem duidelijk geworden dat ze zich toch wel een beetje herhaalden. In alle vier de boeken had de schurk de heldin tot seks willen dwingen en in een ervan was hem dat gelukt, waarna de heldin, omdat ze verder geen eervolle uitweg zag, zich had verdronken. In de andere drie was de held met een pistool binnengekomen en had de heldin, en haar eer, gered. Toen Ramchand besefte dat de boeken allemaal op elkaar leken, had hij zich bekocht gevoeld en had hij geen andere meer aangeschaft of gelezen. En toen op een dag was hij langs een kruidenierszaak gekomen, waar het naar jutezakken en mungbonenmeel rook. Dat had hem ineens aan zijn vader doen denken en hij had besloten om te zien of er nog wat Engels was blijven hangen. Hij was naar dezelfde handelaar in tweedehands boeken gegaan en had *The Magic Lime Tree* gekocht, een Engels kinderboek van dertig bladzijden met veel plaatjes. Er stonden woorden in als *hearth*, *pixie*, *bashful*, *wither*, *wicked* en *toadstool*. Dat was te moeilijk geweest voor Ramchand en hij had niet doorgezet. Hij had het boek aan het dochtertje van zijn huisbaas gegeven, die toen op de binnenplaats alle plaatjes in had zitten kleuren. De blaadjes van de lindeboom uit de titel had ze nota bene paars gemaakt. Dat was twee jaar geleden geweest. Nadien had hij geen woord meer gelezen, geen boek meer aangeraakt.

Mevrouw Bhandari schraapte haar keel. Ramchand

realiseerde zich dat hij had zitten staren. Met een onzekere glimlach vroeg hij mevrouw Bhandari wat hij haar mocht laten zien. Ook dat was vast een intelligente vrouw. Hij had veel klanten over haar horen praten, sommige bewonderend en andere kwaadaardig en jaloers. Maar zo waren vrouwen nu eenmaal, bedacht Ramchand zich. Niet dat hij dat echt wist, maar dat zei Gokul altijd.

Deze twee staken in ieder geval gunstig af tegen de echtgenotes van rijke zakenmensen die de hoofdmoot van de clientèle vormden.

Ze nestelden zich tegenover hem en vroegen of ze een paar zijden sari's mochten zien.

Ineens voelde Ramchand zich zeer positief gestemd. Het waren geleerde, begaafde vrouwen – ze waren anders dan de rest. Enthousiast trok hij wat sari's tevoorschijn en liet ze zien. 'Kijk, mevrouw, deze zijn nieuw binnen. Hier, effen oranje met een goudgele rand, en hier, een gele met goudborduursel, en hier...'

Mevrouw Sachdeva, de koude ogen strak op hem gericht, onderbrak hem. 'Ik zoek fatsoenlijke kleuren, geen oranje, geen goud. Iets wat ik op het college kan dragen, niet iets voor op een dorpskermis.'

Een beetje van zijn stuk gebracht door de kille blik dacht Ramchand hier even over na. Hij had niet veel verstand van colleges of dorpskermissen, en nog minder van wat een vrouw daar aan wilde. Hij pakte een andere sari.

'Ja, mevrouw, helderrood met een zwarte rand, mevrouw. Ze zijn heel erg in trek, mevrouw.'

Toen Ramchand de norse uitdrukking op hun gezicht zag, brandden de tranen hem achter de ogen en zonk de moed hem in de schoenen.

'Niet iets wat glimt, alsjeblieft,' kwam mevrouw Bhandari ertussen, terwijl ze met een bleekroze gelakte vingernagel aan haar neus krabde. Ramchand, enigszins verslagen nu, pakte een papegaaigroene sari met een gouden rand. De vrouwen wisselden een blik. 'Je kunt die mensen ook niets aan het verstand brengen,' hoorde hij mevrouw Sachdeva tegen mevrouw Bhandari mompelen.

Ramchand voelde zijn oren gloeien. Met haar beschaafde stemgeluid richtte mevrouw Bhandari zich tot hem. 'Iets, eh, nou ja, iets ingetogeners.'

Ramchand wachtte onzeker af. Hij wist niet goed wat ze bedoelde. Hij voelde zich vreselijk.

'Een wat saaiere kleur. Bruin of grijs of zoiets,' zei mevrouw Sachdeva neerbuigend. Ze wilde er graag eenvoudig en zakelijk uitzien. *Zíj* was niet zo'n ijdele huisvrouw met niets om handen, waar de stad van overliep. Ze was een geletterde vrouw, stond aan het hoofd van de Engelse sectie van een college.

Ramchand stond op en pakte nog een paar sari's van de bovenste plank. Hij voelde hun ogen, ongeduldig en verwachtingsvol, haast in zijn rug prikken. Zenuwachtig liet hij er weer wat zien. Ze wierpen een korte blik op de sari's, die hij voor ze had uitgespreid; met rollende ogen slaakte mevrouw Sachdeva een zucht. Met het schaamrood op zijn kaken haalde hij er nog meer tevoorschijn.

De twee vrouwen wisselden weer een geërgerde blik. Wat hij had gebracht lieten de vrouwen ongeduldig door hun handen glijden en ondertussen bleef hij maar nieuwe aanslepen. Uiteindelijk vertrokken ze met een sari van beige en bruine changeant. Ramchand ging zitten en verborg zijn hoofd in zijn handen.

3

Toen de winkel om acht uur 's avonds eindelijk sloot, kwam Gokul naar de plek waar Ramchand spullen stond weg te bergen en zei: 'Kom mee, yaar, dan gaan we met zijn allen bij Lakhan Singh eten.'

Ramchand deed een poging tot een glimlach en vroeg: 'Hé, hé, Gokul Bhaiya, rijk man ineens?'

Gokul trok een vies gezicht. '*Arre nahin bhai*, niks rijk man! Mijn leven is een regelrechte hel. Lakshmi is naar de bruiloft van de broer van haar aangetrouwde tante geweest. En als zij naar een bruiloft gaat, gebeurt er altijd hetzelfde. Dan komt ze terug met allemaal rare ideeën in haar kop. Wil ze dit, wil ze dat, missen we zus, hebben we gebrek aan zo. En het gaat verdorie altijd hetzelfde. Altijd. Lakshmi, zeg ik iedere keer, als je ziet dat een ander wat heeft, moet je niet meteen zo jaloers worden. Wees blij. Leer tevreden te zijn met wat je hebt. Maar je weet hoe vrouwen zijn. Dit keer komt ze met zo'n gezicht thuis, en dat terwijl ze voor de trouwerij verdorie een nieuwe sari met blouse en nieuwe armbanden heeft gekocht. Komt ze toch met zo'n gezicht thuis, bloedchagrijnig. Dan weet ze me te vertellen dat Munna net zulke schoenen moet als Jaggu's zoon. Bata-veterschoenen! Kun je je dat voorstellen? Zelfs mijn oudste zoon heeft geen Bata schoenen, en die gaat naar school. Hem kan het niks schelen. Als hij mocht van ons, liep hij net zo lief op blote voeten. Alsof het wat uitmaakt wat voor schoenen een klein kind aan heeft. Heeft ze niet genoeg aan armbanden en een nieuwe sari? Mooi niet. Om gek van te worden, die vrouwen. En ik weet ook waarom ze het zegt. En dat heb ik haar laten weten. Lakshmi, heb ik gezegd, Munna is drie. Die kan zijn eigen neus nog niet eens snuiten. Hij heeft geen gebrek aan nieuwe schoenen. Jíj wil ze. Omdat jij je op je hart getrapt voelt als je de vrouw van Jaggu haar zoon nieuwe schoenen aan ziet doen waar de hele familie bij is. Dat kan ik toch niet helpen? Ik ben niet rijk, zoals Jaggu. Jaggu heeft een eigen elektriciteitswinkeltje. En eerlijk kan je hem ook niet echt noemen. Volgens mij boort hij alle klanten een paar roepie door de neus. Dat heb ik haar gezegd. Maar denk je dat ze luistert? Vergeet het maar. Doet net of ze niks hoort. En zelf de hele tijd maar mweh mweh mweh. En het eindigt er altijd mee dat ze mijn arme moeder zaliger vervloekt. Waarom ze die er zes jaar na haar overlijden nog altijd bij moet slepen, moet je mij niet vragen.' En met een zucht besloot hij: 'Ik ga voorlopig niet naar huis.'

Toen vroeg hij Ramchand: 'Ga je mee?'

Ramchand stond op het punt om nee te zeggen. Hij had hoofdpijn en na het bezoek van mevrouw Sachdeva en mevrouw Bhandari was zijn vage onrust veranderd in een nare smaak in zijn mond. Hij twijfelde of hij Gokuls gekanker de hele avond aan wilde horen. Daar stond tegenover dat Gokul nooit lang bleef kankeren. En de gedachte aan naar huis gaan om bij het licht van het petroleumfornuis op de afbladderende muren een smakeloze maaltijd klaar te maken deed hem besluiten.

'Ja. Doen we,' zei hij.

Daarna wendde Gokul zich tot Hari en vroeg: 'Ga je mee naar Lakhan?'

Hari hoorde hem niet. Hij lag op zijn knieën een beetje thee op te dweilen, dat hij eerder had gemorst. Daarbij zong hij ook nog uit alle macht, zwiepend met de dweil maar met zijn ogen dicht om zich te concentreren. Gokul klakte geërgerd met zijn tong, liep naar Hari toe en stompte hem op zijn rug. 'Hari!' brulde hij. 'Kom op, we gaan eten.'

Chander stond ook op het punt om weg te gaan. Hij wikkelde zijn wollen das om zijn hoofd. 'Vragen we hem ook mee?' vroeg Hari fluisterend aan Gokul.

Gokul leek het pijnlijk te vinden. 'Nee, nee,' zei hij snel.

'Waarom niet?' vroeg Hari, nieuwsgierig als altijd.

Gokul leek boos, maar antwoordde op gedempte toon: 'Hij gaat 's avonds al met vrienden weg. Met zijn vrienden van de fabriek waar hij vroeger werkte. Ze drinken.'

'O.' Hari viel stil. Vervolgens nam hij alle tijd om zich warm in te pakken. Toen hij daarmee klaar was, liepen ze gedrieën naar buiten en gingen kletsend op weg naar de dhaba van Lakhan Singh.

Het was koud buiten en de avondnevel verdichtte. Ze rilden. Onderweg kregen ze gezelschap van Subhash, Hari's neef. Het was een pienter ogende jongeman met een heel harde lach. Hij werkte vlakbij, bij de Kleine Bazaar voor de Vrouw, waar van alles werd verkocht – *parandees*, armbanden, lampenkappen, bindi's en dingetjes van glas, koper of hout die onder de term 'decoratie' vielen – zolang het maar bont en vrolijk was of glinsterde. De zaak leek op haar nering: de toonbanken waren van geslepen glas, alle vrije plekjes aan de muur waren met spiegels bedekt en er hingen veel meer felle lampen dan nodig was. Subhash had juist de vorige dag vijftig roepie opslag gekregen, want de Kleine Bazaar voor de Vrouw liep uitstekend.

Subhash groette de andere drie opgewekt en begon meteen te vertellen over de ruzie die hij die ochtend met een klant had gehad. De vorige dag had ze een rode parandee gekocht, die ze 's avonds nog in haar haren had gevlochten. Voor het slapengaan had ze hem afgedaan en op de natte vensterbank van de badkamer gelegd. De kleur was uitgelopen, de parandee was naar de maan en zij was woedend. Ze had een andere willen hebben of haar geld terug. 'Niet te beschrijven hoeveel drukte ze erom maakte. En dat voor zo'n stom ding dat vrouwen in hun haar doen! Sommige mensen hebben echt zaagsel in hun kop.' zei Subhash. 'Als je een mens de hele nacht in de nattigheid legt, blijft er toch ook niks van over? En wat is een parandee nou helemaal?'

Hari gaf een vaag instemmend knikje, en toen waren ze bij Lakhan Singh. Omdat in de dhaba de *tandoor* brandde met de verleidelijk ruikende, versgebakken *roti's*, was het daar warmer. Bijna alle krukjes en plastic stoelen werden bezet door rillende mensen die met een glas hete thee voor zich zaten door te warmen. In de warme ruimte hing de geruststellende geur van elaichi-thee. In de hoek was nog een leeg tafeltje met twee stoelen aan de ene kant en een doorgezakte *charpai* aan de andere. De vier namen het plekje snel in beslag.

Toen ze genoeglijk zaten, kwam Lakhan Singh, een lange, droefgeestig kijkende *sardaar*, hun bestelling opnemen. Hij was al dertig jaar de uitbater van de dhaba, die in Amritsar alom faam genoot omdat er enkel zuivere *ghee* werd gebruikt.

In 1984, bij Operatie Blauwe Ster, had hij in de Gouden Tempel twee zonen verloren. Sindsdien had hij geen *paneer masala* meer op het menu. Hij gaf zijn klanten als reden op dat het het lievelingskostje van zijn jongste zoon was geweest. Op gedempte toon voegde hij er steevast aan toe dat de oudste – zo'n makkelijke knul – alles even lekker had gevonden. Lakhan had een grote, uitspringende moedervlek boven zijn linkerwenkbrauw en gerimpelde, bij tijd en wijle trillende handen. Ramchand at hier vaak en telkens kwam hij erachter dat hij zich bij Lakhan Singh wat onbehaaglijk voelde.

Ze bestelden *daal makhani* met roti's van de tandoor en wachtten af. Subhash had het nog steeds over parandees en opvliegende vrouwen. Ramchand, wiens hoofdpijn maar niet overging, kreeg het al wat warmer, maar in zijn ijskoude handen zat nog geen gevoel. Hari, die zich in de handen wreef en ze warm blies, ving ineens zijn blik en vroeg: 'Wat is er, Ramchand Bhaiya? Rotbui?'

'Nee, yaar, alleen hoofdpijn,' zei Ramchand.

'Ja, ja, hoofdpijn. Je lijkt wel een oud wijf,' lachte Gokul.

Ramchand glimlachte en ze begonnen te praten. Dampend heet kwam het eten op tafel en ze knapten er allemaal van op. Een jongetje dat in de dhaba hielp, bracht ze een stalen kommetje met uien en tafelzuur.

Buiten veranderde de vroege avond in de late, werd het kouder en neveliger. De ene na de andere winkel in de bazaar sloot. Luiken werden neergelaten, hekken gesloten en geleidelijk keerde men huiswaarts. Het verkeerslawaai en het geroep van de riksjarijders zwelde aan. Ook de vier binnen werden luidruchtiger. De glazen thee volgden elkaar snel op, de mannen sloegen elkaar joviaal op de schouder en vertelden volop verhalen.

Algauw voelde Ramchand zich stukken beter.

Hari gaf een prachtige imitatie weg van Bhimsen Seth. Hij zakte onderuit in zijn stoel, loerde boven een denkbeeldige bril uit, riep schor om thee. Ten slotte deed hij, met glimmende oogjes en snelle vingerbewegingen, of hij bankbiljetten telde. Subhash viel bijna van zijn stoel van het lachen.

Gokul had het weer over Lakshmi, maar op een heel lollige manier, alsof ze de grappigste vrouw van de wereld was – ze was inconsequent, wanneer ze kwaad was, haalde ze oude ruzies op, ze begon zonder aanleiding te kiften en maakte het dan zomaar weer goed. Ze was bezeten van talkpoeder, deed niets liever dan nutteloze kussenslopen borduren en werd verteerd door vreemde verlangens. Gokul lachte er toegeeflijk bij en leek in niets op de boze man van eerder op de avond.

Daarna vertelde Ramchand over de aanvaring die hij die ochtend met Mahajan had gehad. Hij vertelde over het luide springen op één been en Mahajans geschreeuw naar boven. Hij lachte er hard om, alsof hij geen moment in de rats had gezeten.

De pret was nog volop gaande toen Subhash de andere drie over wist te halen om de zondag erop naar een reprise van *Hero No. 1* in de Sangam-bioscoop te gaan. Ze bestelden meer thee en bleven tot laat in de avond praten. Om elf uur ten slotte stond Gokul op. 'Ik moest maar eens gaan. Het kan niet anders of Lakshmi loopt intussen mijn voorouders te vervloeken.'

De anderen lachten en Gokul ging op een drafje weg. Hari en Subhash zeiden Ramchand gedag en ook zij vertrokken, nog altijd in een stuip om iets.

Ramchand was echter wat tot bezinning gekomen. Nadat hij Hari en Subhash in de koude mist had zien verdwijnen, ging hij op weg naar zijn kamer.

*

Nu hij alleen was, verdween de montere stemming waarin hij de hele avond had verkeerd. De avondnevel was een dichte, ondoorzichtige, nachtmist geworden. De straten zagen er verlaten uit. Langzaam liep Ramchand naar zijn kamer. Hij was onrustig. Akeliger dan ooit overviel hem het vertrouwde gevoel dat zich in een hoekje in zijn binnenste verscholen hield, dat ineengedoken tussen zijn longen zat, dat door zijn bloedbaan zwom. Hij kon het niet uitstaan dat hij er zo'n lichtzinnige, nietszeggende avond van had gemaakt en vond dat hij plat en banaal was geweest. Zoals hij Subhash op de schouder had geslagen en om Hari's grapjes had gelachen! Waarom deed hij dat soort dingen toch?

Hij dacht terug aan mevrouw Sachdeva en mevrouw Bhandari en voelde afkeer. Afkeer van hen en van zichzelf! Hij liet de gebeurtenissen van de dag door zijn hoofd gaan. Er leek totaal geen verband tussen, de mensen waren karikaturen, de geluiden hol en ver weg, en zichzelf zag hij als een machteloze, hypocriete stumper die in een film van niks opgesloten zat. Ineens zei Ramchand tegen zichzelf dat het genoeg was zo. Waar sloeg al die waanzin op? Waar zou die uiteindelijk toe leiden?

Nee, zo ging het niet verder. Hij moest zichzelf gaan aanpakken. Morgen begon een nieuwe dag. Hij zou zijn hele leven omgooien. Hij zou niet meer op zijn krent blijven zitten, zoals altijd gebeurde als hij had nagedacht. Hij zou gaan trainen en fit en gezond worden, zou zich door niemand meer laten intimideren en op zondag zou hij niet meer met Hari en de anderen naar die stompzinnige films gaan.

Ramchand versnelde zijn pas. Hij ging goede boeken lezen. Hij had gehoord dat Mahatma Gandhi een autobiografie had geschreven. Ja, daar begon hij mee. En hij zou definitief beslissen of hij in God geloofde of niet.

Hij had flink doorgelopen en sneller dan anders bereikte hij zijn kamer. In het licht van de straatlantaarn haalde hij zijn grote ijzeren sleutel tevoorschijn en toen klom hij de donkere, smalle trap op, die rechtstreeks naar zijn kamer op de eerste verdieping voerde. Hij deed de oude houten deur van het slot en stapte naar binnen. In het donker tastte hij naar het lichtknopje en knipte het aan. Het kale peertje in het midden van het plafond kwam tot leven en wierp een zwak licht op de muren. Ramchand haalde diep adem.

Hij ging ook zijn kamer schilderen en een lamp van vijfhonderd watt kopen. Daar werd de kamer lichter van en bij de veertig-wattlamp die er nu hing, was het toch moeilijk lezen. Ja, een sterkere lamp en een schilderbeurt. En hij ging elke dag zijn Engels oefenen voor de spiegel. Twintig minuten op zijn minst. Je kon nooit weten, misschien kreeg hij ooit nog beter werk... Morgen was tenslotte een nieuwe dag. En met dit alles in zijn hoofd trok Ramchand zijn *kurta-pyjama* aan, deed zijn grijze sokken uit, wurmde zijn voeten in zijn oude blauwe bedsokken met de gaten in de tenen, kroop onder een dikke laag dekens en ging slapen. De volgende ochtend werd hij aan de late kant wakker. Oud Amritsar was voor hem ontwaakt. Op iemands radio hoorde hij de verzen van de ochtend-*kirtan* in de Gouden Tempel. In een nabijgelegen tempel luidden de bellen. Een groenteman op straat riep dat de tomaten bij hem zes roepie de kilo waren. Een andere handelaar verkocht goudsbloemen aan devote huisvrouwen, net uit bad, voor hun ochtend-*puja*. Beneden hadden de kinderen van de hospes de televisie al aangezet. Ramchand, die weer een beetje hoofdpijn had, kon de ochtendgeluiden niet verdragen. Hij schoof de dekens opzij en worstelde zich in zittende positie.

Het zwakke schijnsel van de winterochtendzon dat door het getraliede raam drong, viel in gouden strepen op de vale vloer. Ramchand probeerde zijn gedachten van de vorige avond terug te halen, maar herinnerde zich enkel nog de kille woorden waar ze uit bestonden. Iets anders wist hij zich niet te binnen te brengen. Zijn hoofd raakte leeg en een eeuwigheid bleef hij, zittend op de hoop dekens op zijn doorgezakte charpai, het vuil en de dode huid van zijn teennagelriemen pulken. Pas veel later realiseerde hij zich dat hij vandaag weer te laat op zijn werk zou komen.

4

Ramchand was zesentwintig jaar geleden geboren. Zijn vader had toentertijd een piepklein winkeltje in Amritsar, waar onder andere rijst en peulvruchten, kaarsen, bezems, suiker, mungbonenmeel, geroosterde aardnoten en zelfgemaakte koekjes werden verkocht. Ramchand was gek op de geur van jutezakken die er hing.

Het gezinnetje woonde in een kleinere ruimte achter de winkel met daaraan vast een piepklein toilet.

Een oude, dubbelgeslagen rode sari met grote, gele bloemen van Ramchands moeder schermde een hoek van de kamer af. In het afgescheiden deel liep een gootje. Er stond een plastic emmer met een kruik en het gezin gebruikte deze ruimte als badkamer. Een andere hoek van de kamer deed dienst als keukentje, waar Ramchands moeder kookte op een klein fornuis, prachtig ronde *chapati's* uitrolde, behendig uien en tomaten hakte en de glanzende stalen pannen keurig op een rij zette. Ramchand kreeg altijd van zijn moeder te horen dat hij niet bij het fornuis mocht komen. Ze had liefhebbende, bedachtzame ogen en in haar kleine, rechte neus droeg ze een gouden knopje in de vorm van een blad.

Het gebeurde een keer dat ze het deeg voor de chapati's had gekneed en op het punt stond het petroleumfornuis aan te steken. Tegen de vijfjarige Ramchand, die om haar heen dwarrelde, zei ze: 'Kleine jongetjes moeten bij vuur wegblijven, hoor. Knoop dat goed in je oren. Weet je nog wat Choo Hoo overkwam?' Toen ze zag dat hij een beetje dwars was, omdat hij niet van zijn moeder was weg te slaan, pakte ze een homp deeg uit de kom waarin ze het had gekneed. 'Kijk eens,' zei ze glimlachend, 'ga er daar in de hoek maar iets heel moois van maken. Maak maar het allermooiste dat bestaat.'

Dat snapte hij wel, want dikwijls maakte ze voor hem een mus of een konijn van deeg. Dan trok ze met haar vaardige, slanke vingers een keer hier, kneep ze daar, maakte ze het ene plekje rond en het andere plat totdat er iets uit kwam. Wanneer ze een mus maakte, gaf ze hem een mooie scherpe snavel, dichtgevouwen vleugels en een staart. En dan vertelde ze Ramchand hoe de mus met haar snavel ruzie met het mannetje maakte en met dezelfde snavel eten haalde voor de kindertjes. Als hij dan verwonderd opkeek, moest ze lachen. Wanneer ze een konijn maakte, gaf ze het een prachtige wipstaart en verder niets. Gewoon een klont met een wipstaart. 'Waar is zijn gezicht?' vroeg Ramchand dan verbaasd. 'Hij is zo bang voor je dat hij wegrent,' zei ze lachend. 'En als een konijn bang is, zie je alleen zijn wipstaart.'

Op een keer maakte ze een muis die ze Choo Hoo noemde. 'Is het dan een meisjesmuis?' vroeg Ramchand argwanend.

'Ja, en nog wel een hele knappe.' Ze had extra veel zorg besteed aan die muis en haar een mooie staart, ogen en mond gegeven. 'Zie je dat? Ze heeft geen snorharen,' zei ze tegen Ramchand, 'want haar moeder had gezegd dat ze niet bij het fornuis mocht komen, maar ze was stout geweest en had het toch gedaan, en toen waren haar snorharen verbrand.'

Dat verhaal maakte veel indruk op Ramchand. Voor Choo Hoo was het niet zo erg, want dat was een meisjesmuis, maar stel nou dat hij bij het fornuis kwam en dan, als hij groot was, nooit zo'n snor kreeg als zijn vader had?

Soms maakte zijn moeder van deeg een gezicht en duwde ze er met een lucifer putjes in, twee voor de ogen en één voor de neus en daarna een hele rij putjes voor een breed lachende mond.

De keer dat ze hem zei met het deeg het allermooiste te gaan maken dat bestond, rolde hij de homp tussen zijn mollige handjes steeds maar rond en dacht en dacht en dacht. Wat was het allermooiste dat bestond? Zijn moeder natuurlijk, misschien zijn vader. Maar die kon hij niet maken van deeg. En zoiets had ze natuurlijk niet bedoeld. Hij rolde de vochtige deegbal rond en rond en dacht diep na.

Op dat moment riep zijn vader vanuit de winkel naar zijn moeder. 'Kom eens,' brulde hij zo beleefd als een mens kan brullen. Ramchand had heel ouderwetse ouders, ze noemden elkaar nooit bij de naam.

Ze draaide het fornuis uit, zette de petroleumkan en de lucifers veilig weg op een hoge plank en wierp een opmerkzame, bezorgde blik op hem. Ze stond doodsangsten uit om het fornuis, ze had zo vaak gehoord dat een kind er een ongeluk mee kreeg. Maar sinds ze hem het verhaal over Choo Hoo had verteld, leek hij er uit de buurt te blijven. Ze had het niet eens van tevoren bedacht. Toen ze een keer een prachtig muisje had gemaakt en zich realiseerde dat het moeilijk was het snorharen te geven, was het er spontaan uitgekomen. Ze glimlachte, trok de pallu van haar sari uit de band van haar onderrok, spreidde hem uit, legde de pallu om haar schouders en keek naar haar zoon. Hij zat nog ingespannen naar de deegbal te kijken. Met de gedachte dat het vertrouwd was, liep ze de winkel in. Het bleek dat haar man een nieuw blik zwarte peper op een ongewone plaats had gezet en haar nodig had om te helpen zoeken. Een minuut of tien later vonden ze het en ging Ramchands moeder weer de kamer in om verder te koken.

Ze zag Ramchand in de hoek waar hij zat toen ze weg-ging, met de homp deeg stijf in zijn knuisten. Maar hij huilde. En het was geen grienen of brullen of snotteren, zoals een kind dat doet. Hij huilde echt, hartverscheurend, slikkend en snikkend en met intens verdriet in zijn ogen.

Een pijnscheut trof haar hart. Ze rende op hem af en tilde hem in haar armen, omhelsde hem en keek of hij zich had bezeerd. Maar dat was het niet, zoals ze eigenlijk al wist. Ze zag het aan zijn ogen. Ze murmelde in zijn oor, neuriede zachtjes en toen hij, nog met verdrietige, niet-begrijpende ogen, wat tot bedaren kwam, vroeg ze heel, heel ernstig, zoals je het een volwassene vraagt: 'Zeg eens, waarom huil je?'

Eerst gaf hij geen antwoord. Hij keek alleen maar, eerder onthutst dan gekweld, naar de deegbal in zijn hand. Hij keek naar het gezicht van zijn moeder, bemind en vertrouwd. Haar heldere, openhartige ogen vonden de zijne. Hij vertrouwde haar. Hij kon het haar zeggen. 'Mam... mie... je zei... je zei... dat ik het aller... aller...' slikte hij. Ze wachtte. 'Maak maar het allermooiste dat bestaat, zei je.'

'En?' vroeg ze, nog steeds met een ernstig, onderzoekend gezicht.

'En...' en op dat moment barstte Ramchand weer in tranen uit en brulde: 'Ik weet niet... ik weet niet wat het allermooiste is dat bestaat.'

Ze lachte hem niet uit. En ze heeft nooit geweten hoe dankbaar haar zoon de rest van zijn leven was dat ze niet lachte, op dat ogenblik zelfs niet sprak of bewoog. Ze pakte hem wat steviger vast en streelde zachtjes zijn hoofd.

Toen zijn vader, die toen binnenkwam, Ramchands betraande gezicht zag, zag hij tot zijn verbazing ook tranen glinsteren in de ogen van zijn vrouw.

'Wat is er gebeurd?' vroeg hij.

En ze zei niet: 'Niets. Hij is gewoon gevallen.'

Kalm en volkomen beheerst vertelde ze het hem.

Met de stoffige, uitdrogende deegbal, die al barstjes begon te vertonen, in zijn handen keek Ramchand, bij wie de tranen op het gespannen gezicht waren opgedroogd, zijn vader angstig wachtend aan.

Zijn vader keek zijn zoon recht in de ogen en zei: 'Maar dat weet ik ook niet.'

Het zwijgen van zijn moeder. De eenvoud en waarachtigheid in de toon van zijn vader. Dat waren dingen die Ramchand nooit meer vergat. En daarna heerste er volmaakte vrede in de kamer. Ramchand wist niet wat er verder met het deeg was gebeurd. Het werd vergeten. Zijn moeder waste zijn handen en zijn gezicht, droogde ze teder af met een zachte katoenen doek en gaf hem warme melk. Zijn vader haalde een gesuikerd koekje voor hem uit de winkel. Een van de duurste, wist Ramchand.

Het voorval kwam niet meer ter sprake en na sluitingstijd waren avondeten en naar bed gaan als vanouds. Maar na die dag hield Ramchand nog veel meer van zijn ouders.

*

Wat Ramchand als klein kind het liefste deed, was op onderzoek uitgaan in het labyrint van zakken en blikken in de winkel, ze openmaken om te zien wat erin zat en zich verliezen in de opwindende, immer veranderende en toch immer dezelfde geuren. Dat mocht alleen als er geen klanten waren. Als er iemand was, verwachtte zijn vader van hem dat hij zich gedroeg en wegging als hem dat werd gezegd. Dan was Ramchand altijd gehoorzaam.

Als er geen klanten waren, was zijn vader op zijn gezelligst en kwam zijn moeder er ook bij en zocht een plekje bij de toonbank. Terwijl zijn ouders aan het praten waren, maakte Ramchand hier eens wat open, zat daar met zijn vingers aan, liet de rijst door zijn vingers lopen, ging boven op een zak zitten en verklaarde dat hij de koning was, of probeerde zijn moeder over te halen om bij hem te komen zitten in een grote kartonnen doos waar een plaatselijk geproduceerd wasmiddel in werd geleverd. Als ze dan weigerde en zijn vader moest lachen, kwam hij, ruikend naar zeep, weer tevoorschijn. Daarna kietelde hij, kirrend van plezier, zijn kin met de borstels van de bezems. Dan moest zijn moeder ook lachen en heerste er puur geluk in de van geuren en plezier doortrokken winkel. Soms lachte zijn vader hardop, maar doorgaans schonk hij zijn zoontje slechts een welwillende glimlach.

Het gebeurde maar zelden dat Ramchands vader een slechte bui had. Dat was dan meestal als het te druk was geweest in de winkel of als de muizen de weg naar een van de zakken hadden gevonden. Op zulke dagen snauwde hij zijn zoon ongeduldig af.

'Maak dat je wegkomt. Ga leren. Doe wat met je leven, anders sta je de rest van je leven *besan* af te wegen en suiker in zakjes te scheppen en met huisvrouwen te bakkeleien. Dan zit jij met wantrouwige klanten die op de weegschaal gaan kijken of je de boel niet belazert.'

Hier begreep Ramchand niet veel van. Hij lachte alleen maar bewonderend naar zijn vader, die voor hem de beste van de hele wereld was, en vroeg of laat nam zijn vader hem dan op schoot en zei, terwijl hij hem zoute nootjes voerde: 'Straks ga jij naar een *English-medium school*, hè? En daar ga je goed je best doen, hè?' De vijfjarige Ramchand had geen flauw benul van wat een English-medium school was, maar knikte bereidwillig.

Ook vond Ramchand het prachtig om 's maandagsochtends, met de offerande van heerlijk geurende goudsbloemen op zijn open handen, met zijn moeder naar de Shivalaya-tempel te gaan. Voordat ze trouwde, had zijn moeder de maandagen altijd streng gevast om Shiva een goede man af te smeken. Nu had ze een man die goed en eerlijk was, haar gelukkig maakte en nooit zijn stem tegen haar verhief. Laat staan dat ze slaag kreeg, zoals zoveel andere vrouwen. Nu ze zo'n echtgenoot had getroffen – nu Heer Shiva zo genadig was geweest haar zo'n man te schenken – ging ze door met vasten, want ze vreesde Shiva's toorn in het geval ze er plotseling mee stopte.

Ramchand verheugde zich erg op die uitstapjes naar de tempel. Bovendien vond hij zijn moeder de allerliefste vrouw van de hele wereld. Maar bij haar permitteerde hij zich meer dan bij zijn vader. Ze was lichtgeraakt, maar haar boosheid was ook gauw weer over. Dan tilde ze haar zoon op, wroette met haar neus in zijn nek, knuffelde en kuste hem en noemde hem schattebout. Hij maakte vaak misbruik van zijn schatteboutenstatus.

Hij hoefde nog niet in de tempel te zijn met de luid beierende bronzen klokken en de geur van wierook, goudsbloemen en sandelhout, in het gedrang van de zingende menigte, of hij raakte opgewonden. Het steeg hem allemaal naar het hoofd en dan ging hij wild in het rond rennen, waarbij hij iedereen die in de weg stond opzijduwde. Zijn moeder begon dan met hem een standje te geven. Ze kreeg al de zenuwen als ze niet had gegeten en op een lege maag kon ze Ramchand zeker niet aan tussen al die mensen. Maar doorgaans trok hij zich van zo'n waarschuwing niets aan, en dat was vreemd omdat hij zich op andere dagen meestal wel gedroeg. Het was enkel de maandagdrukte in de tempel die hem hyperactief maakte. Na een paar waarschuwingen kon ze wel huilen. Waarom raakte hij op maandag in de tempel altijd door het dolle heen? Maar na een paar fikse tikken werd hij dan weer rustig.

En na die tikken beloofde hij telkens plechtig dat hij de volgende maandag niet stout zou zijn. En toch gebeurde dat iedere keer weer wel. En kreeg hij weer klappen. Het was voor beiden haast routine geworden.

Op die maandagochtenden na leefde het gezinnetje een

vredig en heel gelukkig leven. Maar kort na Ramchands zesde verjaardag, toen hij op de English-medium school zat waar zijn vader voor had gespaard, was het ineens over met de geur van jutezakken en goudsbloemen. Op bedevaart naar Haridwar kwamen zijn ouders bij een busongeluk om het leven. De bus viel gewoon om, er waren te veel bedevaartgangers aan boord. Ramchand hadden ze bij zijn oma in het familiedorp in de buurt van Amritsar ondergebracht. In het begin was Ramchand alleen maar hogelijk verbaasd dat als iets omvalt, geuren zomaar voor altijd kunnen verdwijnen. De schrik kwam later.

Iedereen verwachtte dat het kind 's nachts om zijn moeder zou huilen, zou vragen waar zijn vader was en waarom hij niet thuis woonde. Zijn bezorgde oma had haar best gedaan gepaste antwoorden te bedenken voor als hij met die vragen kwam. Maar ze kwamen niet. Ramchand werd heel stil en weigerde elk lichamelijk contact met de volwassenen om hem heen. Af en toe huilde hij, maar niet als een kind. Dan werden zijn ogen troebel en druppelden de tranen traag over zijn wangen. Als ze hem probeerden op te tillen of zijn tranen wilden drogen, begon hij kwaad te brullen en trappelde hij wild om zich heen.

Uiteindelijk moest Ramchand naar Amritsar terug, naar het gezin van een verre oom, zodat hij naar school kon. Hij had die oom nog nooit gezien. Oom werkte als edelsmid bij een juwelier. Ook bij hem thuis woonde het hele gezin in één kamer, maar er waren veel meer spullen dan Ramchands ouders ooit hadden bezeten. Er stond een kaptafel met wat cosmetica. Ze hadden er een houten kastje voor de borden en de glazen en er stond een stalen almirah met kleren op een hangertje. Ramchand had nog nooit een kleerhanger gezien. Bij zijn ouders hadden de kleren opgevouwen in een kist gelegen. Alles was vreemd. Ooms vrouw was een dikke, prikkelbare vrouw die vaak, met een chunni strak om haar hoofd gewikkeld, in bed lag te zeuren dat ze hoofdpijn had. Zelf had ze twee kinderen, jongetjes, die jonger waren dan Ramchand. Wie het waagde haar te storen wanneer ze met hoofdpijn in bed lag, kreeg de wind van voren. Vaak stoof ze bij het minste of geringste geluid van een van de kinderen haar bed uit en gaf ze alle drie een flinke pets op elke wang om er dan weer in te kruipen en een laken over zich heen te trekken. Haar eigen kinderen waren het gewend en doken giechelend onder de klappen door, zodat ze nog bozer werd, maar, op de maandagochtenden na wanneer hij wist dat hij erom had gevraagd, had Ramchand nog nooit klappen gekregen. De lukrake meppen van zijn tante brachten hem totaal van de wijs. Hij miste zijn goeiige vader en zijn onberekenbare, maar liefhebbende moeder erg. 's Nachts droomde hij van de dubbelgeslagen rode sari met de gele bloemen, waarmee thuis de 'badkamer' van de kamer afgescheiden was.

Met de kinderen van Oom werd Ramchand op een andere school gedaan. Een ander huis, een andere school, andere geuren. Het was gedaan met de goudsbloemenjutezakgeur. Ramchand werd groot.

Elke zomer ging Oom plichtsgetrouw met zijn gezin naar de ouders van zijn vrouw in Oud Delhi. Op zo'n moment kreeg Ramchand duidelijk te verstaan wie bij het gezin hoorde en wie niet. Hij moest op vakantie naar zijn oma in het dorp. Jaar na jaar bracht hij in zijn eentje lange zomermiddagen door aan de rivier en daar werd Ramchand voor het eerst geconfronteerd met eenzaamheid. Tijdens die lange, hete middagen onder de bomen, waar alleen de mildste zonnestralen door hèt bladerdak vielen en de koele rivier kabbelde, werden alle gedachten een geheimzinnig ruisend, suizend, murmelend blauwgroen. En Ramchand leerde de ander in zijn binnenste kennen, de schimmige, verborgen, blauwgroene Ramchand, die dingen dacht die nergens op sloegen, of dingen die soms zó gevaarlijk dicht bij dingen kwamen die wel ergens op sloegen dat hij ervoor terugdeinsde, zoals je dat doet voor een schuimbekkende dolle hond.

De eigenlijke Ramchand, de wereldse Ramchand, kletste, lachte, woonde *mundan*-vieringen bij en liep met *Diwali* graag in een nieuw, glimmend, kunstzijden overhemd.

Maar de wetenschap dat ergens in hem de blauwgroene Ramchand zijn tijd verbeidde, veranderde de wereldse Ramchand gaandeweg. Hij werd stiller, trok zich terug. Wachtte af. Net zoals iemand met een tumor in zijn hersenen of een leegte in zijn hart afwacht.

Toen Ramchand vijftien was, besloot Oom dat een jongen als hij geen verdere schoolopleiding nodig had. Het was belangrijker dat hij een vak leerde. Ramchand werd van school gehaald en naar Mahajan gestuurd, een kennis van Oom via een wederzijdse vriend. Hoewel Ramchand het op school vreselijk vond, liep hij de laatste dag voortdurend met tranen in zijn ogen. Waar de andere kinderen na de bel met veel kabaal vertrokken, kwetterend en lachend en zwaaiend met hun waterflessen, sleepte Ramchand zich met een bedrukt gemoed naar buiten. Hij liet zijn vertrouwde schoolleven achter zich, maar in zijn hoofd knaagde een vage herinnering aan zijn vader die, terwijl hij suiker afwoog in zakjes van twee ons, tegen zijn moeder zei dat hij wilde dat Ramchand zijn opleiding op een English-medium school zou krijgen. Ook herinnerde hij zich de keren dat zijn vader hem op schoot nam om hem de belofte te ontlokken dat hij 'geen winkelier bleef zoals je vader en iemand zou worden'.

Met het getuigschrift van de achtste klas in een groene plastic zak in zijn kist thuis, betrad Ramchand de winkel.

Vier jaar later was zijn oom plotseling aan een hartaanval gestorven. Het was op zijn werk gebeurd, terwijl hij een gouden parelketting maakte. Hij was gewoon in elkaar gezakt en doodgegaan. Na twintig dagen, toen de officiële rouw allang voorbij was en de gasten allemaal de deur uit waren, had zijn tante, die er in witte sari en zonder bindi of armbanden heel ongewoon uitzag, als een boom die zijn bladeren had verloren, hem met roodbetraande ogen beleefd verzocht te vertrekken en zijn eigen weg te gaan om haar toch al toegenomen last niet verder te verzwaren. Ze had hem op pad gestuurd met al zijn bezittingen in een blikken kist en haar zegen. En toen had Ramchand, op voorspraak van Mahajan, de merkwaardig muf ruikende kamer met aan weerskanten een raam en afbladderende verf op de verschoten muren weten te huren.

Jaren later was Ramchand zich van veel dingen bewust geworden. Hij was zich ervan bewust dat zijn vader een winkel had gehad. Een piepkleine winkel weliswaar, maar niettemin een winkel. En die had van Ramchand moeten zijn. En nu hadden de zoons van Oom hem in bezit. Hij was zich er ook van bewust dat het bladvormige neusknopje van zijn tante eens de neus van zijn moeder had gesierd. Hij was zich ervan bewust dat zijn oom na de dood van zijn oma haar huis in het dorp had verkocht, waarmee hem niet alleen een aandeel erin en de zekerheid in het familiedorp te kunnen wonen waren ontnomen, maar ook de mogelijkheid nog vredige middagen aan de rivier door te brengen.

Nu, jaren later, begreep Ramchand ook waarom hij, toen zijn ouders nog leefden, nooit aan Oom was voorgesteld en waarom Oom, die toch in dezelfde stad woonde als zij, nooit bij hen op bezoek was geweest. Maar nu was het wellicht te laat. En misschien had Ramchand er gewoon geen zin meer in om te vechten voor wat hem toebehoorde.

*

Wolken boven de stad hielden het zonlicht tegen. Er stond een koude wind en de mensen verlangden naar de zon. Tegen de middag was het gaan miezeren. Amritsar beleefde dit jaar al een stervenskoude winter, maar de motregen maakte dat de mensen rillend in hun das, sjaal en wollen sokken wegdoken. Ze liepen door de koude stad met stijve gewrichten, gesprongen lippen en handen als ijsklompen. Ze vatten kou, kregen een rode neus en tranen in hun ogen. Met de staart tussen de poten van ellende zochten de honden een droog, warm hoekje op. De aantrekkende wind werd kouder en blies de miezerregen alle kanten op, zodat de wild ronddansende druppels niet recht omlaag vielen als in een fatsoenlijke regenbui, maar zijdelings de gezichten, de lichamen en de gebouwen ranselden.

De mistroostige winterdag drukte de stemming in de winkel. Iedereen liep te rillen. Alleen Ramchand niet. Het was niet anders, hij leed niet onder regenweer. Hoeveel ongemak de kou, de vochtige lucht, de modder en de plassen ook gaven, hij had er geen erg in. Ook toen hij klein was, leefde hij op als het regende. Regen, ook de miezerregen van een sombere wintermiddag, voedde hem.

Iedereen werd treurig van Hari's gekreun en gesteun. 'Mijn hele lijf doet zeer,' zei hij. 'Het is zo onmenselijk koud dat ik zo stijf ben als een ouwe vent. Ik kan geen stap verzetten.'

'Je zeurt de hele ochtend al over pijntjes en stijve botten, Hari,' snauwde Gokul, 'maar dat komt helemaal niet van de kou. Dat komt omdat je een luie donder bent, omdat je niets uitvoert en die botten van je pas in beweging zet als een ander zegt dat je dat moet doen. Anders lag dat nieuwe satijn nu wel netjes opgeborgen.'

Traag rekte Hari zich uit en zei: 'Gokul Bhaiya toch! Waarom zit iedereen me altijd achter de vodden? Volgens mij heb ik me het hele jaar uit de naad lopen werken.'

'Hari,' snauwde Gokul andermaal, 'we zijn nog lang niet klaar. Vergeet die botten van je en hou je mond over die pijntjes, ja? En ga dat satijn sorteren.'

Zuchtend en met een gekwelde blik kwam Hari overeind.

De frons week niet van Gokuls gezicht.

Chander bleef bedrukt zwijgen en sprak alleen als hem iets werd gevraagd. Shyam zat apart, diep in gedachten.

Rajesh stond in een hoek met Mahajan te praten. Aan hun kwaaie blikken te zien hadden ze het zoveelste meningsverschil.

Alleen Ramchand had geen rotbui.

Dromerig keek hij naar de in nevel gehulde wereld buiten, waar de dwarrelende regendruppels de gedaanten en beelden prachtig vertekenden. Vrolijk in zichzelf neuriënd sorteerde hij de nieuw binnengekomen voorraad.

Aa chal ke tujhe main le ke chaloon
Ek aise gagan ke taley
Jahan gham bhi na ho
Aansoo bhi na ho
Bas pyaar hi pyaar pale
Ek aise gagan ke taley...

Er kleefden enkele regendruppels aan het venster. Licht trillend en glanzend als tere parels grepen ze zich aan het glas vast. Glimlachend keek Ramchand ernaar en ondertussen vouwden zijn vlugge vingers sari's uit en op om ze op prijskaartjes te controleren. Steeds maar weer neuriede hij hetzelfde lied. Hij was gelukkig.

Maar natuurlijk, dacht hij wrang, kan je hier in de winkel niet eens rustig zingen. Want hij zag Bhimsen Seth op Mahajan afwaggelen. Tegenwoordig kwam hij zelden helemaal boven. Zijn gewicht maakte het hem steeds moeilijker de krakkemikkige trap op te komen.

Meteen was iedereen alert. Chander keek op en Ramchand hield op met neuriën, ook al ging in zijn hoofd het liedje verder. Hari maakte een begin met het op tint leggen van het roze satijn en Gokul haalde de frons van zijn gezicht en probeerde er welwillend doch druk bezig uit te zien.

Bhimsen Seth hijgde. 'Mahajan. Dit is van belang,' zei hij. 'De dochter van Ravinder Kapoor gaat trouwen.'

De ogen van Mahajan begonnen te schitteren.

'Wanneer?' vroeg hij handenwrijvend. Ramchand, die zijn aandacht bij het gesprek van de twee had, liet onnadenkend een vinger knakken.

Mahajan draaide zich om en keek hem kwaad aan.

Ramchand liet zijn vingers met rust, bloosde, en ging direct verder met zijn werk.

Mahajan, zijn glimlach weer waar die hoorde, draaide zich terug naar Bhimsen Seth.

'Januari,' antwoordde Bhimsen. 'Over een paar dagen stellen ze de precieze datum vast.'

Mahajan tuitte nadenkend zijn lippen en knikte.

'Ze komen natuurlijk niet naar de zaak,' zei Bhimsen. 'Het zijn heel voorname mensen. Laat dus wat brengen, Mahajan, het mooiste dat je in huis hebt.' Met een enigszins zorgelijke uitdrukking op zijn gezicht pauzeerde hij even.

Nieuwsgierig geworden keek Ramchand nogmaals van zijn werk op. Bhimsen Seth zag er zelden bezorgd uit.

'Laat elke dag sari's brengen,' ging Seth verder, 'wat ze willen, waar ze maar om vragen. Geef ook de mooiste *lehanga-choli's* mee. Houd ze tevreden, de vrouwen vooral. Ze hebben nog een tweede dochter, moet je weten. Over een jaar of twee misschien, of volgend jaar al, huwelijken ze die ook uit. Veel handel...'

'Maakt u zich geen zorgen, Sethji,' onderbrak Mahajan hem. 'Ik zorg overal voor.'

Ze liepen een hoek in, waar ze op gedempte toon de zaak bespraken, en even later vertrokken ze samen, ernstig en volledig in beslag genomen. Algauw meldde Hari dat ze ook niet meer beneden waren. Ze waren even de deur uitgegaan.

Iedereen was opgelucht, vooral Gokul. 'Ik ben mijn lunch vergeten,' vertrouwde hij Ramchand toe, 'en ik heb niet eens genoeg geld bij me om ergens wat te eten. De hele ochtend loop ik al te hopen dat Mahajan weggaat. Nu kan ik thuis wat gaan eten.'

Met de belofte na een halfuur terug te zijn, spoedde hij zich naar huis.

Maar een vol uur later was Gokul nog niet op komen dagen. Hij was echt een pietje precies en dat overkwam hem hoogst zelden. Hij kwam nooit te laat op zijn werk. Alleen een noodgeval als een vergeten lunch kon hem ertoe brengen zich niets van Mahajan aan te trekken.

Een paar uur later kwam hij eindelijk binnenhinken.

'U te laat? Wat is er gebeurd?' vroeg Hari. 'Ruzie gehad op straat?'

Gokul liet zich kermend op de matras zakken en zei woedend: 'Doe niet zo raar. Natuurlijk niet. Hou je mond. Ik ben niet in de stemming voor dat geleuter van jou.'

'Wat is er dan gebeurd?' vroeg Ramchand, die zich afvroeg of Lakshmi in een vlaag van verstandsverbijstering Gokul een pak slaag had gegeven.

'Toen ik hierheen fietste, botste er een groentekar tegen me aan,' zei hij.

'Of u botste tegen een groentekar aan...' zei Hari olijk, om er, toen Gokul zich met een boze blik naar hem omdraaide, haastig aan toe te voegen, 'van de andere kant gezien, dan.'

Gokul stroopte zijn rechterbroekspijp op, liet hen een opgezwollen voet zien en kreunde: 'Mijn voet doet zeer.'

Meteen trok Hari een gezicht waar diepe bezorgdheid op te lezen was. 'Blijft u maar rustig zitten. Wij doen het werk vandaag wel,' zei hij. 'En anders totdat uw voet weer helemaal beter is,' voegde hij er grootmoedig aan toe.

'Maar natuurlijk, Sethji,' zei Gokul sarcastisch. 'Wat fijn dat u zo'n fijne baas bent dat ik het kalm aan mag doen.'

'Het is toch wat tegenwoordig. Zelfs als je iemand wilt helpen...' pruttelde Hari.

De glazen deur ging open en Mahajan dook op, zoals altijd zonder zich aan te kondigen. Hari zei vaak dat het hem een raadsel was waarom de houten trap nooit kraakte wanneer Mahajan naar boven kwam.

'Gokul, laat liggen waar je mee bezig bent. Ik heb iets heel belangrijks voor je. Jij gaat met een aantal sari's naar Ravinder Kapoor...' begon hij, maar toen zag hij Gokuls gepijnigde gezicht en zijn nog steeds tentoongespreide dikke voet.

'Wat is híer nou weer gebeurd?'

'Niets, Bauji. Ik heb me alleen maar bezeerd,' zei Gokul beschaamd.

'Hoe?' vroeg Mahajan argwanend.

Gokul liet zijn kin op zijn borst zakken.

'Hoe, Gokul? Een simpele vraag, toch?'

Gokul flapte eruit wat hij had misdaan. Vanwaar hij stond onderhield Mahajan hem enige tijd over de betekenis van het woord verantwoordelijkheid. Toen vroeg hij: 'Mag ik er dus van uitgaan dat je niet kunt fietsen?'

Gokul gaf geen antwoord.

'Wie moet ik morgen dan naar Ravinder Kapoor sturen?' mompelde Mahajan. Weifelend keek hij eerst naar Ramchand en toen naar Chander.

Hari liet zich horen: 'Ik kan het wel doen, Bauji.'

Mahajan was al één bonk zenuwen. Hari kreeg de volle laag. 'Ja, hoor. Jij zou het kunnen doen. Een gisse jongen als jij geef ik maar al te graag voor lakhs aan sari's mee. Ja, hoor. Jij zou het kunnen doen. En dan kom je terug met een kapotte fiets, en zelf in de kreukels, en ga je als een klein jongetje onderweg lekker een *kulfi* eten, zodat de koeien voor lakhs roepie aan sari's opvreten.'

Hari keek verrast. ''s Winters eet ik geen kulfi's en ik denk niet dat koeien sari's eten, 's zomers niet en 's winters niet. Geiten wél.'

Mahajan werd rood en met een beleefd 'Ik ga uw eten voor vanavond bestellen, Bauji,' stoof Hari de deur uit.

Nijdig keek Mahajan hem na. 'Ondankbaar werk, dat van mij,' zei hij in een hem vreemde vlaag van openhartigheid, waarna hij zich naar Ramchand keerde, die maar in Hari's plaats was gaan blozen. 'Ramchand, morgen breng jij op Gokuls fiets wat mooie spullen naar de Kapoors.'

Ramchand stond met zijn oren te klapperen. Mocht hij, Ramchand, dat doen? Dat hij zoveel verantwoordelijkheid kreeg! Van die dure spullen! En hij had gehoord dat Ravinder Kapoor de grootste industrieel van Amritsar was. Hij zou een kasteel van een huis hebben met zachte tapijten en airconditioning, en vier auto's. En daar moest hij naartoe. Zijn maag trok samen van spanning.

'Gokul,' ging Mahajan verder. 'Jij let op de selectie. Geef alleen de mooiste sari's mee. En ook wat van die zijden sari's, die net zijn binnengekomen. Misschien ook wat lehnga's van ruwe zijde. En die met de zilveren *gunghroos* aan de zoom. En ik wil eerst zien wat je meegeeft.'

Maar Ramchand luisterde niet. Hij had nu andere dingen aan zijn hoofd.

Zo'n boodschap nam waarschijnlijk een flink aantal dagen in beslag. Hij wist hoe het ging. Hij zou een groot pakket sari's naar de Kapoors brengen. De aanstaande bruid en de andere vrouwen in de familie waren dan uren bezig om er een paar uit te kiezen. Dan wilden ze andere zien. De aanstaande bruid zou er een drama van maken. Dan veranderden ze weer van gedachten over een sari en belden ze Mahajan. En hij, Ramchand, ging er nog een keer heen om die te ruilen. En zo moest hij waarschijnlijk een aantal keren met een fiets vol sari's naar het huis van Ravinder Kapoor.

Jarenlang had hij, op de zondagen na en de drie dagen dat hij met een verzwikte enkel had gezeten, week in week uit, maand in maand uit, in de winkel opgesloten gezeten en nu kreeg hij de kans om naar buiten te gaan, in de zon te fietsen, rond te kijken en zelfs stiekem op zoek te gaan naar een paar tweedehands boeken. Misschien kon hij ook nog *mossambi*-sap gaan drinken bij Anands Sapbar.

Mahajan draaide zich naar hem toe. 'Ramchand, zorg wel dat je netjes in de kleren zit. Het zijn vooraanstaande mensen. We willen niet dat daar iemand van ons in lompen verschijnt. Je moet fatsoenlijk gekleed zijn en er gewassen uitzien.'

Ramchand trok direct zijn tenen in om te voorkomen dat, mocht er geur van opstijgen, Mahajans opengesperde neus die zou opvangen. Sneerde Mahajan nu naar zijn gerafelde kraag en manchetten en zijn oude broek?

Nou, dan zou hij hem eens wat laten zien. Het was welletjes. Wie dacht Mahajan wel dat hij was? Hij zou zich netjes kleden en hij zou van zijn uitje genieten.

Omdat Ramchand de hele dag uit zijn doen was, kwam hij met Mahajan in conflict. Hij legde een door een klant bestelde lichtgele sari verkeerd weg en morste water op een van de witte lakens die over de matrassen lagen. Mahajan schoffeerde hem met de opmerking dat hij net zo erg was als Hari. Hari moest erom grinniken, maar voor Ramchand was de lol van de regen eraf. Hij wou dat hij vrij had genomen. Hij had met een kop thee in zijn kamer voor het raam kunnen gaan kijken naar de strelingen van de milde regen langs de guave op de binnenplaats.

’s Avonds deed hij of hij heel veel last van hoofdpijn had en ging vroeg weg. Hij ging naar een kledingwinkel in de buurt en kocht een nieuwe zwarte broek en een knisperend, hagelwit overhemd. Het voelde aan alsof hij met geld smeet. Hij had in geen twee jaar iets nieuws gekocht. Lompen! Het mocht wat! Hij zou Mahajan eens wat laten zien!

Toen kocht hij een stuk Lifebuoy zeep en nieuwe sokken. Ten slotte hield hij halt bij een groentekar en vroeg om een citroen.

‘Eentje maar?’ vroeg de verkoper verbaasd.

‘Ja, eentje,’ antwoordde Ramchand resoluut. Met weerzin op zijn gerimpelde gezicht overhandigde de verkoper hem een citroen.

Ramchand stak hem voorzichtig in zijn zak en betaalde. Sudha, de vrouw van zijn hospes, las geregeld de *Sarita* en de *Gribashobha* en soms vroeg Ramchand haar via Manoj, haar oudste zoon, een paar oude nummers te leen. Hij herinnerde zich dat hij een keer in een aldus verkregen *Gribashobha* had gelezen dat insmeren met citroen maakte dat je niet meer stonk. Hij besloot dat nu uit te proberen.

Met al zijn aankopen veilig in een grote papieren zak onder zijn arm ging hij naar de kapper om zich te laten knippen. Narrig bromde de kapper dat hij juist ging sluiten. Ramchand moest een hoop zeuren en flemen voordat de kapper toestemde. Ramchand werd netjes geknipt en toen ging hij naar huis.

Opgewonden over de dag van morgen ging hij slapen. Het was december, het jaar was bijna voorbij, en toch zou hij morgen voor het eerst dat jaar de sleur doorbreken.

Het laatste dat hij ’s avonds voelde was een stille opwinding in zijn binnenste en een prikkende nek, want na de knipbeurt had hij zich niet meer gewassen en er zaten scherpe haartjes aan zijn huid geplakt. Toen hij de volgende morgen wakker werd en duf overeind kwam, herinnerde hij zich dat het vandaag zover was. Hij zou de dag niet op de zaak doorbrengen. Hij zou zich mooi maken en hij zou de stad doorfietsen naar Huize Kapoor. Hij voelde dat er avontuur in het verschiet lag.

Hij stapte uit bed, rekte zich uit en liep rechtstreeks naar de tafel. Hij pakte de citroen, sneed hem doormidden en begon met een helft grondig zijn voeten in te wrijven. Hij zou maken dat in elk geval vandaag zijn voeten niet stonken. Er bleef een pit kleven tussen zijn grote teen en die ernaast.

Daarna liep Ramchand, met zijn voeten vol citroensap, het badkamertje in.

Tegen de tijd dat hij eruit kwam, was de tot dan toe gekooide opwinding losgebroken. Energiek, breed lachend, hier wat oppakkend en daar wat neerzettend, liep hij rond.

De andere verkopers namen weleens vrij. Ramchand was de enige uitzondering. Mahajan was behoorlijk zuinig met vrijaf geven, maar soms kon hij niet anders. Iedereen moest weleens weg; iemand moest ergens heen, naasten hadden iemand nodig, er waren gelegenheden waar iemands aanwezigheid vereist was. Verwanten stierven, er was een bruiloft in de familie, een echtgenote moest naar haar ouders in een andere stad worden gebracht, een kind werd ziek.

Zonder familie, zonder gezin en zonder ergens heen te hoeven kon Ramchand nooit vrij vragen.

Ramchand was nooit ernstig ziek geweest. Eén keer maar, toen hij een jaar eerder zijn enkel lelijk had verzwikt, had Mahajan hem naar huis gestuurd. Hij had Ramchands enkel uitvoerig bekeken en gezegd: 'Over een dag of drie is het wel over. Kom dan maar weer terug.'

Zelfs doen alsof hij ziek was ging niet, omdat Mahajan, die van elke verkoper wist waar hij woonde, de nare gewoonte had om iemand langs te sturen wanneer iemand van hen beweerde ziek te zijn en een dag vrij nam.

En, zo had Ramchand dikwijls mistroostig gedacht, ook al slaagde hij erin verlof te krijgen, wat moest hij dan? Waar moest hij heen?

Dus ging hij naar de winkel, elke dag maar weer. Maar vandaag werd het anders. Ramchand kon wel dansen. Hij kon zich niet meer inhouden en barstte uit in gezang. Het begon als geneurie, maar toen kwam zijn heldere stem los en algauw galmde hij:

Yeh dil na hota bechara
Kadam na hote awara
Jo khubsoorat koi apna
Humsafar hota

Zonder de kou te voelen danste hij in zijn oude witte hemd en pyjama de kamer rond en zijn gezang klonk allengs luider.

'Ramchand, stil!' riep de hospes vanaf de binnenplaats.

Ramchand deed of hij het niet hoorde. Hij begon overnieuw, nóg schriller en hoger. '*Yeh dil na hotaaa...*'

'Ramchand,' schreeuwde de hospes.

'*Kadam na hote awara...*'

Ramchand rende de kamer door en sprong jubelend over het krukje. Met een bons kwam hij aan de andere kant ervan neer.

'Hij gaat nog door het plafond,' jammerde Sudha, de vrouw van de hospes.

'Ramchaaand,' brulde de hospes, zijn magere lijf bevend van woede.

Ramchand kalmeerde. Hij ging over op een ander liedje. Hij maakte een bevallige buiging naar zichzelf in de vlekkerige spiegel, hield zijn hoofd scheef en zong zacht.

'*Tum bin jaoon kahan*,' neuriede hij naar zijn spiegelbeeld.

Daarna, bij het scheren, kreeg hij nog een keer de kolder in de kop. Met een vastberaden blik in de ogen zeepte hij zijn bovenlip in.

En schoor zijn snor af!

Een vlassig snorretje weliswaar, maar het was een snor!

Hij hield zijn hoofd onder de kraan en keek in de spiegel. Wat zag hij er anders uit! In Bombay had je nauwelijks besnorde filmsterren. Nou ja, je had Anil Kapoor, maar dat was Anil Kapoor. Ramchand bestudeerde zijn nieuwe gezicht in de spiegel. Het zag er wel goed uit, vond hij, maar zo'n gladgeschoren gezicht had hem nog beter gestaan als hij Vishaal had geheten, of Amit of Rahul in plaats van Ramchand. Evengoed was hij er stiekem ontzettend blij mee.

Daarna waste Ramchand zich, waarbij hij zich stevig afschrobde met het rode stuk Lifebuoy en het citroensap van zijn voeten spoelde. Hij droogde zijn magere lijf af, trok een schone onderbroek en een schoon hemd aan en stak zich in zijn nieuwe kleren. Trots stopte hij zijn nieuwe witte overhemd in zijn zwarte broek. Normaal gesproken droeg hij een kurta over zijn broek of een oud overhemd dat hij niet instopte. Hij deed een oude, maar schone trui aan, kamde zijn haar glad en keek onderzoekend in de spiegel. Hij zag er verzorgd uit, op de een of andere manier oogde hij zonder snor gedecideerder, en je kon er niet omheen: kleren maken de man.

Hij zag er totaal niet armoedig uit. Hij zag er heel respectabel uit. Hij kon zich niet heugen er ooit zo goed te hebben uitgezien.

5

'Dat is het dan,' zei Gokul terwijl hij de laatste sari aan het enorme pakket toevoegde. 'Pas er goed op. Ze zijn kostbaar. En heel beleefd wezen tegen de Kapoors.'

Ramchand knikte.

Hari kwam achter hem staan en sloeg hartelijk een arm om zijn schouder. 'Je bent net de held in een hitfilm. Wauw, wat een verandering.'

Ramchand bloosde. Toen hees hij het pakket sari's op zijn schouder en liep de trap af naar de plek waar Gokuls fiets stond. Hij legde het pakket op de bagagedrager en bond het stevig vast met een touw. Hij zwaaide zijn been over het zadel, ging zitten en met een lijf waarvan elke met Lifebuoy geboende porie vrijheid ademde, peddelde hij geestdriftig weg.

Vriendelijk en aangenaam warm scheen de zon op hem neer. Tussen een massa fietsen, groentekarren en voetgangers door slingerde Ramchand de oude stad uit. Bij Anands lawaaiige sapbar, aan het eind van de bazaar, hield hij stil. Hij zette de fiets neer, maar liep er niet van weg. Er kwam een jongetje naar buiten om te vragen wat hij wilde. Bij het bestellen van zijn mossambisap hield Ramchand een hand beschermend op het pakket sari's op de bagagedrager. De jongen bracht hem een vol glas. Ramchand dronk slokje voor slokje.

De oranje vloeistof gleed moeiteloos naar binnen.

Hij gooide zijn hoofd in de nek en goot het sap tot de laatste druppel naar binnen.

Boven hem vlogen grijze duiven.

Eén druppel bleef in zijn mondhoek hangen, ving een zonnestraal en lichtte even op. Ramchand veegde hem weg, betaalde en fietste weer verder, vrijer en gelukkiger dan hij zich in jaren had gevoeld.

Na een halfuur kalm fietsen kwam Ramchand in de Green Avenue, waar Ravinder Kapoor woonde. Gokul had hem precies gezegd hoe hij bij de Green Avenue moest komen. Nu haalde Ramchand het papiertje tevoorschijn waarop Gokul duidelijk had opgeschreven hoe hij verder moest. Als hij een telefooncel zag, moest hij linksaf. Ramchand ontdekte een glimmende, nieuw ogende telefooncel met op het onbeschadigde glas in helderrode letters 'PCO' en sloeg af.

Hij reed door een brede, beschaduwde, lommerrijke laan met een fatsoenlijk wegdek. Rechts van hem stond een rij grote huizen met hoge muren tussen de percelen, links lag een groot park, een uitgestrekte open ruimte waarvan Ramchand het bestaan in Amritsar nooit zou hebben vermoed.

'Derde huis rechts,' mompelde hij in zichzelf, een beetje zwalkend. Hij reed twee grote huizen voorbij en voor de poort van het derde hield hij stil.

In de poort zat een hoog ijzeren hek met een ingewikkeld patroon en hier en daar een glimmende koperen knop. Boven op de poort, en ook op de muur, zaten pinnen. In een grote, granieten plaat stonden twee woorden gebeiteld. Ramchand staarde ernaar en spelde ze in zichzelf. Tot zijn grote vreugde ontdekte hij dat hij had kunnen lezen wat er stond: 'Huize Kapoor'. De granieten naamplaat zag er heel indrukwekkend uit.

Door de tralies zag Ramchand een met potplanten afgezette oprijlaan, een chauffeur die een blauwe slee poetste en een goed onderhouden gazon. Een tuinman in een blauwe kurta boog zich over wat bloembedden.

Zenuwachtig belde Ramchand aan. De chauffeur kwam de poort opendoen. Het was een potige man. De mouwen van zijn trui waren opgestroopt en Ramchand zag dat zijn onderarmen gespierd waren.

'Ja?' vroeg de man argwanend.

'Ik heb ze mee,' zei Ramchand nerveus.

'Wat heb je mee?'

'De sari's.'

'Wat voor sari's?'

'Voor het huwelijk van *memsahib*. Van Sarihuis Sevak.'

'O.' De chauffeur taxeerde Ramchand van top tot teen en deed toen een stap opzij. 'Kom binnen,' zei hij.

Ramchand duwde zijn fiets de brede oprijlaan op. Hij kreeg het verzoek om op de veranda te wachten. Boven de voordeur hing een groot houten *Om*-teken. Onder het wachten liet hij snel achter elkaar zijn knokkels knakken. Nu zag hij dat er een rode auto achter de blauwe stond en dat de garage dicht was, misschien stond er binnen nog een. De oprijlaan was zo breed dat de blauwe auto niet hoefde te worden weggezet om die erachter de straat op te rijden.

Een paar minuten later deed een kribbig kijkende dienstbode in een mauve sari de deur voor Ramchand open en bracht hem naar een grote kamer met imposante banken tegen de muren en een tafel met glazen tafelblad in het midden. Er lag een zwaar, blauw kleed, dat de vloer helemaal bedekte. Aan de muren hingen schilderijen en koperen antiquiteiten. Gespannen ging Ramchand, die zich als een vis op het droge voelde, met het pakket sari's naast zich op een bank zitten. Op het luide tikken van een zeer kunstig uitziende wandklok na was er geen geluid. Hij wachtte een kwartier. Toen verscheen er een jongen met een glas koude cola op een dienblad. Hij bloosde. Ramchand werd ook rood.

Stijfjes pakte Ramchand het glas en probeerde net te

doen of het voor hem de gewoonste zaak van de wereld was om in een stijlvolle kamer een duur drankje uit handen van huishoudelijk personeel in ontvangst te nemen. Toen hij het glas opnam, viel het hem op dat het blad van melkglas was waarin dansende pauwen waren gegraveerd. Het deed hem denken aan de geborduurde pauwen op de blauwe sari die mevrouw Gupta voor haar schoondochter had gekocht.

Ramchand staarde naar het blad.

De jongen bleef weifelend staan, zijn gewicht van het ene been op het andere verplaatsend. Plotsklaps vroeg Ramchand: 'Ben je nieuw hier?'

De jongen staarde hem dom aan. Overschakelend van Hindi op Punjaabs herhaalde Ramchand de vraag: 'Ben je nieuw hier?'

Ditmaal knikte de jongen. 'Uit Himachal?' vroeg Ramchand.

De ogen van de jongen lichtten op. 'Ja,' zei hij, 'uit Lachkandi, een dorp bij Simla.' Met een heldere stem, verrassend mooi van klank, vroeg hij opgewonden: 'Komt u ook uit de bergen?'

Ramchand schudde zijn hoofd.

Het gezicht van de jongen betrok. Hij keek Ramchand een ogenblik onzeker aan en toen draaide hij zich plotseling om en liep de kamer uit. Ramchand wachtte nog een kwartier. Eindelijk kwam er een wat oudere vrouw in een blauwzijden salwaar kameez en met een duur uitziende sjaal om binnen. Aan haar oren en om haar polsen schitterden goud en diamanten.

Ramchand stond beleefd op. 'Ji namaste,' zei hij, de handen gevouwen.

'Rinaaa!' schreeuwde ze. Hij schrok ervan. 'De sari-*wala* is er.'

Met het schreeuwen werden de rode binnenkant van haar mond en haar grote, regelmatige tanden zichtbaar.

Toen zei ze 'Namaste' en ging tegenover hem zitten.

Een jonge vrouw met gepermanent haar, op schoenen waarvan de hoge hakken wegzakten in het zachte tapijt, kwam binnenlopen. Ze droeg een spijkerbroek, een nauwsluitende blouse met paarse en blauwe bloemen en een zwart wollen vest. Om haar polsen rinkelden zilveren armbanden.

'Hier ben ik, mama.'

'Ga zitten, dan bekijken we die sari's.'

Ramchand keek naar beiden. Dus dat waren de echtgenote en de dochter van Ravinder Kapoor. Hij had gehoord dat de echtgenote ooit in één keer voor tien lakh aan pasjmina sjaals had gekocht. Nieuwsgierig bekeek hij haar.

'Waar wacht je op? Laat die sari's eens zien,' zei ze plotseling, hard en gebiedend.

'Laten we er een bediende bij halen, mama,' zei Rina. Ze had een hees, slepend stemgeluid.

'Goed,' antwoordde haar moeder. 'Raghuuuuu,' gilde ze, andermaal met een tot een rode spelonk opengesperde mond.

De deur ging weer open en Raghu, een jonge, lange man, kwam binnen. Plechtig ging hij naast de bank staan om de boel in de gaten te houden.

Ramchand, die nog altijd op de bank zat, boog zich voorover om de knoop in het touw om het pakket los te maken. Maar hij voelde zich slecht op zijn gemak en zat onhandig aan de knoop te frunniken. Ten slotte verontschuldigde hij zich, liep naar de rand van het kleed, stapte ervan af, deed zijn schoenen uit en ging terug. Toen trok hij de pijpen van zijn nieuwe zwarte broek op en ging in kleermakerszit op het kleed zitten, waarna hij zich weer in zijn element voelde. Rina ving haar moeders blik en grinnikte, maar hij deed of hij het niet merkte.

Nu knoopte hij snel het touw los en begon zelfverzekerd de sari's stuk voor stuk tevoorschijn te halen, maar wat volgde had hij echt nog nooit meegemaakt.

Ramchand werkte inmiddels elf jaar bij Sarihuis Sevak. Hij had talloze vrouwen sari's zien kiezen. Vrouwen waren weliswaar raar en buitenissig, maar in één opzicht kende hij hen door en door – hij wist hoe ze sari's kozen.

Hij had hun gezicht en stemming heel precies leren lezen. Hij wist of ze een bepaalde sari absoluut zouden kopen. Hij zag wanneer ze twijfelden en een zetje nodig hadden. Hij voelde meteen aan of ze hadden besloten niets te kopen en alleen maar voorwendden geïnteresseerd te zijn.

De gelaatsuitdrukking van een meisje dat met moeder en tantes en zussen naar de winkel kwam om sari's voor haar huwelijksuitzet te kopen, kende hij maar al te goed. Haar gezicht gloeide, haar ogen schitterden en ze straalde een stille, nerveuze opwinding uit. Met een pallu of een sari over haar schouder gedrapeerd keek ze geconcentreerd in de spiegel. Als dan de andere vrouwen in haar gezelschap kritisch keken of de sari haar wel stond, keek ze zelf met de ogen van haar aanstaande man/minnaar. Dan gingen de vochtige lippen in maagdelijke opwinding licht trillend vaneen. Ze glimlachte en wist uiteindelijk bij god niet wat te kiezen. En als de andere vrouwen in haar gezelschap vroegen of ze de ene sari wilde of de andere, schiep ze volop verwarring door alleen maar blozend te knikken. Bij bepaalde gelegenheden had Ramchand zo'n meisje ook wel droevig in de spiegel zien kijken, alsof de sari goed beviel, maar het huwelijk niet echt iets was om naar uit te zien. Dat gebeurde zelden, maar als het voorkwam, deed het hem vreselijk pijn, ook al maakte hij zichzelf dan later wijs dat hij het zich verbeeld had.

Hij had ijdelheid gezien, hij had afgunst gezien, hij had wanhoop gezien. De bitterheid van een lelijke vrouw, die in de spiegel ziet dat een sari in wezen weinig goedmaakt, zag hij in een oogopslag en hij herkende de stille, woordeloze triomf van een mooie.

Het was Ramchand ook opgevallen dat een vrouw zelden, hoogst zelden, in haar eentje een sari kocht. Om tot een besluit te komen en om maximaal te genieten van de aankoop moesten ze met zijn tweeën of drieën zijn. Een sari kopen was meer dan een sari kopen – het was vermaak, genot, een esthetische ervaring. Ze waren altijd minstens met zijn tweeën, maar eerder nog met een groep. Sari's werden bediscussieerd, de voors en tegens werden besproken. Als ze een sari niet mooi vonden, trokken ze een vies gezicht en schudden quasi-spijtig het hoofd om er meteen de mededeling op te laten volgen dat de sari op zich wel goed was, maar dat er eigenlijk een mooiere pallu bij moest, dat de rand beter kon of dat hij een net iets andere kleur had moeten hebben.

Ramchand had geleerd zijn geduld te bewaren tijdens het eindeloze gepalaver van de vrouwen. Ze bekeken een sari van dichtbij, bevoelden de stof en bestudeerden het dessin alsof ze het verbleekte handschrift van een oud perkament probeerden te ontcijferen.

Hij was ook de gretige gelaatsuitdrukking en de daaropvolgende vastbesloten blik in de ogen gaan herkennen van een vrouw die tot de slotsom was gekomen dat ze een bepaalde sari per se moest hebben.

Soms, als de vrouwen tot dezelfde familie behoorden, speelde de hiërarchie mee. Vooral als het om aankopen ging voor een huwelijk in de familie, was het uiteindelijk de oudste, meestal een grootmoeder of schoonmoeder, die besliste. Om te voorkomen dat de sari-oorlogen tot het gevaarlijke terrein van de keuken doordrongen, was zij het die maakte dat niemand met een hele goedkope sari werd opgescheept. Maar in het algemeen waren vrouwen van één familie ook vrij gemoedelijk en opgeruimd wanneer ze samen sari's kochten. Dan vroeg de een ongerust aan de ander: 'Weet jij nog of ik al een sari in die kleur heb, weet je het zeker?' Ze legden een sari over hun schouder, sloegen soms zelfs een pallu over hun hoofd om de anderen te vragen of het stond. Misschien waren vrouwen onder elkaar op zo'n moment het eerlijkst, het meest openhartig en oprecht.

En altijd was er het marchanderen – het vriendelijke afdingen van de vaste klanten, die wisten dat ze uiteindelijk hun zin kregen, het luide, agressieve pingelen van vrouwen die dat uit gewoonte deden, het marchanderen dat uitliep op hoofdpijn bij beide partijen, het stroopsmeren wat onervaren klanten zo graag deden, en de hooghartige verzoeken van de vrouwen uit welgestelde families (een schappelijke prijs, alstublieft, bevalen ze dan met een heerszuchtig handgebaar). Het nam verschillende vormen aan. Maar het gebeurde altijd.

Maar vandaag, in de salon van Huize Kapoor, werd niet gemarchandeerd en werden maar weinig vragen gesteld. In feite werd niet eens naar de prijs geïnformeerd, ook niet toen Ramchand de duurste lengha's uitpakte die Sarihuis Sevak voerde.

De beide vrouwen gingen helemaal op in het kiezen van hun gading en wisselden nauwelijks een woord. Ramchand werd volledig genegeerd. Ze kozen dure sari's en de paar lehnga's die hij mee had bekeken ze zonder met de ogen te knipperen, waarna ze ze opzij legden of, als ze ze niet wilden, achteloos op een hoop gooiden.

Rina koos twee ragfijne sari's, een subtiel zalmroze sari met zilverdraad en een lichtblauwe, bijna witte, dik bezaaid met geborduurde zilveren *butees*. Mevrouw Kapoor koos zonder aarzeling een blauwe sari van kreukweefsel met een rand van brokaat, en daarna een flesgroene, bijna zwarte sari van shantung met borduursel in bruin en goud. Zo ging het maar door en ondertussen zat Ramchand zich ongemakkelijk, nutteloos en buitengesloten te voelen.

De weinige vragen die werden gesteld, kwamen van mevrouw Kapoor en toonden aan dat ze behoorlijk kijk had op stoffen. Ramchand deed zijn best er antwoord op te geven zonder te laten zien dat hij nerveus was. Er zat een zeker gebrek aan gevoel in de manier waarop ze de sari's oppakten, ze met een scherp oog bekeken, de rand en de pallu in zich opnamen en vervolgens de stof tussen duim en wijsvinger bevoelden. Daarna kwamen ze, met een harde blik in hun ogen, tot een besluit. Ze aarzelden niet en twijfelden niet, nergens over. Terwijl dit alles gaande was, kwam er een meisje van een jaar of negentien binnen. Ze droeg een zwarte spijkerbroek en had zwart, kortgeknipt haar. Ze sprak nog heser dan haar zus. Ze kwam levenslustig en zelfverzekerd over.

'Rina *Didi*, ik ga zwemmen,' zei ze in het Engels. 'Ik zie je bij de kapper, hè?'

'Goed, Tina. Tot zo,' zei Rina gedachteloos.

Net toen ze weg wilde lopen, zag Tina de sari's, die overal verspreid lagen. Ze bleef staan en vroeg: 'Hé, wat gebeurt hier? Ik dacht dat we de sari's al hadden, van die ontwerpers in Bombay. Waar zijn deze voor?'

Rina keek op. 'Het gaat erom,' zei ze ernstig, 'dat ik vind dat ik niet zomaar kleren en juwelen moet kopen. Ik wil wat anders dan de traditionele huwelijksuitzet. Het geheel moet iets over mij zeggen. Ik wil een combinatie van traditie en hedendaags. Dan krijg je een minder voorbedacht beeld, snap je, en kan je experimenteren met hoe je eruitziet.'

'Yep, goed idee,' zei Tina langzaam. 'Dat klopt wel, denk ik. Echt, Rina Didi, jij komt altijd met wat anders.'

Rina glimlachte. Toen stak ze een goudgele sari, die ze net had uitgezocht, in de lucht. 'Kijk deze nou. Orissa-zijde met echt origineel Palghat-borduurwerk. Je moet weten, deze zaak heeft dingen uit het hele land. En daarom vond ik het wel een goed idee om het niet bij de aankopen uit Bombay te laten.'

Tina bekeek de sari. 'Wauw, dat ziet er echt folkloristisch uit, zeg. Ik zou de rest ook best graag willen zien. Waarom heb je me niet geroepen?'

'Niet zo chagrijnig, hoor,' zei Rina lief tegen haar zusje. 'Je was laat wakker. Maar maak je niet druk, vanavond gaan we er samen nog een keer doorheen. Goed?'

'Oké. Gaaf. Ik neem even een duik, erin en eruit, en dan ga ik meteen door naar de kapper,' zei Tina. En terwijl ze de sari teruggaf, zei ze: 'Dan zie ik je daar, hè.'

'Yep,' zei Rina, terwijl ze zich weer naar de sari's draaide.

Tina zwaaide naar haar moeder, die knikte. Toen keerde ze zich met een ruk om en stuiterde de kamer uit.

Door het raam zag Ramchand haar achter het stuur van een rood autootje stappen, het portier dichtslaan en plankgas wegrijden.

De beide vrouwen hadden inmiddels alle sari's door hun handen laten gaan en hun keus gemaakt. In gedachten begon Ramchand de rekening op te maken. Hij dacht dat het alles bij elkaar op zo'n tachtigduizend roepie kwam.

Mevrouw Kapoor maakte een handgebaar. 'Neem de rekening maar mee als je met de volgende partij komt.'

Ramchand staarde haar met open mond aan. Mahajan vermoordde hem nog. Maar dat deed Mahajan ook als hij de Kapoors tegen de haren in streek. Dus besloot hij het zo te laten. Hij vroeg zich af waarom op de zaak niemand had gezegd wat hij met de rekening moest doen.

Heel even kreeg hij het doodsbenauwd. Als ze nou eens niet betaalden? Als ze later ontkenden die sari's te hebben gekocht? Moest hij dan die tachtigduizend roepie zelf ophoesten? Zijn spaargeld bedroeg in totaal drieduizend vierhonderddertig roepie. Maar meteen probeerde Ramchand zich te vermannen. Die mensen hadden fabrieken. Tachtigduizend roepie was een schijntje voor ze.

Intussen waren de beide vrouwen al weg, opgewonden pratend over de juwelier die over een paar minuten met sieraden zou komen. Verdwaasd verzamelde Ramchand de sari's, terwijl Raghu wachtte tot hij hem uit kon laten.

Alles – de enorme nota, de luxueuze salon, Tina Kapoors rode auto, de vreemde, zelfverzekerde vrouwen, de rare geuren in Huize Kapoor – had Ramchand enorm in verwarring gebracht. Verbijsterd fietste hij langzaam terug, de wielen gingen rond en rond, en steeds opnieuw speelde de vreemde film zich in zijn hoofd af. Hij was nog niet in de winkel terug of hij stormde op Gokul af.

'Gokul Bhaiya,' zei hij, terwijl hij Gokul over zijn toeren bij de arm pakte.

'Ramchand,' zei Gokul, overeind verend, 'ik ben vergeten te vertellen hoe het met de rekening moet.'

Ramchand schrok zich een ongeluk. 'Ze zei dat dat nog wel kwam, Gokul Bhaiya,' zei hij opgewonden. 'Ik wist niet wat ik moest doen. Ik heb het geld niet mee. Ik heb geen nota opgemaakt...'

Gokul onderbrak hem. De opluchting was van zijn gezicht te lezen. 'Goddank,' zei hij. 'Goed gedaan. Dat was ik vergeten je te zeggen. Je hebt het goed gedaan. Ik was ontzettend bang dat je wilde dat ze betaalden en stennis zou schoppen en dat ik dan op mijn kop kreeg van Mahajan dat ik je niet had gezegd hoe het ging. Ga nu maar verslag uitbrengen aan Mahajan. Hij heeft opgeschreven wat je mee had. Hij stuurt Ravinder Kapoor de rekening en die geeft dan een cheque. Zo werkt dat bij die grote meneren, hè.'

Ramchand kon wel huilen van opluchting.

Verslag uitbrengen en de door moeder en dochter Kapoor afgewezen sari's wegbergen was zo gedaan. Mahajan leek erg ingenomen met Ramchand.

Van Mahajan mocht hij de rest van de dag vrij nemen als hij wilde, want het was nog een hele klus om met zo'n zwaar pakket helemaal heen en weer naar de Green Avenue te fietsen. 'Maar je moet niet denken dat je bij elk ritje naar de Kapoors zo'n meevallertje krijgt, jongen,' zei Mahajan toen Ramchand hem met een blij gezicht bedankte. 'Ik zal ze bellen. Misschien moet je morgen weer een partij brengen.'

Ramchand liep naar buiten. Het was een koude avond en hij sloeg zijn armen om zich heen. Zijn lotgevallen vandaag hadden hem in verwarring gebracht, maar de afwisseling had ook iets in hem losgemaakt. De lange fietstocht, de zon en de wind, de winkels, Huize Kapoor – dat alles viel buiten de routine, buiten wat hij de afgelopen elf jaar had meegemaakt, en zijn gedachten buitelden over elkaar heen.

De wereld was tóch groot. Hij was gewoon in een sleur terechtgekomen: winkel, kamer, winkel, kamer, winkel, kamer...

Als je eenmaal uit die sleur was, zag je de talloze mogelijkheden die de wereld bood. Er waren de heuvels waar het knechtje van de Kapoors vandaan kwam en in die heuvels stroomden rivieren die net zo helder waren als de stem van die knul. Er was het zwembad waar Tina heen ging (misschien leek het wel op dat zwembad in *Baazigar*, met blauwe tegels en een plank om vanaf te duiken, waarop Shilpa Shetty, in een blouse zonder rug en een dunne gele chiffon sari, kronkelend een lied zong). Er was de school waar mevrouw Sachdeva lesgaf, er waren al die boeken die werden geschreven en gelezen, er waren auto's en bloempotten en dienbladen van melkglas met pauwen erop. Ja, de wereld was groot.

Hij kwam in de stemming. Hij liep met verende tred, en toen plotseling maakte hij rechtsomkeert en ging de andere kant op. Snel, en nu zonder op de kou te letten, liep hij doelbewust naar de zaakjes met tweedehands boeken. Het was niet veel meer dan een verzameling houten hutjes, waar oude, van de *kabaadi* geredde boeken met winst werden verkocht. De mensen die die zaakjes runden wisten vooral de hand te leggen op oude studieboeken, maar af en toe belandde er een ander boek op de stapel.

Voor het eerste bleef Ramchand staan. Het was een houten bouwseltje, waarbinnen, op de toonbank en zelfs buiten, de boeken en tijdschriften hoog lagen opgestapeld.

Ramchand liet zijn ogen erlangs glijden. Hij was vastbesloten vandaag een paar boeken te kopen, maar hij moest voorzichtig zijn in zijn keuze. Hij kon zich niet veroorloven meer dan honderd roepie uit te geven en voor boeken was dat al een hele rib uit zijn lijf.

Terwijl Ramchand nauwgezet de titels van de getoonde boeken bekeek, dacht hij aan zijn getuigschrift van de achtste klas, het getuigschrift dat nog in een groene plastic zak onder in zijn blikken kist lag, het getuigschrift waar nog nooit iemand naar had gevraagd...

Wat hij had geleerd was hij grotendeels vergeten, en nu hij de boektitels bekeek, besefte hij dat hij er veel niet kon lezen. Maar in de achtste was hij niet slecht in lezen geweest. Niet goed, maar ook niet slecht. Maar hij probeerde altijd om niet aan de achtste klas terug te denken, of aan de dag dat hij van school was gegaan... eigenlijk aan alles uit zijn kindertijd... Maar vandaag zou hij zich nergens door laten tegenhouden.

Ramchand stak zijn kin vooruit, kneep zijn ogen tot spleetjes en zette zich aan de titels. *De complete brievenschrijver* – het lukte hem het hardop te lezen en onmiddellijk raakte hij opgewonden. Ja, dat moest hij hebben. Daarmee kon hij lezen oefenen, en schrijven en communiceren.

'Hoeveel?' vroeg hij de winkelier.

'Dertig,' zei de winkelier kortaf.

Ramchands hart sprong op van vreugde en blij greep hij

het boek vast. Hij ging de andere langs. *Medisch woordenboek*, *De burgemeester van Castorbridge*, *Slank en fit in dertig dagen*, *Woeste hoogten*. Nee, dat zei hem allemaal niets. Hij verlegde zijn aandacht naar een andere stapel. *De Indiase vegetarische keuken*, *Leerboek natuurkunde – Klasse 10 + 2 (CBSE)*, *Feng Shui – wenken voor een gelukkig leven*.

Hij stond voor raadsels. Hij wendde zich weer tot de winkelier. 'Heeft u de autobiografie van Mahatma Gandhi?'

'Nee,' antwoordde de winkelier, ingespannen turend naar een hagedis die van de muur naar de grond schoot. 'Weg jij,' zei hij, terwijl hij met een stofdoek naar de hagedis sloeg.

En op dat moment kreeg Ramchand *Schitterende opstellen – voor schoolkinderen van alle leeftijden* in het oog. Weer trok zijn maag samen van vreugde.

'Hoeveel is die?' wees hij, achteloos vragend. Als de winkelier wist dat hij het heel graag wilde, zette hij meteen hoog in.

'Vijftig,' antwoordde de winkelier.

'Vijftig?' vroeg Ramchand gekrenkt.

'Vijftig.' De mond van de winkelier stond strak, hij klonk vastbesloten. Na veel gepingel kwamen ze uit op zeventig roepie voor beide boeken. Ramchand gaf een biljet van honderd en wachtte op zijn wisselgeld. Terwijl de man in een la rommelde, bladerde Ramchand aarzelend de boeken door. En hoewel hij had geoefend door te proberen de Engelstalige aanplakborden te lezen en de kranten waarin Lakhan de afhaalpakora's verpakte, ontdekte hij dat hij de meeste woorden in beide boeken niet begreep. Met een ietwat beteuterd gezicht vroeg hij dus: 'Een woordenboek? Heeft u misschien een goedkóóp tweedehands Engels woordenboek?'

De winkelier haalde een oud, voddig exemplaar van de *Oxford English Dictionary* tevoorschijn en gaf het hem.

Ramchand pakte het dikke boek eerbiedig aan en vroeg: 'Hoeveel?'

'Veertig,' zei de winkelier snel.

'Veertig? Hiervoor?' vroeg Ramchand, terwijl hij het verfomfaaide boek omhoogstak.

'Ja,' antwoordde de winkelier resoluut. 'Alle woorden staan erin.'

Ramchand gaf tien roepie meer uit dan hij zich had voorgenomen, maar desondanks hield hij op weg naar huis de boeken liefdevol tegen zijn borst.

Hij voelde zich klaar voor de strijd. Het was ten slotte heel lang geleden dat hij iets van betekenis had gedaan. In een opwelling van roekeloosheid hield hij ook nog even stil bij een winkel in kantoorbenodigdheden en kocht een pot koningsblauwe Camlin inkt, een pen en een schrift. Hij vroeg zich af of hij witkalk voor zijn kamer zou kopen, maar had niet het lef om op één dag zoveel geld uit te geven.

Toen hij thuiskwam, voelde hij zich weer jong.

6

Ramchand legde het pakketje boeken en het blauwe plastic tasje van de kantoorboekhandel op bed en keek zijn kamer rond. Er waren twee ramen – het ene keek uit op de smalle, drukke straat en het andere gaf zicht op de binnenplaats van zijn hospes. Al bij de eerste blik op zijn kamer had hij ze voor zichzelf voorraam en achterraam gedoopt.

Toen Ramchand de kamer huurde, stonden er al een touwbed en een tafel. Ook hing er een ingelijste poster aan de muur, die een vorige huurder had achtergelaten. Je zag een rietgedekt huisje met mooie houten ramen, zoals Ramchand ze in het echt nog nooit had gezien, en klimrozen tot boven de deur. En het had een schoorsteen en een keienstraatje, dat naar het huisje leidde. Achter het huisje was een helderblauwe hemel te zien en hoge, besneeuwde bergen. Rechtsonder op de poster stond: 'Eigen haard is goud waard'.

Omdat Ramchand niet de moeite had genomen de foto van het rietgedekte huisje weg te halen, was hij de afgelopen elf jaar blijven hangen. Inmiddels kon hij elk detail dromen: de twee stenen treetjes naar de deur van het huisje, het dessin van het gordijn voor het raam, het patroon van het rieten dak. De rode rozen die tegen het huisje opklommen waren wat vervaagd en de blauwe lucht was inmiddels minder helder, maar de foto hing er nog altijd.

In de afgelopen elf jaar had Ramchand een stoel, een krukje, twee emmers met een kruik, twee plastic zeepdozen (een voor Lifebuoy zeep en een voor een stuk Rin wasmiddel), een deurmat en voor aan de muur een stokoud ogend spiegeltje aangeschaft. Hij had ook al tijden het plan om gordijnen te kopen, maar daar was hij niet aan toegekomen. Zijn geld ging elke maand op.

In een hoek van de kamer had hij een klein fornuis met wat kookgerei om eenvoudige maaltijden te bereiden. Meer dan daal met rijst kookte hij zelden, maar wel zette hij vaak thee voor zichzelf. Af en toe kocht hij de groente die op de markt op dat moment het goedkoopste was, sneed haar fijn en gooide haar in de pan met kokende rijst. Meer ambities op kookgebied had hij niet.

Ramchand had een pan, twee stalen borden, twee stalen bekers, een paar lepels, een soeplepel en een mes. Wanneer de afwas moest worden gedaan, moest hij met het kookgerei in een emmer naar de badkamer. Zelfs om een mes af te spoelen om er groente mee te snijden moest hij naar de badkamer. Toen hij de kamer net had betrokken, was de vloer continu nat geweest. Wanneer hij het stalen kookgerei na de afwas druipend terugbracht, lieten zijn chappals natte afdrukken achter. Toen had Ramchand maar in een deurmat geïnvesteerd.

Zijn bed stond bij het voorraam. Zijn blikken kist had hij met een lap erover bij het achterraam gezet, dat erg laag zat. Vaak keek hij vanaf zijn kist voor het open raam naar het wapperende wasgoed op de binnenplaats, het wasgoed dat Sudha, de vrouw van de hospes, met haar prachtige handen had geboend en gespoeld. Nu keek hij zijn rommelige, verwaarloosde kamer rond. Dit was zijn wereld, dacht hij vol afkeer. Geen wonder dat zijn leven zo leeg was. Winkel, kamer, winkel, kamer, winkel, kamer.

In een nieuwe vlaag van energie verwisselde Ramchand

zijn nieuwe kleren snel voor een oude kurta-pyjama, pakte de zelden gebruikte bezem en veegde de vloer, waarbij hij ook, voorzover hij erbij kon, de spinnenwebben tegen de muur en aan het plafond meenam. Het veegsel, de spinnenwebben incluis, schoof hij naar de deur, waar hij het belangstellend bekeek. Een spin, die uit een pas vernield web kwam gekropen, vluchtte weg. Naast het stof en de spinnenwebben zag hij wolpluisjes van zijn oude deken, een paar haren van zichzelf, rauwe rijstkorrels die hij moest hebben laten vallen toen hij het deksel van of op de pot schroefde en zwarte, druppelvormige hagedissenkeuteltjes. Hij verzamelde al die rommeltjes uit zijn kamer in een plastic zak en knoopte hem dicht. Als hij de volgende dag naar de zaak ging, zou hij die wel op de vuilnishoop gooien.

Toen vulde hij een oude emmer met water, stak er een oude lap in en dweilde grondig de vloer, zonder te letten op de kou die van de natte lap in zijn handen drong.

Hij haalde een pot ingelegde mango, potten rijst en daal, een blik Parachute kokosolie voor zijn haar, een felgele tube Burnol, een pot pijnstillende zalf (Zandu, van *Zandu balm, Zandu balm, peedahari balm. Sardi sar dard peede ko pal mein dur kare. Zandu Balm, Zandu Balm*) en wat kleren die hij erbovenop had gegooid van tafel af. Hij stofte de opgeruimde tafel af, waarbij de stofwolken hem in het gezicht vlogen. Toen nam hij hem met een natte lap af. De vettige kringen van de verschillende potten verdwenen. Hij legde de oude krant, waarin zijn nieuwe kleren verpakt waren geweest, in een hoek tegen de muur. In twee rijen zette hij er de potten op, de grote achteraan en de kleine vooraan. Zo bleef de tafel leeg en schoon.

Met het gevoel dat hij de properheid en deugdzaamheid zelve was, trok hij de tafel bij het bed, zodat hij kon schrijven terwijl hij op bed zat. Zo hing het peertje precies boven tafel.

Toen haalde Ramchand zijn nieuwe boeken voor de dag en begon stokkend te lezen.

Hij begon met *De complete brievenschrijver*. Hij was ontzet dat hij het lezen bijna verleerd was. Elk woord dat uit meer dan vier letters bestond gaf problemen. En als hij de letters dan moeizaam aan elkaar had gepuzzeld en er een woord van had gemaakt, resulteerde dat in iets wat voor hem alleen maar een lege klank was. Hij wist zelden wat het betekende.

Als hij in het woordenboek een moeilijk woord op wilde zoeken, kostte het hem eerst uren om het te vinden en als het dan eindelijk zover was, kwam hij erachter dat de betekenis net zo moeilijk was als het woord zelf.

Aanvankelijk zonk Ramchand de moed zozeer in de schoenen dat hij bijna in tranen uitbarstte. Hij zat een tijdje naar het opengeslagen boek te kijken en vroeg zich af of die boeken niet gewoon weggegooid geld waren. Zou hij ooit in staat zijn Engels te lezen, te schrijven of ook maar enigszins te begrijpen? Maar na een poosje, toen het nachtelijk rumoer wegebde en de maan hoger aan de hemel kwam te staan, zette Ramchand zich met een hem vreemde vasthoudendheid, hortend lezend en met een lichte hoofdpijn van de inspanning kinderlijke woorden in zijn nieuwe schrift construerend, aan het werk. Met het moede hoofd op de dikke *Oxford Dictionary* zakte hij om ongeveer twee uur in de ochtend in slaap. De volgende dag was zondag. Ramchand werd vastberaden wakker en stond zich niet toe weg te dromen. Nadat hij zich had gewassen en met thee en een banaan had ontbeten, ging hij aan het werk. Hij bleef de hele dag binnen en zwoegde op zijn nieuwe boeken. In de middag nam hij een korte pauze om *khichdi* te maken. Er zat zo weinig smaak aan dat hij het alleen met massa's ingelegde mango weg kreeg. Daarna zette hij zich weer aan de boeken. Tegen de avond ontdekte hij dat hij de woorden in ieder geval kon ontcijferen, al had hij veel moeite met de betekenis ervan. Met wat oefening kwam de oude, verwaarloosde vaardigheid ten minste voor een deel terug.

Maar ook wanneer de betekenis hem duidelijk was en hij een brief in zijn geheel had weten te lezen, tastte hij nog in het duister. Hij had *De complete brievenschrijver* zomaar ergens opengeslagen en was begonnen aan een 'Uitnodiging aan een vriendin voor een autoreis', die onder 'Uitnodigingen en de beantwoording ervan' viel. Een beetje blozend bij het woord 'vriendin' was Ramchand eraan begonnen:

The Grey Towers,
Littlebourne,
Kent

1 juli 19..

Lieve Peggy,
Wil je met ons mee op reis? George heeft net een nieuwe auto gekocht en is er vreselijk trots op en nu willen we een fijn tochtje door Wales maken. Als je meegaat (en dat willen we dolgraag), zijn we met ons vieren: jij, George en ik en mijn broer Frank. We zullen het vast leuk hebben met elkaar. We dachten de eerste van de volgende maand van hieruit te vertrekken. George wil de vakantie van tevoren uitstippelen, maar als iemand een ander idee heeft, kunnen we daar natuurlijk naartoe gaan. Laat je nog weten op welke dag je komt?

Je toegenegen,
Phyllis

Hoe zat dat dan met die vriendin, dacht Ramchand. Hij snapte er weinig van, maar de laatste regel was tenminste duidelijk. *Laat je nog weten op welke dag je komt?* Ja, dat begreep hij. Het lezen van deze ene brief had hem bijna de hele dag gekost. Ramchand haalde diep adem en begon aan de volgende brief, een antwoord op de vorige.

Middle Cloisters,
Canterbury

3 juli 19..

Lieve Phyllis,
Wat leuk! En wat aardig van je om me mee te vragen! Ik zou niets liever willen! Zeg maar wel tegen George dat hij de weergoden gunstig stemt! Je moet me laten weten wat voor kleren ik nodig heb en hoe lang jullie op reis willen.
Caernarvon en Bettws-y-Coed zou ik dolgraag willen zien; maar Wales heeft zoveel schitterende plaatsjes dat ik me graag bij jullie plannen aansluit. Ik neem aan dat jullie naar Tintern en Chepstow en Raglan gaan. Komt het uit wanneer ik de 28e bij jullie ben?

Ik ben zo blij als een hondje met zeven staarten,
Je Peggy

Inmiddels was Ramchand helemaal de weg kwijt. Over de tweede brief had hij drie uur gedaan. Het was nu donker buiten en zijn nek deed zeer.

Het lezen van de twee brieven had hem bijna de hele zondag gekost en nu dat was gelukt, kon hij er kop noch staart aan ontdekken. Voorzover hij na kon gaan waren Phyllis, Peggy, George en Frank namen, hoe onaannemelijk ze ook klonken. Ja, 'Lieve Peggy' moest betekenen dat Peggy een persoon was. Maar wat was een autoreis? Hij wist wat een auto was en hij wist wat een reis was, maar waar sloeg het allemaal op? Hij probeerde zich te concentreren. Hij moest niet zo snel opgeven. Hij laste nog een pauze in om een kop sterke thee te zetten, die hij gehurkt bij het fornuis opdronk. Toen begon hij weer aan de verwarrende brieven en onderstreepte Caernarvon, Tintern, Chepstow en Raglan. Dat waren de moeilijke woorden die hij in het woordenboek had proberen op te zoeken maar niet had gevonden. Bettws-y-Coed liet hij weg, want hij wist zeker dat dat een drukfout was.

Toen hij 'Ik ben zo blij als een hondje met zeven staarten' eenmaal had uitgepuzzeld, vond hij die uitdrukking heel grappig.

De strekking van de brieven had Ramchand nog steeds niet helemaal te pakken, maar nu was hij moe. Daarom maakte hij een stevige wandeling en ging na terugkomst weer aan het werk. Hij hield het bij het brievenboek, omdat hij de opstellenbundel voor later wilde bewaren. Hij had het idee dat hij alleen maar in de war zou raken als hij aan alles tegelijk begon. Zorgvuldig schreef hij met zijn nieuwe pen alle woorden en zinsnedes die hij niet begreep en de dingen die hij wilde onthouden in zijn nieuwe schrift over.

7

'Hmmm... la la la la a... hmmm, o ho o o o.'

Dat was Ramchand, op maandagochtend op weg naar zijn werk. Zijn leven stond op de rails, zoals het hoorde. Hij zag er beter uit, voelde zich beter en had het weekend besteed aan leren. Hij had zijn tijd niet voor een bioscoop staan verlummelen en was niet, gedeprimeerd om niets, in bed blijven liggen. Met zijn lange wandeling had hij beweging en frisse lucht gehad.

Dat getuigde echt van karakter. Zo hoorde het leven te worden geleefd. De wereld was groot, heel groot. Alles was mogelijk.

Hoewel ze in de winkel moeilijk iemand konden missen, moest hij vandaag weer met een partij sari's naar de Kapoors. Het was een gunstig jaargetijde voor huwelijken en er werd zoveel omgezet dat niemand, zelfs Hari niet, even rustig aan kon doen.

Maar bij de Kapoors mochten ze zich er niet gemakkelijk van afmaken en dus ging Ramchand nogmaals, met nog meer sari's voor de bruid, fluitend op Gokuls fiets op pad. Ditmaal had hij oude kleren aan – hij kon zich niet voor elk bezoek aan Huize Kapoor iets nieuws veroorloven – maar toch had hij zijn best gedaan er piekfijn uit te zien.

Weer bleef hij bij boekenstalletjes talmen. Bijna een halfuur zat hij voor een theetentje met een kopje *chai* mensen te kijken. Het mossambisap sloeg hij echter over.

Nieuwe kleren, boeken, een pen, inkt, een schrift en wat al niet. Nu moest hij een tijdje uitkijken met zijn geld.

Uiteindelijk kwam hij bij de Kapoors aan. Weer vroegen ze hem te wachten in de kamer met het kleed op de vloer. Raghu kwam zeggen dat hij een poosje geduld moest hebben, dat de oude memsahib met een juwelier bezig was en de jonge memsahib aan de telefoon zat. Ramchand knikte en begon weg te dromen. Raghu vertrok en liet de tussendeur open.

Ramchand had zeker niet de bedoeling de luistervink te spelen, maar ze praatte zo luid dat hij haar kon horen. Misschien dacht ze dat hij geen Engels verstond. Toegegeven, hij verstond het niet goed, maar flarden van het gesprek kon hij wel volgen.

Haar hese stem klonk Ramchand aangenaam exotisch in de oren. 'Echt, lieve schat, ik ben niet als die andere meisjes...' zei ze. 'Volgens mij staan ze echt stil hier in Amritsar, zo tevreden zijn ze met dat huisje-boompje-beestje van ze. Ik kan me niet voorstellen dat ik dat zou willen. Ik wil lezen, ik wil nieuwe dingen ontdekken, ik wil elke dag als een nieuwe ervaring zien. Neem nou vandaag. Ik heb hier zo'n stomme sari-wala en zo'n inhalige juwelier zitten en toch zit ik met mijn hoofd bij andere dingen. Voor mij is het leven een avontuur. En door het leven te ontdekken ontdek je jezelf. Je weet...' ging ze verder, '... dat mijn vader zo rijk is dat ik nooit echt zal hoeven werken. Maar toch heb ik mijn studie Engelse literatuur afgemaakt. Ik heb mijn masters-diploma en ik was ook nog de beste van mijn jaar. Ik ben een creatief iemand. Ik kan mijn verstand gewoon niet stilzetten, het heeft gewoon niet genoeg aan dat soort dingen. Natuurlijk wil ik graag mooie kleren en sieraden en een fijn, prettig leven, je weet tenslotte uit wat voor familie ik kom. Maar dat is niet alles, voor mij komt er nog meer bij. Het is een middel om iets te bereiken, niet het doel op zich.'

Hier viel een stilte. Ze leek te luisteren naar degene die ze aan de telefoon had.

Toen zei ze triomfantelijk: 'Precies! Zo denk ik er ook over! Het gaat toch om mijn innerlijk? Om mijn creativiteit? Net gisteren...' voegde ze eraan toe, '... heb ik weer een gedicht geschreven. Ik denk dat ik met zo'n gedicht kan uitdrukken waar het leven werkelijk om gaat. En weet je wanneer ik het schreef? Op het moment dat er een man met kristallen armbanden voor de deur stond. Ik moest gewoon schrijven. Die armbanden konden best wel wachten en ik moest echt eerst het creatieve proces op gang brengen.'

Er viel een stilte. Toen hoorde Ramchand haar stem weer.

'Moet je horen, ik denk er zelfs aan een roman te schrijven. Er was hier pas op het college een vrouw uit Delhi voor een conferentie en die zei dat ik beslist talent had. En mevrouw Sachdeva hier, je weet wel, die stimuleert me heel erg.'

Op dit punt viel ze even stil en leek ze naar een reactie te luisteren.

'Nou, ik ben blij dat je achter me staat. Toen mijn vader hoorde dat ik verliefd was op een legerofficier, vond hij dat maar niets. "Als mijn dochter trouwt, kijkt de hele stad mee," kregen zijn vrienden steeds te horen. Maar goed, ik heb hem overtuigd. Ik ben er niet zo een die eerst met een rijke man trouwt en dan alleen maar thee drinkt met de anderen. En bovendien, voor het geld hoef ik niet te trouwen.'

Er viel weer een pauze, een langere ditmaal.

Toen zei ze: 'Dag, hondje, ik moet voortmaken. Ik hou heel veel van je. Ik kan haast niet geloven dat we eindelijk gaan trouwen en dat ik dan bij je ben. Het kan me niet snel genoeg gaan.'

Er klonk een tik, en daarna niets meer.

Ramchand, die nog steeds probeerde het gesprek tot zich door te laten dringen, bleef stil zitten. Uit wat hij had begrepen, was één ding duidelijk. Ze had hem een stomme sari-wala genoemd.

Ramchand dacht er even over na. Het kon ook zijn dat ze gewoon de zenuwen had voor haar huwelijk, dacht hij vergevingsgezind. En voor iemand als zij, iemand die zo anders, zo gevoelig klonk, moest het wel extra moeilijk zijn. Ramchand voelde zich innerlijk verscheurd. Hij wist niet of hij boos moest zijn om de krenkende opmerking die ze over hem had gemaakt of blij omdat ze probeerde zichzelf te vinden. 'Uitdrukken waar het leven werkelijk om gaat,' klonk indrukwekkend, al wist hij niet precies wat 'uitdrukken' betekende.

Op het moment dat ze binnenkwam, keek hij haar even oplettend aan. Zij had geen oog voor hem. Haar moeder kwam achter haar aan naar binnen en algauw was hun aandacht alleen nog gericht op het selecteren van nog meer sari's uit het enorme pakket en werkten ze zich er even snel en geestdriftig doorheen als de vorige dag.

*

Gesterkt door Rina's gesprek over schrijven en 'uitdrukken' besloot Ramchand dezelfde avond nog aan *Schitterende opstellen* te beginnen. Anders dan *De complete brievenschrijver* was het door een vrouw (Shalini, MA English, B. Ed.) geschreven, speciaal voor leerlingen van de onderbouw en bovenbouw van de middelbare school, CBSE-kandidaten, eerste- en tweedejaarsstudenten en deelnemers aan Vergelijkende Examens. En tot zijn vreugde ontdekte Ramchand dat er, hoewel het een opstellenbundel werd genoemd, achterin ook een paar brieven stonden.

Hij begon met 'Bedelaar in India', een opstel voor de schoolgaande jeugd.

In ons land zijn bedelaars een vertrouwd gezicht. Je ziet ze bij gebedshuizen, bushaltes, op markten, op straat enz.

In India zijn er honderden soorten bedelaars. Sommige bedelaars zijn blind. Omdat ze niet kunnen zien of werken, gaan ze bedelen. Dat soort bedelaars verdient ons medeleven. Er zijn ook lamme en melaatse bedelaars. Zij kunnen niet in hun levensonderhoud voorzien. Daarnaast zijn er bedelaars die, hoewel jong en recht van lijf en leden, van bedelen hun beroep hebben gemaakt. Dan zijn er bedelaars die eruitzien als sadhu's, *maar het eigenlijk niet zijn. Doorgaans zijn dat bedelaars die drinken, zondigen en stelen.*

Dit was een afmattende bezigheid. Langzaam bestudeerde Ramchand de alinea opnieuw. Hij las de hele alinea zonder ook maar één keer te haperen. Dat vervulde hem met immense trots. Hij had een hele alinea in het Engels gelezen en ook alles begrepen. De taal was stukken makkelijker dan die in *De complete brievenschrijver* en dat beviel hem. De alinea had hem echter ook een onbehaaglijk gevoel gegeven.

Hij dacht niet dat hij Shalini (MA English, B. Ed) aardig zou vinden als hij haar tegenkwam. Voordat Ramchand die avond in bed zijn blauwe wollen bedsokken met gaten aantrok, zocht hij 'uitdrukken' op in het woordenboek. Er stonden wel drie verschillende betekenissen bij, nog afgezien van apart staande trefwoorden als 'uitdrukkelijk' en 'uitdrukking'.

Het kostte Ramchand ongeveer een halfuur om uit te puzzelen wat Rina had bedoeld: 'te kennen geven, onder woorden brengen'.

En toen zag hij opeens 'zich uitdrukken'. Het betekende 'zijn gedachten, gevoelens onder woorden brengen'.

Hiermee werd Ramchand alles duidelijk.

Hij wist hoe moeilijk dát was.

8

Een paar dagen gingen voorbij. Ramchand werd verteld dat hij nu een tijdje niet naar de Kapoors hoefde. Als ze meer sari's wilden, zou hij het wel te horen krijgen. In de winkel was hij er meestentijds met zijn hoofd niet bij en in zijn vrije tijd las hij in de opstellenbundel. Na zijn ontreddering over Phyllis en Peggy en hun autoreis was hij wat voorzichtiger geworden met het brievenboek. Toch nam hij het, ijverig maar argwanend, door, maakte aantekeningen in zijn schrift en zocht woorden op.

Hij had een plan opgevat en volgens hem had hij nog nooit een genialere inval gehad. Als hij in het woordenboek bij a begon en dan van alle woorden, van kaft tot kaft, leerde wat ze betekenden, kon het niet anders zijn dan dat hij op een dag al het Engels kende dat bestond. Het was zo'n verbijsterend idee dat zijn adem stokte. Hij vroeg zich af of het weleens bij een geleerde was opgekomen. Het zou natuurlijk veel tijd kosten, maar niets was onmogelijk.

Het was echter haalbaar. En daarom wijdde Ramchand elke avond – als hij het gehad had met de opstellen en met een hoofd vol vraagtekens brieven had doorgeploeterd – een halfuur aan het leren van woorden en hun betekenis. Wat betreft zijn opzet om met de a te beginnen, had hij buiten het eerste woord in het woordenboek, het eenletterwoord *a*, gerekend. Het leek wel honderd betekenissen te hebben, dus dat sloeg hij over. In zes dagen had hij zich, door elk vrij ogenblik met het woordenboek bezig te zijn, van *Aback* naar *Altitude* gewerkt. Zelfs in de winkel prevelde hij de woorden. Toen de eerste opwinding echter wat was gezakt, nam hij gas terug en ontwikkelde een gestaag tempo.

*

’s Avonds werkte Ramchand aan tafel, want de winterdagen waren kort en tegen de tijd dat hij thuiskwam van zijn werk was het al donker. Maar op zondag zette Ramchand de ramen open en ging hij op zijn blikken kist voor het achterraam zitten lezen. Vanuit dat raam zag hij niet alleen de binnenplaats van zijn hospes, maar ook diens zitkamer en keuken. Er waren ook twee slaapkamertjes en een badkamer, maar die lagen, onzichtbaar voor Ramchand, achter de woonkamer en de keuken.

Vaak keek hij naar Sudha, als ze in de keuken bezig was. De afgelopen elf jaar had hij haar daar in alle seizoenen gezien, hartje zomer hijgend en zwetend boven het fornuis en op koude winterdagen blijmoedig gemberthee zettend. Hij had haar gadegeslagen terwijl ze paneer in keurige blokjes sneed, aardappelen schilde, gember hakte, snijbonen snipperde, in een stenen vijzeltje masala’s stampte, deeg voor de chapati’s kneedde, daal en allerhande curry’s roerde, melk kookte in een grote stalen *pateela* en ’s avonds af en toe pakora’s bakte voor het gezin. Soms zag hij haar de woonkamer schoonmaken. Ze deed het huis zorgvuldig, stofte de televisie grondig af, verschoonde wekelijks het beddengoed van de slaapbank en sloeg elke dag het tafelkleed uit. Op het moment dat Ramchand op zijn vijftiende de kamer had gehuurd, was de hospes nog maar net getrouwd.

Zijn slanke, jonge vrouw had een hartvormig gezicht, dat enigszins werd bedorven door een platte neus. Hoewel ze niet heel mooi was – het was niet alleen dat haar neus plat was, ze had ook een vrij korte hals en dicht bij elkaar staande ogen – had Ramchand nog nooit een aantrekkelijker vrouw gezien dan zij. Wanneer ze hem zag, schonk ze hem een knikje en een glimlach.

Vlak na haar trouwen droeg ze glanzende sari's die haar prachtige middenrif bloot lieten. Ook had ze weleens een geborduurde salwaar kameez aan waar ze dan een chunni met lovertjes bij droeg. Ze had lang haar dat ze meestal oprolde en in een losse wrong opstak. Ze had *sindoor* in haar scheiding, een rode bindi op haar voorhoofd en *kaajal* om haar schitterende ogen. Ze droeg gouden oorhangers in de vorm van een bloem. De glans van dat al had een betoverend effect op Ramchand.

Haar naam, zo ontdekte hij op een ochtend toen de hospes haar toeriep dat ze als de wiedeweerga zijn thee moest komen brengen, was Sudha.

Zijn hospes werkte bij het een of andere bedrijf, waar hij elke dag op een blauwe scooter, een Bajaj die hij als bruidsschat had gekregen, heen ging. Voordat hij 's avonds thuiskwam, waste Sudha zich, deed een luchtje op en stak, met behulp van een hele lading gekleurde spelden, op een ingewikkelde manier haar haren op.

Dikwijls kwam Ramchand net even voor zijn hospes thuis en het eerste dat hij dan deed was, gretig maar kalm, het achterraam openzetten.

En soms zag hij haar dan op de binnenplaats het wasgoed van de lijn halen en hoorde hij, bij elke stap die ze zette, haar zilveren *payal* rinkelen. Of hij zag haar, met een *thali* op schoot, met gekruiste benen rijst zuiveren of gember en uien hakken.

De eerste maanden na haar huwelijk droeg ze de ivoren bruids-*chooda* om haar pols. Daarna had ze die afgedaan. Daarvoor in de plaats droeg ze nu om haar rechterpols een brede gouden armband. Een prachtige armband met twee tegenover elkaar geplaatste olifantskoppen met geheven slurven, als in een groet. Aan die gladde, warme armband, die ze nooit afdeed, bungelden steevast twee glimmende stalen veiligheidsspelden. De gebogen dopjes ervan zaten veilig tussen de slurven ingeklemd.

Na de was of de afwas, als haar handen en onderarmen nat waren, lichtte de armband op tegen haar vochtige, gouden huid.

Om haar andere pols droeg ze elke dag andere, bij de kleur van haar kleren passende, glazen armbanden. Wanneer ze groente sneed of rijst zuiverde, rinkelden de armbanden en kwamen er sliertjes haar los uit haar wrong. Die streek ze dan ongeduldig weg en duwde ze achter haar oren.

Soms knipte ze haar teennagels op de binnenplaats. Zittend op de charpai, werkte ze geconcentreerd, teen voor teen, de nagels bij totdat ze in Ramchands ogen niet mooier konden. Als ze zich, met al haar aandacht bij haar tenen, vooroverboog, viel de pallu van haar sari of haar chunni naar voren en staarde Ramchand naar het warme plekje tussen haar hals en haar borsten, het plekje waar haar halssnoeren en kettingen knus rustten.

Op zondagochtend waste ze haar lange haar met *amla* en *reetha*. Met een vanachter verleidelijk vochtige blouse ging ze dan in de zon zitten om het te laten drogen en liet haar ranke vingers door de volle lokken glijden, terwijl vlakbij haar man, met zijn pyjama tot boven de knieën opgerold, vlijtig zijn Bajaj waste.

Als hij verder niets te doen had, fantaseerde Ramchand over haar. Hij wist echter weinig van het vrouwelijk lichaam. Zijn schaarse kennis had hij bijeengesprokkeld uit foto's in de pornoboekjes die, in plastic verpakt, op straat bij de stadsbusstandplaats aan de man werden gebracht. De meestal korrelige foto's toonden in zee spelende of geknielde, onveranderlijk uitnodigend kijkende, naakte, blanke vrouwen. Eén keer had Ramchand een buitenlands tijdschrift in kleur ingezien, tweedehands, waarin de vrouwen niet helemaal, maar wel bijna naakt waren. Ze hadden glanzend gestifte lippen en haar dat rood of goud of van een andere onmogelijke kleur was. Maar dat soort tijdschriften kwam zelden op zijn weg en doorgaans moest hij het met de korrelige zwartwitfoto's doen. In het laatste blad dat hij had ingekeken had een foto gestaan van een staande, naakte blanke vrouw met gigantische borsten die, met iets gespreide benen, naast een zwembad wezenloos de lens in keek.

Hoe moeilijk het ook voor hem was, toch wist Ramchand het enorme verschil tussen de zedige gestalte van Sudha in haar kleurige sari's en de blote wezens in de pornoboekjes op de een of andere manier te overbruggen.

In de van vrouwelijkheid doortrokken sariwinkel ontmoette hij veel vrouwen, maar slechts de aanblik van Sudha, met al haar kleren aan en bezig met de gewone dagelijkse bezigheden, zette Ramchand compleet in vuur en vlam.

Er was een kraan op de binnenplaats waar ze doorgaans de was deed. Hij vond het heerlijk om naar haar te kijken als ze haar sari, *pauncha* of salwaar optrok, neerhurkte en bedaard de kleren boende en spoelde. Ze leek nooit haast te hebben en immer haar rust te bewaren, heel anders dan de veeleisende klanten in de winkel en de vrouwen in de wijk, die op straat altijd met elkaar in de clinch lagen. Dikwijls fantaseerde Ramchand dat hij haar ontkleedde, haar middenrif streelde, zijn handen over haar verleidelijke, blanke enkel liet gaan, door haar lange haren streek, in de welving van haar hals beet, de strakke sariblouse losknoopte, zijn hand onder haar onderrok liet glijden...

Het stoorde hem dat hij haar door zijn dromerijen niet naar behoren respecteerde. Om zich beter te voelen was hij extra voorkomend als hij haar tegen het lijf liep, en toch bleef hij dromen wanneer hij alleen was. Maar ze was niet lang een pasgetrouwde vrouw gebleven. Kort na elkaar had ze drie kinderen het leven geschonken, twee jongens en een meisje. Ze had ze de namen Manoj, Vishnu en Alka gegeven. Telkens als Ramchand de kinderen zag spelen, verbaasde hij zich weer over de doeltreffendheid waarmee juist die slanke, jonge vrouw ze alle drie had gemaakt, met alle tenen eraan en de oren op de goede plek. Manoj, de oudste jongen, was een slim, sarcastisch kind geworden dat Ramchand, wanneer hun paden elkaar kruisten, zeer neerbuigend bejegende. Nog voor zijn tiende verjaardag wist hij Ramchand echt de stuipen op het lijf te jagen. Ramchand kon zeggen wat hij wilde, maar het lukte hem niet een einde te maken aan de superieure, spottende toon waarop Manoj hem aansprak. Vishnu was een vriendelijk lawaaischoppertje. Hij was verslaafd aan de nieuwe liedjes uit de Hinditalige films op de radio. Geestdriftig deed hij op de binnenplaats alle danspasjes na die Shah Rukh Khan en Hrithik Roshan in hun films deden. De jongste, Alka, leek op haar moeder. Ze was een beetje een praatjesmaakster die zich, zo gauw als ze een nieuwe jurk had, voor de spiegel in de woonkamer stond mooi te maken en op de binnenplaats zo luid 'Schaapje, schaapje, heb je witte wol,' opzei dat Ramchand het kon horen. Ze had de ogen van Sudha, en ook de platte neus. Ramchand voelde een bijna vaderlijke genegenheid voor Alka.

Ook de hospes verbaasde Ramchand met wat hij allemaal voor plannen voor zijn kinderen had. Ramchand had hem eerst een saaie, nietszeggende man gevonden. Nu was hij evenwel een actieve, enthousiaste en toegewijde vader. Hij kocht zelf felgekleurde kleren voor zijn kinderen, limoengroene met Mickey Mouse erop of glimmend oranje kleren met Garfield. 's Winters gaf hij ze levertraan, en amandelen het hele jaar door, om verkoudheden voor te zijn en hun verstand te voeden. Hij had ze op een English medium-school gedaan, ook zijn dochter. Terwijl zijn vrouw haar bedaarde zelf bleef en genoegen nam met koken, het huis schoonhouden en de was doen, stelde hij het zich tot taak zijn kinderen te laten slagen in de nieuwe wereld, de wereld van Engelstalige banen, paspoorten, visa en grote bedrijven die in Ludhiana, Chandigarh en Delhi ontstond.

En het was een keer gebeurd dat de hospes, toen hij bij Ramchand de huur kwam ophalen, had gezegd: 'Dat geld dat ik elke maand van je krijg, dat gaat meteen, in zijn geheel, naar een speciale bankrekening. Ik kom er pas aan als we genoeg hebben gespaard om de binnenstad uit te gaan. Dan kunnen mijn kinderen naar een nog betere school en bereiken ze iets. Dan leren ze Engels práten, niet alleen maar opstellen schrijven en zo. Misschien leren ze zelfs zwemmen in een echt zwembad.'

Bij die woorden had Ramchand zich, met een steek in zijn hart, herinnerd dat zíjn vader van plan was geweest zijn zoon naar een English medium-school te sturen.

Het gezin van de hospes was nog steeds niet verhuisd, maar Manoj kon al een heel lied in het Engels zingen.

9

Weer zat Ramchand met zijn pakket opschik op het kleed in de zitkamer van Huize Kapoor. Vanmorgen had hij van Mahajan te horen gekregen dat hij nog wat lehnga's van crêpe georgette voor bij opengewerkte gazen chunni's moest laten zien.

Mevrouw Kapoor en Rina zaten nog maar net en hij had juist zijn pakket opengemaakt toen Raghu, de bediende, binnenkwam. 'Memsahib,' zei hij, 'er is iemand voor de jonge memsahib. Ze zegt dat ze mevrouw Sachdeva heet.'

Mevrouw Kapoor raakte zichtbaar geprikkeld. 'Wel, Rina, nu komen die mensen nog aan huis ook. De meest vooraanstaande families van Amritsar mogen we tot onze vrienden rekenen. Zelfs families met de grootste bedrijven van Delhi hebben over ons gehoord. En dan komt er zo'n gewone lerares aan huis, zo'n ambtenaar.'

Rina keek haar moeder kil aan. 'Niet alles draait om geld, moeder,' zei ze. 'De wereld is groot, weet u, en er bestaan mensen die worden gerespecteerd om hun kennis, om hun prestaties. En dat is een ander soort respect, niet het respect van een stel burgerlijke types, een stel lompe zakenlui. Nee,' haar ogen fonkelden, 'die mensen staan in de hele wereld, in de academische, de ontwikkelde wereld in aanzien. Dat is erkenning in de ware betekenis van het woord. U doet er wijs aan om van beide werelden het beste te nemen.'

En, zich tot Raghu wendend, zei ze: 'Laat haar maar hier komen, Raghu, en breng wat fris of thee, alsjeblieft.'

Mevrouw Sachdeva werd binnengelaten. Ze was gekleed in een sari van gedekt beige met roestbruine zijde en om haar hals droeg ze een smal parelsnoer. Ze droeg kleine parels in haar oren en haar achterovergekamde haar zat in een eenvoudige wrong. Met uitgestoken hand liep ze op Rina toe. Rina stond glimlachend op.

Ze schudden elkaar de hand. Toen zei mevrouw Sachdeva: 'Ik heb je uitnodiging ontvangen, lieverd. Ik ben zó blij met het heuglijke nieuws. Ik kwam langs en ik dacht, laat ik even binnengaan om je te feliciteren.'

'Hartelijk dank,' zei Rina. 'Heel vriendelijk van u.'

Vervolgens groette mevrouw Sachdeva mevrouw Kapoor met een beleefd 'Namaste'. Mevrouw Kapoor reageerde met een zuinig lachje.

'En, lieverd, hoe staan de zaken?' vroeg mevrouw Sachdeva aan Rina.

Mevrouw Kapoor verontschuldigde zich, zei Ramchand dat ze snel terug zou zijn en ging de deur uit. Wat een mens, dacht ze, terwijl ze ziedend wegliep, expres Engels praten, alleen om haar voor gek te zetten. Nou, zij hadden niet eens een eigen huis, het college gaf ze onderdak en zij ging geen energie steken in zo'n mens.

Ramchand wachtte af. Niemand leek ook maar in de gaten te hebben dat hij er was. Vanaf zijn plek op het kleed, met het pakket sari's naast zich, zag hij beide vrouwen in het Engels beleefdheden uitwisselden. Hij luisterde aandachtig. Hij zou nu alles moeten kunnen begrijpen. Dit was een soort proefwerk.

Nu Rina en mevrouw Sachdeva van mevrouw Kapoors hinderlijke aanwezigheid waren verlost, kwam er een geanimeerd gesprek los.

'Ik vind het zo leuk voor je, Rina, en eigenlijk ben ik blij dat je niet bij zo'n zakenfamilie introuwt. Ik bedoel, ik wil je niet beledigen, maar een meisje als jij heeft een wat beschaafdere ambiance nodig om haar mogelijkheden te verkennen.'

Rina tuitte haar lippen. Ramchand luisterde goed. 'Mogelijkheden verkennen' was moeilijk, maar hij hield vol.

'Zoals u weet, mevrouw, is deze oude stad al jaren een stad van stoffenhandelaren en juweliers, dat was voor de Afscheiding al zo,' zei Rina, 'en daarom is het lang niet eenvoudig om je los te maken van de commerciële kanten van je leven. Je hebt natuurlijk wat wij de "ambtenaren" noemen. Families die neerkijken op ons, mensen met geld en zonder cultuur, terwijl wij neerkijken op hen, omdat ze geen geld en geen groot huis hebben, al moet ik zeggen dat ze het tegenwoordig, met dat steekgeld, behoorlijk doen. Vaak hebben ze een groot huis in een buitenwijk. En ook oud geld, neem ik aan. Er zijn Sikh-families die heel erg gewoontjes lijken, maar toch heel veel land in een dorp hebben.'

Mevrouw Sachdeva luisterde aandachtig.

'Maar de afstand is groot,' ging Rina verder. 'Misschien wil ik op mijn manier die kloof proberen te dichten.'

Mevrouw Sachdeva slaakte een blije zucht. 'Heus, Rina, ik heb bewondering voor je. Misschien had je af moeten studeren in antropologie. Jij bent in staat om zonder vooroordeel je eigen plek en die van je familie in de samenleving te benoemen.'

Rina glimlachte. Op dat moment kwam Raghu binnen met thee in kopjes en een flonkerend glazen schaaltje cashewnoten op een dienblad. Zonder op te houden met praten schonk Rina in. 'Literatuur en antropologie hebben natuurlijk veel raakvlakken. Ik kan slechts hopen dat ik iets bereik. Dingen doorzie. In onze merkwaardige, gelaagde samenleving is dat heel, heel moeilijk.'

Ramchand dacht dat hij hier iets van begreep, in ieder

geval dat stukje over dingen doorzien, maar daarna begonnen de vrouwen aan een lang gesprek over postkolonialisme, armoedeparadigma's, Anglo-Indiase literatuur en nog veel meer. Dat ging Ramchand allemaal volledig boven de pet en hij kon het gesprek niet langer volgen, wat hem een beetje verdrietig maakte. Maar hij monterde meteen weer op. Hij was tenslotte nog niet aan de letter p toe in zijn woordenboek. Als hij zover was, wist hij waarschijnlijk evenveel over postkolonialisme en paradigma's als zij.

Toen keek mevrouw Sachdeva op haar horloge en zei: 'Ach! Ik ben hier al bijna een halfuur, lieverd. Zo lang had ik niet willen blijven.' En met een blik op Ramchand, die ze niet herkende als de verkoper die haar zo veel sari's had verkocht en daar meer dan eens hoofdpijn aan had overgehouden, zei ze: 'En jij zat midden in de aankopen voor de bruiloft, zie ik.'

Mevrouw Sachdeva stond op en streek de vouwen uit haar sari. 'Ik hoop dat je moeder niet boos op me is,' zei ze.

'O, nee hoor, helemaal niet. Zelf heb ik liever zo'n spontaan bezoek dan een formele visite,' verzekerde Rina haar met een charmante glimlach. 'En u komt toch naar de bruiloft?' vroeg ze.

'Natuurlijk, lieverd,' zei mevrouw Sachdeva. Ze legde een hand op Rina's schouder. 'Je moet weten, Rina, in het onderwijs loop je de kans dat je stil blijft staan. Als er weer een dag voorbij is, vraag je je soms af of het allemaal de moeite waard is, maar met studenten als jij is het echt een genot. Ik zal je toekomstige vorderingen met grote belangstelling volgen. Ik hoop dat je het wereldse in het leven niet de overhand laat krijgen op wat echt belangrijk is.'

'In geen geval,' zei Rina, op een toon waarin ijzeren vastberadenheid doorklonk.

Op dat moment kwam mevrouw Kapoor binnen. Glimlachend nam mevrouw Sachdeva afscheid en vertrok.

Rina nam weer de kordate, zakelijke houding aan waarin ze op haar moeder leek en snel maakten de beide vrouwen hun keus. Onder het terugfietsen haalde Ramchand het gesprek van die dag woord voor woord terug in een poging er samenhang in te brengen.

Op zaterdagavond wenkte Hari Ramchand met een knikje en een knipoog naar de verste hoek van de winkel. Toen Ramchand bij hem was, fluisterde hij: 'Ik heb drie kaartjes voor de film morgenmiddag. In Sangam draaien ze *Kaho Na Pyaar Hai* weer. Ik heb geen idee waarom ze de nieuwste films niet draaien, maar deze wil ik best nog een keer zien. Jij en Subhash en ik. Goed?'

Ramchand stond op het punt te bedanken. Hij had toch besloten geen zondagmiddagen meer te verprutsen door met Hari naar de bioscoop te gaan? Maar hij had de laatste tijd wél regelmatig met zijn neus in de boeken gezeten. Het zou een leuke onderbreking zijn. 'Goed,' fluisterde hij.

''s Ochtends ga ik met Subhash naar *Gadar*. Een nieuwe. Wil je daar ook heen? Dat moet echt een gigahit zijn. Maar we hebben nog geen kaartjes. Hij draait in Adarsh. Die is te ver om alleen kaartjes te gaan halen. We hopen dat we die daar nog kunnen krijgen. Wil je hem ook zien?'

'Twee films op een dag?' vroeg Ramchand met twijfel in zijn stem.

'Ja,' antwoordde Hari opgeruimd.

Ramchand aarzelde even, maar herinnerde zich toen zijn goede voornemens. Hij wist ook dat Sunny Deol meestal in heel gewelddadige films speelde.

'Nee, gaan jullie maar met zijn tweeën naar *Gadar* en

dan zien we elkaar voor Sangam. Goed? Dan ga ik alleen naar *Kaho Na Pyaar Hai.*'

'Goed,' zei Hari. 'Weet je het zeker? *Gadar* is een grote hit en *Kaho Na Pyaar Hai* heb je al gezien.'

'Ja, maar het meeste ben ik vergeten. Jij hebt hem wel honderd keer gezien, ik niet. En de liedjes vind ik steengoed. *Gadar* is trouwens te gewelddadig. Ik heb de posters gezien,' zei Ramchand, terwijl hij besloot om 's ochtends achter de boeken te gaan zitten, zodat hij met een rein geweten naar de matineevoorstelling kon.

Hari haalde zijn schouders op. 'Moet jij weten.'

De volgende ochtend waste Ramchand zijn kleren, maakte zijn kamer aan kant, waste zichzelf en zette zich aan de opstellenbundel. Aandachtig begon hij aan een opstel met de titel 'Wetenschap: geschenk of vloek?'

Hij las nu veel vloeiender.

De wetenschap heeft de mensheid ver vooruit geholpen, las hij. *Door de wetenschap is er veel vooruitgang op het terrein van geneeskunde en technologie. Voor veel ziektes is een behandeling gevonden. Dagelijkse gemakken zijn er nu volop, zoals huishoudelijke apparaten. De wetenschap heeft veel van onze problemen opgelost.*

Maar elke medaille heeft een keerzijde.

De wetenschap is misschien een geschenk, maar ze kan ook een vloek zijn. Door de wetenschap is er vervuiling en zijn er oorlogen. Plastic zakken en gassen uit de fabrieken bederven het milieu. In ons drinkwater vinden we giftige dingen. En daarom moeten we uitkijken hoe we de wetenschap gebruiken.

In het stukje stond één zin die Ramchand erg diepzinnig vond. 'Elke medaille heeft een keerzijde.' Je kunt iets altijd van twee kanten bekijken. Dat had Ramchand nooit van iemand anders gehoord. Volgens Gokul, Mahajan, Hari, Shyam, Rajesh en zelfs zijn hospes (Chander zei bijna nooit iets tegen hem) was iets óf goed óf slecht. Zo'n nieuwe kijk op de zaken vond Ramchand machtig interessant. Eigenlijk, zo wees Ramchand zichzelf terecht, had hij dat zelf moeten kunnen uitvinden. In de winkel gebeurde het vaak, herinnerde hij zich, dat de ene vrouw een sari minachtend van de hand wees en de andere erop afvloog. Toen had hij dat moeten bedenken. Hij was niet origineel! En wat een leuke manier om het te zeggen, elke medaille heeft een keerzijde. Zo mooi had hij het nog nooit gehoord. In een handschrift dat met de dag beter werd, schreef hij de zin netjes in zijn schrift over.

Ramchand hield de klok scherp in de gaten. De film begon om drie uur. Om twee uur kamde hij zijn haar nog een keer, deed wat geld in zijn portemonnee om Hari het kaartje terug te betalen en liet de pot Zandu pijnstillende zalf in zijn zak glijden voor als hij hoofdpijn kreeg. Toen sloot hij zijn kamer af en ging naar beneden. De schurftige hond die er woonde, lag dwars over zijn stoep te slapen. Ramchand stapte voorzichtig over hem heen en liep naar Sangam.

De bazaars waren vandaag dicht. Zwerfhonden lagen op de weg te zonnen. Een enkel gezin kwam op zondag met de auto uit de nieuwe stad naar de oude om een bezoek aan de Gouden Tempel of de Durgiana Mandir te brengen en daarna in een van de beroemde dhaba's te eten.

Maar voor het loket van Sangam was het één dringende, duwende mensenmassa. Voor de bioscoop stond een enorm bord met een affiche van de film, waarop de gezichten van Hrithik Roshan en Ameesha Patel bijna vermiljoenrood waren.

Ramchand probeerde Hari en Subhash tussen de mensen uit te pikken.

Algauw zag hij ze midden in de menigte wild naar hem zwaaien. Hij liep snel naar ze toe. 'Jullie zijn achterlijk,' zei hij, 'wie gaat er nou tussen al die mensen in staan?'

'Je bent zelf achterlijk,' zei Hari. 'Je denkt toch niet dat we dat expres hebben gedaan. We werden gewoon overspoeld door al die mensen en toen stonden we er opeens middenin.'

Grinnikend en goedmoedig scheldend gaven ze elkaar een stomp op de schouder en algauw waren ze in de stemming voor een middagje film.

'Goed dat we kaartjes hebben,' zei Ramchand met een blik op de ruziënde mensenzee voor het loket.

'Ja,' zei Hari, 'vanochtend bij *Gadar* was het echt duwen en dringen voor een kaartje.'

'O ja, dat was ik vergeten. Hoe was ie?' vroeg Ramchand.

'*Zabardast!* Grandioze film,' zei Subhash. 'En die Sunny Deol is fantastisch, yaar. Als die in het echt een Pakistaan tegen zou komen, timmerde hij hem volgens mij zo in elkaar.'

'Daarom mag ik hem niet,' zei Ramchand.

'Vind jij dan niet dat je een Pakistaan op zijn donder mag geven?' wilde Hari weten.

'We hoeven het toch niet over Pakistanen te hebben,' ontweek Ramchand. 'Laten we kijken of we er al in mogen.'

Dat mocht. Gedrieën liepen ze de donkere filmzaal in. De muren zaten vol *paan*-vlekken en de vloer lag bezaaid met pindadoppen en lege Ruffles-chipszakjes. Omdat er geen toegewezen plaatsen waren, werd er om de stoelen gevochten. Hari, Subhash en Ramchand wisten vrij snel een lekker plekje te bemachtigen en wachtten tot de film begon. Hari, tussen de twee anderen in, haalde een zak pinda's uit zijn tas. Vrolijk kletsend zaten ze te pellen en te kauwen.

Subhash en Hari zetten hun voeten op de stoelen voor hen en Subhash begon te vertellen over zijn wederwaardigheden in de Kleine Bazaar voor de Vrouw.

'Op een keer kwam er een vrouw om oorbellen. Even

later kwam er een ander armbanden kijken. En plotseling, precies op hetzelfde moment, kregen ze dezelfde lampenkap in de gaten, een flesgroene met gouden franje. En ze wilden hem allebei meteen hebben. Ze stonden echt als een stelletje kemphanen tegenover elkaar toen we zeiden dat er maar één van was, weet je. We wisten er geen raad mee. Ze begonnen te schelden. Ik was bang dat ze elkaar de haren uit het hoofd zouden trekken. En dat om zo'n stomme lampenkap. Vrouwen!' zei Subhash ongelovig. 'Een vrouw is tot alles in staat.'

'Zulke ruzies hebben wij niet in de winkel, hè, Ramchand?' zei Hari. 'Zal wel te maken hebben met die lelijke kop van Subhash. Als je die kop van hem ziet, moet je je wel op iets of iemand afreageren,' giechelde hij. Subhash gaf hem een stomp en begon toen ook te giechelen. Ramchand begon ook en algauw hadden ze de slappe lach, waarbij Hari zowat stikte in een pinda.

'En dan had je die vrouw,' zei Subhash, 'die zo ver vooroverboog om naar de haarspelden onder het glas van de toonbank te kijken dat ze niet doorhad dat ik zo in haar blouse kon kijken.'

Hari bulderde het uit, maar Ramchand kwam wat tot bezinning. 'Zeg dat nou niet waar Ramchand bij is,' grapte Hari. 'Hij is een heilig boontje.'

'Nee, hoor,' zei Ramchand, die aan Sudha dacht en stilletjes glimlachte. Het was immers helemaal niet nodig grof te worden over iedere vrouw die je tegenkwam. Hij had genoeg aan Sudha.

Plotseling doofden de lichten en werd het aardedonker in de zaal. 'Hij begint,' zei Hari.

De begintitels kwamen langs, er werd gefloten en gestampt. *Kaho Na Pyaar Hai* was enkele jaren geleden tenslotte een gigahit geweest. Hari en Subhash begonnen met de andere toeschouwers mee te fluiten en te stampen. 'Toe, zeg,' smeekte Ramchand, 'waar zijn jullie mee bezig? Hou op!'

'Wat nou, Ramchand Bhaiya? We komen hier voor ons plezier. We zitten toch al zes van de zeven dagen braaf te zijn in de winkel?' antwoordde Hari.

Ramchand gaf het op.

De held, Hritik Roshan, was arm en speelde gitaar. De heldin, Ameesha, was rijk. Een van de liedjes werd gespeeld op een oceaanstomer en jonge mannen en vrouwen dansten apart in groepjes. De vrouwen hadden allemaal een platte buik en het merendeel van de jonge mannen droeg een modieus hoofddeksel. De held en de heldin kwamen na een schipbreuk samen op een eiland terecht, waar ze elkaar hun liefde bekenden, en daarna kwam de titelsong. Ramchand ging helemaal in de film op. Hij boog zich naar Hari. 'Kijk die oceaan eens, wat blauw, wat groot. Hoe denk jij dat het is op zo'n eiland, met zo'n enorme blauwe lucht, met zo'n enorme blauwe oceaan...'

'Hou op over die oceaan, idioot,' onderbrak Hari hem, 'kijk liever naar die dijen van Ameesha Patel.'

Ramchand tikte de maat van het lied met zijn voet, Hari en Subhash zongen luidkeels mee. Twee vrouwen, een rij of drie, vier voor hen, keken geërgerd om.

'Hé, Hari. Hou je kop, yaar,' zei Ramchand nadrukkelijk, 'die vrouwen zien de mannen in de zaal liever niet meezingen. Dat vinden ze niet gepast.'

Hari hield even op en zei: 'Waar maak je je druk over? Het zijn je schoondochters niet, yaar, laat ze maar.' Opnieuw begon Hari lustig te zingen: '*Dil mera, har baar yeh, sunne ko bekraar hai.*' Daarna rees het voetgestamp en handgeklap en gezang van het publiek tot een oorverdovend '*kaho na pyaar hai...*'

Ramchand gaf het maar weer op.

In de pauze namen ze alle drie thee en een samosa. Ramchand ging naar de wc. Er hing een ongelooflijke stank. Hij haalde de pot pijnstillende zalf uit zijn zak, deed er wat van op zijn voorhoofd en wreef het zorgvuldig uit. Hij had een beetje hoofdpijn.

De rest van de film was ook spannend. Hrithik Roshan was door schurken vermoord en weer verschenen in een andere rol, waarin hij, gekleed in aan zijn lichaam gekleefde zwarte kleren de sterren van de hemel zong in een nachtclub. De landschappen waren wondermooi – bergen, weelderige groene vlaktes en schone wegen en Ramchand was er weg van. God mocht weten waar het allemaal was, dacht hij, en welke bofkonten op zo'n plek woonden en elke dag bij zoiets adembenemend moois ontwaakten.

Terug op zijn kamer was hij onbeschrijflijk verdrietig. Na de spanning van de film, de lieflijke landschappen, de meezingers en de mensenmassa's kwam zijn kamer hem heel stil en eenzaam voor. Hij had Hari's voorstel om de rest van de middag wat rond te slenteren en dan bij Lakhan te gaan eten afgeslagen. Hij had gezegd dat hij hoofdpijn had en er niet voor voelde. Subhash had hem een oud wijf genoemd. Ramchand was met een glimlach vertrokken.

Nu deed hij het achterraam open en keek omlaag. Hij zag de gezellige woonkamer van de hospes en zijn gezin. De tv stond aan en de hospes keek met zijn kinderen naar een film. Hij in een stoel en de kinderen knus naast elkaar op de divan met een deken over hun knieën.

Achter het keukenraam zag hij Sudha voor een pan op het gasfornuis. Een oorring fonkelde als een vuurvlieg in het licht van de gasvlam. Toen zag hij haar een blad naar de woonkamer brengen en op tafel zetten. Er stonden twee koppen thee op, één voor haar en één voor haar man, en voor de kinderen hoge glazen melk met Horlicks. Dat het Horlicks was wist Ramchand omdat hij haar vaak lege Horlicks-potten had zien omspoelen en afdrogen om er daal, zout of masala's in te bewaren.

Een bruine wollen sjaal zat strak om haar warme, in een dikke salwaar kameez gehulde lichaam gewikkeld. Hoe troostend moest het onder die sjaal niet zijn, dacht Ramchand verlangend. Voordat de hospes zijn thee vergenoegd aan zijn lippen zette, warmde hij er zijn handen aan.

Ramchand rilde. De winterlucht kroop zijn kamer in. Hij sloot het raam en ging zitten. Zijn kamer voelde afschuwelijk kaal aan.

10

Op een dag kwam Chander niet naar zijn werk. Mahajan pruttelde wat, maar deed er verder niet moeilijk over. Ook de volgende twee dagen kwam Chander niet opdagen en hij liet evenmin iets weten. De derde dag ergerde Mahajan zich groen en geel. De hele ochtend liep hij iedereen af te bekken, en Hari kreeg te verstaan dat hij het er nog minder goed van afbracht dan een aap zonder opleiding. Hari zei later dat hij Mahajan gauw eens moest vragen hem aan een aap mét opleiding, wellicht met een graad, voor te stellen. Omdat Hari dat heel hard zei, kreeg Ramchand het op zijn zenuwen.

'Stil nou, Hari. Straks heeft hij het helemáál met je gehad. Zoals jij zit te ginnegappen! Hij kan die grijns van verre zien.'

Hari lachte en ging, in zichzelf *Aati kya Khandaala* zingend, met zijn werk verder.

De hele ochtend waakte Ramchand ervoor dat hij bij Mahajan in de kijker liep. Hij sloop stilletjes rond en deed zijn werk zo geluidloos en onopvallend mogelijk. Maar aan het eind van de ochtend bulderde Mahajan plotseling zijn naam.

'Rámchand.'

Ramchand kreeg haast een rolberoerte.

Zenuwachtig handenwringend liep hij op Mahajan toe.

'Ja, Bauji?' vroeg hij zo beleefd als hij kon.

'Ik geef je het adres van Chander, en ik zeg hoe je er

moet komen,' zei Mahajan bijna blaffend. 'Je gaat meteen kijken wat die niksnut uitspookt. Vraag maar aan hem of hij denkt dat hij bij zijn vader werkt, dat hij zijn gezicht kan laten zien wanneer het hém uitkomt. Zeg maar dat ik hem wil spreken.'

Ramchand, als een veer gespannen, liet opgelucht zijn spieren vieren. Twee dagen eerder had hij een schap moeten opruimen en hij had gedacht dat Mahajan had gemerkt dat hij dat had verzuimd. Tegelijkertijd had hij een beetje met de afwezige Chander te doen.

Mahajan vertelde hem hoe hij bij Chander moest komen. Ramchand luisterde aandachtig. 'Herhaal dat nu,' zei Mahajan, nog steeds op boze toon. 'Ik wil zeker weten dat je alles hebt begrepen. Ik wil niet dat je verdwaalt. Dan moet ik weer iemand achter jou aan sturen en struint binnen de kortste keren iedereen hier de stad door. Soms vraag ik me af of ik een sarizaak leid of een gekkenhuis.'

Ietwat gespannen herhaalde Ramchand de aanwijzingen. Als Mahajan weer eens niet voor rede vatbaar was, wist je nooit welk woordje hem nog verder op de kast zou jagen. Mahajan luisterde en knikte, en toen ging Ramchand, die zijn geluk niet op kon, dankbaar op weg. Jaren opsluiting in de winkel, en dan opeens het ene uitje na het andere. Eerst de Kapoors en nu dit. Dit was natuurlijk niet opwindend, maar het was íets.

*

Chander woonde vrij ver van de winkel, in het arme deel van de oude binnenstad. Een halfuur lang hield Ramchand er stevig de pas in. Naarmate hij dichter in de buurt kwam, werd het drukker en smeriger.

Hij liep een smalle steeg in met een kleine Hanumantempel op de hoek en hoopte maar dat Mahajan die had bedoeld toen hij de weg had gewezen. Als hij terugkwam met het verhaal dat hij de weg was kwijtgeraakt en het huis van Chander niet had kunnen vinden, zou Mahajan laaiend worden. Ramchand sloeg evengoed af en liep het tempeltje voorbij. Binnen hoorde hij een *pundit* reciteren en heftig belgerinkel. De straat was heel smal, niet meer dan een spleet, alsof de oude gebouwen alleen maar uit elkaar waren geweken om de mensen te laten passeren. Massa's mensen probeerden er zich langs elkaar heen te wurmen. Ramchand merkte dat hij voetje voor voetje door de menigte schoof.

Een vrouw, rood van opwinding en met tassen groente in haar handen, stompte hem in haar haast opzij. Ramchand verloor ineens zijn evenwicht en stak intuïtief zijn hand naar voren. Bij toeval raakte zijn hand de borst van een voorbijsnellende vrouw. De vrouw, gekleed in een goedkope flesgroene salwaar kameez en een zwarte nylon chunni, bleef staan. Razend draaide ze zich naar hem om. 'Eikel, klootzak, kan je niet uitkijken!' Ze spuwde de woorden haast in zijn gezicht. Ramchand was zo geschokt dat hij geen woord kon uitbrengen en stokstijf bleef staan. Hij staarde haar alleen maar wezenloos aan. Hij had zich juist willen verontschuldigen. Hij probeerde iets te zeggen, maar de woorden bleven hem in de keel steken. Haar harde gezicht had iets wreeds. Hoewel ze eerder in de twintig dan in de dertig was, liepen er diepe groeven door. Ze leek strak te staan van woede. Met de lippen iets van elkaar bleef Ramchand haar aanstaren.

Hun ogen haakten in elkaar.

Bevend van woede keek ze hem met een vuile blik aan, maar toen liep de rest weer door en sleurde de menigte haar mee. Ramchand keek haar na totdat ze was verdwenen. Toen liep hij verder. Een vage angst deed zijn hart bonzen en hij schrok van de minste dingen. Nadat hij een tijdje compleet gedesoriënteerd had rondgedwaald, probeerde hij weer vat op zichzelf te krijgen. Voor een theekraam bleef hij staan. Nu hij om een boodschap was gestuurd, kon hij er maar beter wat van maken, bedacht hij zich. Iets warms zou hem goed doen. Hij bestelde thee en omdat de eigenaar van de theekraam net pakora's stond te bakken, nam hij er daar ook een paar van. Ze waren heet en roken lekker, en terwijl hij ze, zich warmend in de zon, weg zat te kauwen, voelde Ramchand zich slaperig worden. Hij bestelde nog een kop thee.

Toen hij een halfuur later overeind kwam, voelde hij zich een stuk beter en ging hij op weg, her en der vragend hoe hij moest lopen. Uiteindelijk ontdekte hij dat hij weer in de straat liep met de Hanuman-tempel op de hoek. Hij liep verder tot voor Chanders huis en schrok hevig. Het was eerder een krot dan een huis. Het was een krakkemikkig bouwsel dat zo in elkaar leek te kunnen storten. Winkelbediendes waren arm, maar ook weer niet zo arm. En Chander hoefde niet eens kinderen te onderhouden.

Ramchand mocht dan vinden dat er geen goordere straat bestond dan die waarin hij woonde, maar daar stroomde het afvalwater in de goten tenminste nog behoorlijk. Hier waren, naar de stank te oordelen, de goten verstopt met slijmerige zwarte blubber.

In de hoop dat hij het goede huis had, klopte Ramchand aan en wachtte. De deur leek het elk moment te kunnen begeven. Toen hij nogmaals klopte, hoorde hij luide stemmen binnen. Dat verraste hem. Hij had Chander nooit met stemverheffing horen praten. Het was een van de rustigste, aardigste mannen die hij kende. Toen vloog de deur open en stond Chander daar, witheet. Hij bedaarde toen hij Ramchand zag.

'Wat is er?' vroeg Chander op enigszins verontschuldigende toon.

Ramchand wilde net zijn mond opendoen toen hij zag wat zich achter Chander bevond. In de hoek van de kamer lag, als een zielig hoopje mens, een frêle vrouw. Op haar gezicht tekenden zich duidelijk rode handafdrukken af. Haar haar zat in de war, haar groene salwaar kameez hing er slordig bij, haar zwarte chunni lag op de grond. Tranen stroomden over haar wangen. Er liep wat bloed uit haar mondhoek. Hij herkende haar als de grofgebekte vrouw op straat, de vrouw die hem had uitgekafferd. Maar ze zag er nu anders uit, zwakker, kapot. De groeven in haar gezicht leken nog dieper, haar ogen holler. Ze bewoog niet en zei niets. Ramchand wendde zijn ogen af.

'In de winkel willen ze weten wanneer je komt,' zei hij verlegen. Ineens kwam Chander hem als een vreemde voor.

'Ik kom. Morgen kom ik. Ik voel me heel ziek. Zeg dat maar tegen Mahajan. Morgen ben ik er beslist,' mompelde Chander. Hij rook sterk naar drank en zijn ogen waren bloeddoorlopen.

'Goed,' zei Ramchand angstig. Hij keek niet nog eens naar de vrouw, ook al was hij zich zeer bewust van haar, zo bewust dat zij het enige levende wezen in het universum leek.

'Tot morgen, dan,' zei hij tegen Chander, waarna hij zich omkeerde en wegliep. De vrouw bleef als een hoopje in de hoek liggen, naast een gedeukte blikken kist.

De rest van de dag had Ramchand geen rust meer.

*

Omdat hij onderweg naar huis met niemand wilde praten, kneep hij er die avond in zijn eentje tussenuit. Het was nog geen etenstijd, maar voordat hij naar zijn kamer ging, liep hij even bij Lakhan naar binnen voor een hapje. Lakhan stak juist de tandoor aan.

'Ga zitten, Ramchand. Dit heeft even tijd nodig.'

Ramchand ging zitten. Buiten hem was er slechts één

klant, een man die aan de andere kant van de ruimte thee zat te drinken.

Toen eindelijk het vuur in de tandoor had gepakt, wierp de gloeiende houtskool een rode gloed op het vermoeid ogende gezicht van Lakhan. Meestal ging Ramchand een gesprek met hem uit de weg, uit angst dat Lakhan dan over zijn overleden zonen begon. Maar deze keer zat de vrouw van Chander nog in zijn hoofd. Hij wilde te weten komen of het goed met haar ging. Zelfs nu hij zo harteloos was weggelopen. Maar ja, wat had hij kunnen doen? Het was tenslotte Chanders vrouw. Hij kon zich niet in Chanders huiselijke aangelegenheden mengen. Maar toch wilde hij ontzettend graag aan iemand vragen of het weer ging, of ze was opgehouden met huilen. En daarom keek hij naar Lakhan, op wiens gezicht het leed blijvende groeven had achtergelaten, en riep: 'Hoe gaat het?'

Lakhan keek op. 'Vandaag zou mijn zoon jarig zijn,' zei hij op zachte toon. 'De oudste.'

'O,' zei Ramchand, en verder kwam hij niet.

Hij nam thee en twee roti's met *sabzi*. Hij had te veel thee gedronken, zoveel was zeker. Drinken of roken deed hij niet. Hij was alleen verslaafd aan thee, het antwoord op alles, op elk hoofdpijntje, op elke gedachte, op elke ontsteltenis, op elke schrobbering van Mahajan. Hij wist dat hij niet zoveel thee moest drinken. Soms kreeg hij er maagzuur van.

Lakhan liep rond, sprak met zijn personeel en maakte dat alles naar behoren verliep, maar hij deed het werktuiglijk en met de doffe ogen van een blinde. Toen hij bij Ramchand in de buurt kwam, schraapte Ramchand de moed bij elkaar om te vragen: 'Alles goed met uw vrouw?'

In een oogwenk verschrompelde Lakhans maskerachtige gezicht.

'Nee. Het is meer dan vijftien jaar geleden, maar ze wil maar niet vergeten. Ik ga hierheen en dan maak ik weer daal en roer in de groente totdat ik er niet meer aan denk, en dan doe ik er koriander bij of ga muntchutney maken, maak veel meer *kheer* dan nodig is, doe mijn best om er niet aan te denken, maar zij... zij blijft binnen en huilt en kust hun foto's en herinnert zich elk woord, elk voorval uit hun leven. Ze heeft het over de eerste stapjes van de oudste. Dat was een grote verrassing. Dezelfde avond nog zijn we met hem naar de Gouden Tempel gegaan om de zegen van de Waarachtige te vragen. En over die keer dat de jongste *rasmalai* had gegeten. Een ander jochie had hem meegenomen naar god weet welke snoepwinkel en daar heeft hij rasmalai gehad. 's Avonds gaf hij de hele tijd over en had hij continu diarree. Het arme joch kon nog niet eens een slokje water binnenhouden. We hebben hem samen in vliegende vaart naar het ziekenhuis gebracht. Zijn moeder en ik bestierven het haast van angst. Ook toen hij beter was, zijn we een hele poos ontzettend voorzichtig geweest. Zodra de zon opging, stond een van ons op om water te koken, zodat het afgekoeld zou zijn als hij wakker werd. Dat soort dingen haalt ze steeds weer op. Al die herinneringen. Ze vergeet niet en ze laat niet toe dat ik vergeet. Weet je hoe het is gebeurd?'

Ramchands maag trok samen. Hij wilde het niet weten. Maar hij kon niet meer terug. Op dezelfde zachte, monotone toon ging Lakhan verder. 'Als we die ochtend hadden geweten dat de dag zo gruwelijk zou eindigen, zouden we minstens nog een gebed tot Waheguru hebben gericht. En zouden we de zegen van Guru Nanak hebben afgesmeekt. Maar ja, wat had dat voor zin gehad? God heeft het onze kinderen in Zijn eigen huis laten overkomen. Maar misschien stond ook Hij machteloos. Soms worden we boos op Hem, soms geloven we zelfs niet meer in Hem, en daarna worden we bang. Stel dat onze ongelovigheid maakt dat de ziel van onze kinderen, die aan de Almachtige zijn toevertrouwd, niet één met Hem kunnen worden?'

Lakhan Singh zat nu volledig in het verleden. 'Maar die dag waren ze niet naar de Gouden Tempel gegaan om te bidden,' ging hij verder. 'Het was gewoon een heel warme dag en ze vonden het vreselijk om binnen te zitten. We raakten allemaal geprikkeld. Ik snauwde de oudste af omdat hij uit alle macht aan het zingen was, en nog wel een liedje waar ik echt een hekel aan had. Ik vond het een grof liedje. Hoe warmer hij het kreeg, hoe harder hij begon te zingen, alleen maar om me te pesten. De jongste wilde niet naar zijn moeder luisteren. Bovendien...' en hier, bij de herinnering aan de laatste dag met huiselijk gekibbel, verscheen er een flauwe glimlach op het gezicht van Lakhan Singh, '... hadden mijn vrouw en ik onenigheid. De jongens hadden zich gewassen, en toen begon de jongste een nieuwe, donkerblauwe tulband, die hij van mij had gekregen, om zijn hoofd te wikkelen. Hij was pas zestien en nog niet aan een tulband gewend. "Ga je in die hitte met een tulband lopen?" vroeg ik hem. "Zou je hem niet liever bewaren voor een speciale gelegenheid? Als je zo zweet, verknoei je hem alleen maar." Hij draaide zich naar me toe en zei: "Ik wil hem nu op. Ik heb zin om er mooi uit te zien." Ik moest wel lachen, maar zijn moeder zei dat God haar beter dochters had kunnen geven. Die hielden tenminste rekening met hun moeder; en dat allemaal op zo'n warme junidag. Ik liep heen en weer naar de dhaba voor de klanten. Om kort te gaan, ze bleven hun moeder plagen, moesten per se een sorbet, vroegen waarom hun moeder niet met een rijke man was getrouwd in plaats van met mij, zodat zij zich niet druk hoefden te maken of een tulband nu nieuw was of niet. Om het ene moest ze grinniken en om het andere werd ze boos, maar het eind van het verhaal was dat de jongens haar zo op de zenuwen werkten dat ze zich de haren wel uit het hoofd kon trekken en daarom zei ze: "Jullie zijn nu zo netjes, gaan jullie maar ergens anders heen, dan heb ik een paar uurtjes rust." Hun antwoord was meteen dat ze dan naar Company Bagh gingen. "Nee, dat is te ver," zei hun moeder toen. En dus zei de oudste: "Dan gaan we toch naar Darbaar Sahib." Toen werd mijn vrouw echt kwaad. "Dus jullie zien geen verschil tussen de Gouden Tempel en Company Bagh? Voor een stelletje wilden als jullie is het belangrijkste heiligdom van ons Sikhs zeker hetzelfde als een park, hè? Komt niks van in. Jullie willen alleen maar rondhangen. Ga maar weg." En toen zijn ze dus naar de Gouden Tempel gegaan.'

Hier zweeg Lakhan Singh even. Ramchand voelde de pijn van de oudere man door zijn eigen lichaam trekken, maar zei nog altijd niets. De rest van het verhaal moest nog komen. Maar hij wist hoe het afliep – de fundamentalistische Sikhs zochten hun toevlucht in de Gouden Tempel... het bevel van Indira Gandhi... het beleg van de tempel door het Indiase leger... met hun legerkistjes nog aan waren ze naar binnen gegaan, daar waren de Sikhs nooit overheen gekomen, de Sikhs, die hun voeten wasten voor ze hun belangrijkste heiligdom binnengingen... de strijd tussen de fundamentalisten en het leger... talloze hartverscheurende verhalen over mensen, onschuldige tempelgangers, 'gelovigen', zoals ze in de kranten werden genoemd, die binnen ook in de val hadden gezeten... er waren Sikhs meteen gedood, op een rij gezet en beschoten... ooggetuigen die hadden weten te ontsnappen en er verslag van hadden gedaan, zonder dat het leger het officieel erkende... later kwamen er verhalen over lijken die in legertrucks op een hoop waren gegooid en weggevoerd...

Al die flarden kwamen boven bij Ramchand. Hij verwachtte dat Lakhan Singh nogmaals zou verhalen van de wreedheden die die dag waren gepleegd. Maar dat gebeurde niet. Met een snik in zijn stem zei hij: 'Met hun eigen tulband, met hun eigen tulband bonden ze de handen van mijn kinderen op hun rug, zetten hen bij de anderen in de rij, en schoten hen dood. Ze waren met velen. We hebben hun lichamen zelfs niet gevonden. We hebben het van Satwinder Singh moeten horen, die was ontsnapt.'

Ramchand bleef doodstil zitten. Hij vroeg niet wie Satwinder Singh was.

'Het was werkelijk verschrikkelijk, vooral omdat de jongste die nieuwe tulband droeg. Die lange donkerblauwe, spiksplinternieuw. En daarmee moeten ze de handen van die arme knul op de rug hebben gebonden. Wat moeten het afschuwelijke ogenblikken zijn geweest, de laatste van hun korte leven, toen ze wisten dat ze zouden sterven. En het waren zulke knappe jongens. Ik heb ze vaak voor apen uitgemaakt, maar het waren heel knappe jongens. En die moesten dood? Waarom, waarom toch zijn ze die dag niet naar Company Bagh gegaan?'

*

Toen Ramchand die avond *De complete brievenschrijver* ter hand nam, kon hij zich absoluut niet concentreren. Hij was bij het hoofdstuk 'Clubs, Sociëteiten e.d.' Hij begon aan 'Brief met het verzoek tot betaling van achterstallige contributie aan een club'. Zonder overtuiging zocht hij 'contributie' op in het woordenboek. 'Bijdrage, inz. geldelijke, van een lid voor een vereniging enz.' Hij kreeg zijn ogen niet scherp. Langzaam gleden ze over het woordbeeld en zijn hoofd probeerde er wat zinnigs van te maken. Hij voelde hoofdpijn opkomen. Wat voor nut had het om te weten wat contributie betekende? Hij had de vrouw van Chander als een zielig hoopje mens achtergelaten! Hij wist niet wat hij had kunnen doen, want ze was tenslotte Chanders vrouw. Desondanks was hij van slag.

En later, toen hij met Lakhans verdriet werd geconfronteerd, had hij daar geen raad mee geweten, had hij alleen maar willen vluchten voor Lakhans traumatische herinneringen.

Omdat het er niet naar uit had gezien dat Lakhan ooit op zou houden, was hij hem ten slotte halverwege een zin in de rede gevallen. Pardoes had hij nog een kop thee gevraagd. Eerst was er verbijstering te zien geweest op Lakhans gezicht, daarna gekwetstheid en daarna had het weer het karakter van een star masker aangenomen. Lakhan was stil opgestaan, weggeglipt, had thee voor Ramchand besteld en was door een achterdeur vertrokken. Met trillende handen had Ramchand de laatste, inmiddels bijna koude thee naar binnen geklokt. Hij had roepiebriefjes op tafel gesmeten voor zijn verteringen en was weggesneld. Hij had meer willen eten, misschien nog wat thee willen drinken, en was met honger uit de dhaba vertrokken. Maar nadat hij Lakhan in de steek had gelaten, had hij er niet meer voor gevoeld naar een ander eethuis of kraampje te gaan en was stilletjes naar zijn kamer teruggegaan.

Waarom ging hij altijd op de vlucht? Hij kon toch op zijn minst luisteren, troost bieden, proberen een ander zich beter te laten voelen? Waarom kreeg hij het altijd benauwd? Waarom voelde hij zich altijd tekortschieten? Hij was gewoon een harteloze, laffe egoïst! Dat had hij duidelijk op het trieste komt-er-wat-gezicht van Lakhan Singh gelezen.

Met *De complete brievenschrijver* nog in zijn handen wierp Ramchand zich op bed. Hoe moest Lakhan weten dat hij niet anders had gekund dan weggaan, dat hij geen adem had kunnen halen van ellende?

Wat had hij toch een armetierig, rottig leventje! Maar het kon ook zijn dat niet zíjn leven rottig en armetierig was. Misschien was hét leven rottig. Rottig, armetierig, nietszeggend, waardeloos! Verachtelijk, beperkt, angstig! Ziek, in- en inziek! En dat was hij ook! Alleen al het feit dat je leefde betekende dat je onwaardig was, dacht Ramchand met een pijnlijk brandende maag. Want uiteindelijk ging het niet alleen om je eigen leven. Waarom zou je willen leren, je geestelijk leven ontwikkelen of je muren witten wanneer andere mensen als een zielig, in elkaar geslagen hoopje mens in een smerig kamertje lagen? Of sombere, smerige herinneringen hadden aan iets als een kamer zonder ramen en deuren, een kamer waar je nooit uit kon.

Ramchand sloeg *De complete brievenschrijver* weer open, concentreerde zich er volledig op en probeerde alle andere gedachten uit zijn hoofd te bannen.

De andere gedachten probeerden zich terug in zijn hoofd te wurmen.

Vertwijfeld liet Ramchand zijn ogen over de woorden in het boek gaan. Hij las de hele brief in één keer.

The Three Turrets,
Borsfield,
Kent
Juffr. R. Plunkett

Geachte mevrouw,

Tot mijn spijt moet ik u meedelen dat uw contributiebetaling aan tennisvereniging Victoria nog openstaat.

Ramchand zuchtte, ging rechtop in bed zitten, pakte het woordenboek en zocht ‘openstaan’ op. ‘Openstaan, 1 niet gesloten, niet dicht zijn.’

Een beetje verward las Ramchand verder. ‘2 v.e. rekening: niet vereffend zijn, nog te betalen.’

Hij zuchtte. Weten wat het betekende gaf hem geen voldoening.

Volgens de regels van de vereniging (art. 7) dient de contributie op 1 januari van het jaar te zijn voldaan en leden mogen de banen niet betreden indien op 1 augustus de betaling nog niet is ontvangen.

(Stel dat ze zijn handen op zijn rug hadden gebonden en dat hij, Ramchand, wist dat hij doodgeschoten ging worden? Hoe zou dat voelen?)

Onder de gegeven omstandigheden zou ik het op prijs stellen als u ons de contributie (twintig pond) per omgaande deed toekomen.

Hoogachtend,
M. Jessop

Geen mens weet nu toch nog wat een pond is, dacht Ramchand wanhopig, en hij gooide het boek met een smak op tafel.

De woede, die zich geleidelijk in hem had opgebouwd, wilde maar niet tot bedaren komen. Uiteindelijk legde hij zijn boeken, zijn pen en het schrift weg en voor het eerst sinds weken lag hij een avond lang op bed en staarde met nietsziende ogen naar het plafond.

11

De zondag erop zat Ramchand, met zijn opstellenbundel open op schoot en met lege ogen, op zijn kist door het open achterraam naar buiten te staren. Hij mocht zich niet nog eens in een depressie laten zakken, sprak hij zichzelf vermanend toe. Aan de wereld was niets te veranderen en dat was geen reden om niet verder te gaan met leren lezen en schrijven. Hij, Ramchand, loste niets op door lamlendig te blijven liggen. Zo sprak hij zichzelf toe, maar zijn gedachten dreven steeds weer van zijn opstellenbundel weg.

Het was laat op de dag. De schaduwen werden langer en de avondkou kondigde zich al aan in de middaglucht.

Beneden op de binnenplaats lag de hospes, met een blauwe chunni van Sudha over zijn gezicht tegen het licht, op een charpai te slapen. Ramchand kende die chunni en vond hem prachtig. Het was een strook zachte katoen met gele bloemetjes. Ze droeg hem vaak.

Sudha, die het huis aan kant had en het avondeten zo ver klaar dat het opgewarmd en gegeten kon worden, zat in een hoek de nieuwste *Sarita* door te bladeren.

Vishnu en Alka waren ijverig aan hun huiswerk, dat ze nu en dan onderbraken om over een gum of een pen te ruziën.

Manoj, met naast zich een geopende doos kleurpotloden, zat recht onder het raam van Ramchand. Hij had een tekening gemaakt en die kleurde hij nu in, waarbij hij alles om zich heen vergat. Hij haalde graag voor alles een hoog cijfer en daarom ging hij nooit over de lijntjes. Ramchand tuurde naar het tekenvel op Manojs schoot. Manoj maakte altijd dezelfde tekening, de tekening die hij op school had geleerd. Hij tekende nooit iets nieuws. Zijn handen schiepen elke keer weer hetzelfde tafereel, het veilige, vertrouwde tafereel dat hem was geleerd en waar hij een hoog cijfer voor kreeg.

Een rechte lijn halverwege het vel als horizon, bergen daarboven – keurige, met een liniaal getekende driehoeken als omgekeerde ijshoorntjes. Dan een huisje (een doos met één raam, een schuin dak en een bakstenen schoorsteen), een hoge, stakige boom en een blauwe streep als rivier.

Tot slot tekende hij een zon in de lucht, een bol waar afwisselend korte en lange stralen uit kwamen.

Het enige menselijke element in de tekening was dat Manoj vaak de zon vergat en die, als de rest van de tekening af was en alles al was ingekleurd, over de lucht heen moest tekenen. Als hij de zon dan met een geel kleurpotlood inkleurde, mengde het geel van de zon zich met het blauw van de lucht eronder.

Dat resulteerde in een groenige zon met een ongelijke textuur, een zon die er een beetje misselijk uitzag, alsof hij elk moment de helder ingekleurde wereld eronder kon onderkotsen.

*

Ramchand had inmiddels besloten dat de brieven helemaal nergens toe dienden. Maar er was één deel van het boek dat hem verhelderend en mogelijk handig voorkwam. Er stond een pagina in met een lijst van zinnen waarmee je een brief kon beginnen. Er was volop keus:

Ik ben u ten zeerste dankbaar...
Het was uitermate vriendelijk van u...
Tot mijn spijt moet ik u meedelen...
Conform uw verzoek...
Bijgesloten vindt u...
Tot mijn grote genoegen (spijt)...
Ik moet u erop wijzen...

Vooral de laatste twee spraken hem erg aan. Hij zag zich al op Mahajan toelopen en hem, beide combinerend, toevoegen: 'Tot mijn grote genoegen (spijt) moet ik u erop wijzen dat u een afschuwelijk, schraperig, egoïstisch vet varken bent en dat uw vrouw de meest ellendige, ongelukkige persoon op aarde moet zijn,' of er een andere passend verwoorde belediging op laten volgen.

Hoe grotesker en formeler de zinnen waren, des te beter bevielen ze hem. Hij probeerde ze te onthouden, maar omdat dat niet lukte, probeerde hij ze maar zonder haperen hardop te lezen.

Maar verder deugde er weinig aan het brievenschrijfboek, vond hij. Hij was zo wijs te bedenken dat het niet goed was om ergens van onder de indruk te raken, alleen omdat het Engels was. De meeste brieven leken geschreven door en gericht aan onnozele niksnutten – aan mensen die veel weg hadden van sommige klanten.

En over die mensen wenste Ramchand niets meer te leren. In welke taal dan ook. Hij wist genoeg!

*

Op een dag kwamen Shyam en Rajesh, zoals gewoonlijk samen, glunderend binnen. Ze kwamen van de tempel, of in ieder geval van een puja, want ze hadden langgerekte *tilaks* op hun voorhoofd. En Shyam had drie identieke kartonnen *mithai*-doosjes in zijn handen, waar Bansal Zoetwaren op stond.

Bansal Zoetwaren, een van de duurste snoepzaken van Amritsar, was een heel eind weg, aan de Lawrence Road. Shyam en Rajesh liepen meteen door naar Mahajan en met een voor niemand verstaanbare uitleg en een voor iedereen zichtbare glimlach gaven ze hem twee doosjes. Ook Mahajan glimlachte zijn zeldzame, ongeoefende glimlach. Hari was stiknieuwsgierig. 'Kijk, Mahajan lacht,' flapte hij er verbaasd uit.

'Ssst...' zeiden Gokul en Ramchand in koor.

'Volgens mij hebben ze iets te vieren,' zei Ramchand.

'Briljante opmerking, Ramchand,' zei Gokul sarcastisch. 'Daar was ik nou nooit opgekomen.'

Hari giechelde. 'Misschien is Heer Brahma gisteravond uit de hemel neergedaald om Mahajan eindelijk een echt mensenhart te geven,' zei hij. 'Misschien vieren ze dat.'

Onwillekeurig moest Ramchand hierom glimlachen. Chander, die er ook bij zat en humeurig naar buiten staarde, deed de hele tijd geen mond open.

Toen kwamen Shyam en Rajesh naar de plek waar de andere verkopers bij elkaar zaten. Shyam knoopte het koordje om het overgebleven doosje los. Hij maakte het doosje open en hield het ze voor. Het zat vol heerlijk uitziende stukjes *barfi*. 'Kijk, we hebben wat lekkers.'

'Eerst moeten jullie het goede nieuws vertellen,' zei Gokul. 'Dan nemen we er een.'

'Door Gods genade,' zei Shyam, 'zal mijn dochter, achttien is ze nu, spoedig de schoondochter van Rajesh zijn.'

'Sluwe vos!' zei Gokul zogenaamd kwaad, terwijl hij een stukje barfi pakte. 'Wij krijgen pas wat te horen als alles achter de rug is. Kennen julle ons niet goed genoeg om...'

Lachend sloeg Rajesh een arm om Gokuls schouder. 'Arre bhai, er is niets gebeurd. Geen feestelijkheden. Alleen een puja. We zijn tenslotte niet van die grote meneren, met een hele week feest voor de bruiloft. Arre, we hebben alleen maar de formele afspraak gemaakt. De bruiloft is volgend jaar. Volgens de pundit staan de sterren niet goed en is er volgend jaar pas een goed moment. Natuurlijk zijn jullie uitgenodigd op de bruiloft. Wil je nu wel barfi?'

'Waarom kreeg Mahajan twee doosjes?' vroeg Hari.

Gokul keek Hari verstoord aan, maar Shyam zei onverstoorbaar: 'Eén voor hem en één om aan Bhimsen Seth te geven.'

Hari nam er genoegen mee en knikte. Ramchand nam ook een stukje barfi. Het smolt op zijn tong.

Rajesh sprong op. 'Hier horen thee en samosa's bij. Regel ik wel.' Dat stemde tot vreugde. De hele groep kreeg wat lekkers te eten en deze keer moest zelfs Mahajan er zijn mond over houden. Een huwelijk was tenslotte een plechtige zaak.

Even later zaten ze lekker te smikkelen. Mahajan liet hen met een welwillende glimlach alleen. Maar als er een klant kwam, zo wisten ze, moest een van hen opstaan en gaan helpen.

Lachend feliciteerden ze Shyam en Rajesh. Alleen Chander bleef een beetje stil en op afstand.

Later, toen de kruimels waren weggeveegd, de jongen van de theekraam de lege glazen had opgehaald en de opwinding wat was gezakt, vroeg Hari aan Gokul: 'Waarom kijkt Chander altijd zo ongelukkig?'

Ieder zat inmiddels op zijn plaats. Shyam, Rajesh en Chander aan de ene kant van de winkel, Ramchand, Hari en Gokul aan de andere kant.

'Ik bedoel,' zei Hari vol overtuiging, 'je mag toch wel blij kijken als je op een koude winterdag barfi en samosa's zit te eten, met een kop lekkere hete thee erbij.'

'Niet iedereen is zo'n varken als jij,' zei Gokul tegen Hari. 'Jij bent alleen gelukkig als je eet.'

'En wat is daar mis mee?' riposteerde Hari. 'Het leven is kort en je weet nooit wat er gaat gebeuren, zeg ik altijd. Dus moet je lekker eten en slapen en naar de film gaan en maken dat je lol hebt. Nu kan het nog. En wat heeft Chander nog te wensen? Hij heeft toch werk? Toch geld om te eten? Nou dan?'

'Je bent nog jong, Hari, je weet nog niks,' zei Gokul bedachtzaam. 'Chander heeft het thuis heel moeilijk. Wat heeft een man aan werk en dat soort dingen als hij geen gelukkig gezinsleven heeft?'

Hier dacht Hari even over na. Toen zei hij: 'Maar ik heb ook geen gelukkig gezinsleven, Gokul Bhaiya. Ik krijg altijd van mijn vader op mijn kop en mijn moeder zit me op mijn huid...'

'Doe niet zo achterlijk, Hari,' zei Gokul. 'Je krijgt enkel van je vader op je kop als je 's zondags twee keer in plaats van één keer naar de film wilt. En wat je moeder betreft: het is gemeen om te zeggen dat je moeder je op de huid zit, want ze maakt wel je lunchpakketje klaar en zorgt ervoor dat je niet met een vuil overhemd op het werk verschijnt.'

Ramchand werd er een beetje narrig van.

'Dat zijn geen gezinsproblemen, idioot,' ging Gokul verder. 'Lakshmi zeurt mij toch ook altijd aan mijn hoofd? En Munna blèrt toch ook de hele nacht om niks. Zo gaat dat in een gezin. Maar Chander heeft serieuze problemen.'

'Welke dan?' vroeg Hari, inmiddels reuze nieuwsgierig.

'Zijn vrouw deugt niet zo erg,' draaide Gokul eromheen.

Ramchand dacht terug aan Chanders grofgebekte vrouw. Maar hij dacht ook terug aan het zielige hoopje mens bij Chander thuis.

'En dat betekent?' vroeg Ramchand, enigszins op zijn hoede.

'Niet dat ze het buiten de deur zoekt,' zei Gokul snel. 'Dat is het niet. Zoiets hadden we geweten. Tot nu toe is dat tenminste niet zo. Maar met zo'n vrouw weet je het niet. Ik wilde het eigenlijk niet aan de grote klok hangen, maar nu jullie erom vragen.'

Er viel een theatrale stilte en toen zei Gokul: 'Ze drinkt.'

Hari's mond viel open. Drinken was al erg genoeg, maar een vróuw die dronk.

'En je ziet op geen enkele manier aan haar af dat ze van goede komaf is. Ze wast zich niet, ze doet geen puja's, ze heeft geen sindoor in haar scheiding. Sindoor? Ho maar! Ze kamt haar haar niet eens. Ze zwerft alleen maar rond. En dan die taal van haar! *Tauba, tauba!* Ik heb zo verschrikkelijk met Chander te doen. Want toen hij haar trouwde, was ze niet zo. Ik kan het weten, want ik heb het van heel wat mensen daar in de buurt gehoord. Ze is veranderd. Er zijn er die zeggen dat ze gek is. Dat ze een miskraam heeft gehad of een abortus of zoiets en dat ze toen gek is geworden. Maar dat is toch geen reden? Miskramen heb je altijd. In wat voor samenleving zouden we leven als alle vrouwen zo reageerden?'

Hari keek ernstig nu.

'En dat is niet alles,' zei Gokul. 'Ze heeft hem een hoop last bezorgd. Ze doet waar ze zin in heeft. Blaft mensen af. Soms houdt ze, totaal beschonken, een onbekende aan op straat en beweert bij hoog en bij laag dat ze nog geld van hem tegoed heeft. En de pundit van de Hanuman-tempel daar maakt ze uit voor schijnheilig, als ze hem tegenkomt, en dan raapt ze een steen op en doet net of ze die naar hem wil gooien. Zoals je een hond wegjaagt, snap je. Dan kan Chander toch niet gelukkig zijn?' Gokul slaakte een zucht. 'Een vrouw moet haar plaats kennen. Misschien heeft ze het moeilijk gehad, misschien heeft ze in de problemen gezeten, maar uiteindelijk is het toch zo dat een vrouw voor haar man en zijn huis zorgt en daarna pas aan zichzelf denkt.'

Hari zoog dit alles gretig op. Ramchand luisterde zwijgend en dacht terug aan de rode handafdrukken op het gezicht van Chanders vrouw.

'En er zijn mensen die zeggen,' zei Gokul, 'dat er niets aan de hand is. Dat het gewoon een akelige, slechte vrouw is, een duivel in vrouwenkleren. De vrouwen schermen hun kinderen van haar boze oog af met hun eigen lichaam, vooral de baby's. Ze bidt niet. En ze lacht zelfs niet.'

'Waarom lacht ze niet?' vroeg Ramchand zacht.

'Ze zegt dat Chander haar geen geld geeft, dat er geen eten in huis is en dat soort dingen,' maakte Gokul zich er ongeduldig vanaf. 'Er is ook niemand die haar als huishoudster of kokkin wil. Die taal die ze uitslaat. Een nette familie haalt zo iemand toch niet in huis?'

Elke medaille heeft zijn keerzijde. Ineens kwam de zin Ramchand weer in gedachten. Misschien wel meer dan een, dacht hij moedeloos.

12

In Amritsar zou men zich de bruiloft van Rina Kapoor later blijven herinneren als het Grote Gebeuren met de veertig verschillende nagerechten.

Er was zoveel over gepraat dat Ramchand brandde van nieuwsgierigheid. Mahajan ging persoonlijk naar Huize Kapoor om af te rekenen en werd geëerd met een uitnodiging voor de bruiloft.

Toen Mahajan na zijn terugkeer Shyam en Rajesh de kaart liet zien, verduidelijkte hij, niet bij machte de trots uit zijn onverschillige toon te weren: 'Een uitnodiging voor de bruiloft bij de Kapoors.' Shyam en Rajesh bekeken de duur ogende kaart van alle kanten en waren zichtbaar onder de indruk. Daarna gaven ze hem door, met toestemming van Mahajan. 'Wat één zo'n kaart alleen al moet hebben gekost,' zei Gokul. 'Het is glanspapier, net als die buitenlandse tijdschriften.'

Dat was zo. Ramchand was diep onder de indruk toen hij de uitnodiging vastpakte. Niet alleen dat de kaart duur oogde, ze was gewoon prachtig. Ze was van dik, stevig, zilverkleurig papier met op de voorkant, in reliëf en helderblauwe inkt, een groot, zwierig Om-teken. Binnenin stond een gedrukte tekst waarmee eenieder in het Engels hartelijk werd uitgenodigd de gelukkige gelegenheid met zijn of haar welwillende aanwezigheid te vereren. Ramchand liet zijn vingers over de tekst glijden en merkte tot zijn genoegen dat hij haast alle Engelse woorden kon lezen. Hij nam nota van de datum, de tijd en de plaats.

Hari was heel enthousiast. 'De upper ten van Amritsar gaat erheen. Gaat u ook, Bauji?' vroeg hij Mahajan.

Treurig schudde Mahajan zijn hoofd. 'Ik kan niet. Op die dag trouwt mijn neef. De voortekenen zijn vast gunstig voor die dag, veel families hebben dan een bruiloft. Ik zal niet naar de Kapoors kunnen. De vader van mijn neef, mijn broer, is overleden, dus ik moet wel daarheen.'

Iedereen knikte vol begrip en medeleven.

'U bent een heilige, Bauji,' merkte Hari slim op. 'De plicht staat altijd voorop.'

Toen Mahajan met een vergenoegd gezicht naar beneden was gegaan, stootte Hari Gokul steels aan en moesten ze allemaal lachen.

*

Op de dag dat Rina Kapoor trouwde, kon Ramchand de hele ochtend aan niets anders denken dan die bruiloft. Mahajan had vrij genomen voor de bruiloft van zijn neef. 'Terwijl wij in dit graf op een houtje zitten te bijten, vreet hij zijn dikke buik vol met pakora's en samosa's en zoetigheid,' zei Hari. Aangezien hij er zijn zinnen op had gezet alles uit Mahajans vrije dag te halen wat eruit te halen was en, zonder iets uit te voeren, de hele tijd uit een papieren zak *alu tikki's* had zitten eten, schonk niemand hem enige aandacht. Gokul gaf hem echter wel te verstaan dat een vakman niet alleen zijn gereedschap diende te respecteren, maar ook de plek waar hij werkte. Het lot kon Hari weleens heel slechtgezind zijn, als hij zijn werkplek een graf noemde. Hari's reactie bestond uit wat binnensmonds gemompelde akeligheden over de winkel, over Mahajan en over 'die bloedzuiger Bhimsen Seth' en toen ging hij de deur uit om warme pinda's te halen. Gokul begon, meer uit gewoonte dan uit wrok, allerlei minder complimenteuze opmerkingen over Hari te maken.

Ramchand was nog steeds benieuwd naar de bruiloft bij de Kapoors. Hij hoorde amper wat Gokul zei.

Die avond had Ramchand een meevaller. Gokul had de hele dag al over hoofdpijn geklaagd en tegen de avond zei hij dat hij zich wat koortsig voelde. Ramchand was bezig enkele sari's op te vouwen die een boze klant, op zoek naar een sari met een smalle rand, tevoorschijn had getrokken, toen Gokul hem vroeg: 'Zou je wat voor me willen doen, Ramchand?'

Ramchand merkte op hoe afgetobd Gokul eruitzag en vroeg bezorgd: 'Wat, Gokul Bhaiya?'

'Denk je dat je mijn fiets vandaag mee zou kunnen nemen? En morgen weer mee terug? Ik barst namelijk van de hoofdpijn. Ik denk dat ik koorts krijg. Het kan trouwens best dat die hoofdpijn van die stomme Hari met zijn apekool komt.'

Ramchand glimlachte. Hij wist dat Gokul, zijn scherpe tong ten spijt, een zwak voor de onbeschaamde Hari had.

Met zijn wijsvingers over zijn slapen wrijvend zei Gokul: 'Ik denk dat ik beter met een riksja naar huis kan. Goed?'

'Ik neem uw fiets wel mee, Gokul Bhaiya,' bood Hari aan, met een air van opoffering. 'U hoeft zich nergens zorgen over te maken.'

'Geen sprake van,' zei Gokul. 'Ik wil mijn fiets heel terug. Neem jij hem mee, Ramchand?'

Ramchand zei grif ja. Spoedig daarna ging Gokul, somber gestemd en kreunend en steunend, in een hotsende riksja op weg. Met een teleurgesteld gezicht droop Hari af. Hij had gehoopt de fiets te kunnen lenen om naar een kulfi-kraam een paar kilometer verderop te rijden, waar ze romige, koude kulfi verkochten met amandelen en pistachenootjes en zachte, witte *falooda*.

Pas toen Ramchand zijn dagtaak erop had zitten, de winkel had verlaten en het glanzende stuur van Gokuls fiets aanraakte, wist hij dat hij gewoon een kijkje moest gaan nemen bij de Kapoors. Héél even kijken! De verleiding was niet te weerstaan.

Op Gokuls fiets reed hij het hele eind naar Huize Kapoor aan de Green Avenue. De zon was onder. De bazaar sloot. Winkeliers lieten de ijzeren rolluiken neer en gingen huiswaarts. Ramchand vond het een betoverende avond. De hemel was nog niet helemaal donker. De dag had er nog een flauw gouden, nevelig schijnsel in achtergelaten. De straatlantaarns waren aan, groente- en fruithandelaren hingen olielampen boven hun karretjes en kraampjes. In het licht van de lantaarns glansden bergen rode tomaten, paarse aubergines en groene paprika's. In de wetenschap dat er op dit uur van de dag koopjes te halen waren, stond bij elk kraampje nog wel een kregelige huisvrouw of oudere man te pingelen.

Met een hart dat overliep van stille opwinding en welbehagen reed Ramchand verder.

*

Hij bereikte de Green Avenue en sloeg de laan naar Huize Kapoor in. En wat hij zag, sloeg hem met stomme verbazing. Aan het begin van de laan was een poort van bloemen opgericht. Met onzichtbare draden waren goudsbloemen, rozen, jasmijnbloemen en groene bladeren dooreengestrengeld, zodat het ijzeren frame volledig aan het oog werd onttrokken.

De geur van goudsbloemen voerde echter de boventoon, en die bracht flarden van een herinnering terug. Heel even werd Ramchand teruggevoerd naar zijn bijna vergeten kindertijd, naar een lachend gezicht met een grote, rode bindi en een neusknopje in de vorm van een blad, naar gelukkige maandagochtenden toen goudsbloemen geurden in zijn handen en grote koperen bellen luidden.

Hij stond zo een poosje in gelukzalige vervoering te dromen en toen fietste hij verder. De muren, de bomen en de struiken in de buurt waren behangen met lampjes. Ze schitterden en fonkelden Ramchand toe. Heel even had hij het idee dat dát echt was en de benauwde, vieze binnenstad een walgelijke zinsbegoocheling. Wanneer de lichte bries het gebladerte in beweging bracht, schommelden de kleine lampjes zachtjes heen en weer.

Zelfs de weg was schoongemaakt. Tevreden trapte Ramchand recht op het huis aan.

Het huis zelf was schitterend verlicht. Aan alle deuren hingen guirlandes. De milde wind deed de enorme roodwitte tenten in het park tegenover het huis indrukwekkend klapperen. Mensen in prachtige kleren dribbelden heen en weer tussen het huis en de tenten. Hoewel het nog vroeg was, stonden de sleeën al in lange rijen in de berm.

Ramchand stopte en stapte af. Met de fiets aan de hand en betoverd door wat hij allemaal zag, liep hij langzaam verder. Plotseling werd hij tegengehouden.

'Hé, wie ben jij?'

In één klap stond Ramchand weer met beide benen op de grond.

Het was een bewaker.

Ramchand keek hem verontwaardigd aan. Ze hadden hem vast niet tegengehouden als hij goed in de kleren had gezeten en er welgedaan had uitgezien. Toen zag hij dat de veiligheidsbeambte het een of andere vuurwapen in zijn riem had, en hij begon te hakkelen. 'Ik... eigenlijk...'

Zijn voorhoofd was meteen kletsnat van het zweet.

De bewaker wachtte af. Een tweede bewaker kwam naast hem staan.

Ramchand, vertwijfeld naar woorden zoekend, probeerde het nog een keer. Uiteindelijk zei hij: 'U moet begrijpen... Rina Memsahib...'

Snel zei de laatst aangekomen bewaker tegen de eerste: 'Laten we hem maar naar Rina Memsahib brengen en het haar vragen. Anders wordt ze misschien kwaad.'

Zonder iets te zeggen loodsten de potige bewakers Ramchand naar het hek voor het huis. Hij begon overdadig te zweten. Wat ging er gebeuren?

*

Met een tevreden gevoel stond Rina voor de hoge spiegel. Ze had zich grote zorgen gemaakt dat de schoonheidsspecialisten uit Amritsar op haar trouwdag niets van haar maken konden. In haar angst had ze ten slotte een schoonheidsspecialiste uit Delhi in laten vliegen. Het was een magere vrouw met stekelhaar die in een vijfsterrenhotel in Delhi een schoonheidssalon uitbaatte. Ze liet zich Dolly noemen. Dolly was vijf uur met Rina's kleren, kapsel en gezicht bezig geweest en nu, voordat ze aan Tina begon, had ze een pauze van tien minuten ingelast.

Rina richtte zich tot haar zus, die op bed zat in een lichtgroene lehnga, die er veel minder duur uitzag dan hij in werkelijkheid was. 'Goddank!' zei ze, 'ik was zo bang dat die mensen hier in Amritsar er een potje van zouden maken. Stel je voor dat ik op de trouwfoto's zou staan met rouge op mijn wangen, met drie kettingen om en glimmende felrode lippen en massa's oogschaduw.'

Tina knikte. 'Yep, ze zijn gek hier. Totaal geen stijl.'

Rina zag er inderdaad anders uit dan de meeste bruiden. De lehnga die ze droeg kwam niet van Sarihuis Sevak. Een beroemde couturier, die vanuit Bombay werkte, had hem speciaal voor haar ontworpen. Om een oogverblindend resultaat te bereiken had de couturier in de weelderige, kastanjebruine lehnga op subtiele wijze zijde, gaas, brokaat en echt gouddraad verwerkt.

In plaats van talloze gouden halssnoeren, zoals gebruikelijk, droeg ze een enkele handgemaakte gouden ketting, prachtig uitgevoerd en verfraaid met robijnen en diamanten. In haar oren schitterden bijpassende ringen en over haar middenscheiding hing een bijpassende *tikka*, die haar voorhoofd deed oplichten. Aan de chooda van echt ivoor hingen dure *kaleere*. Twee dagen eerder had een *mehndi-wali* uit Rajasthan haar handen versierd met een wondermooi hennapatroon, dat bijna tot aan haar ellebogen doorliep. Hetzelfde ontwerp had ze ook op Rina's ranke voeten en enkels aangebracht. Het verfijnde patroon van bloemen, pauwen, bladeren, palankijnen en andere motieven had de Rajasthaanse geleerd van haar grootmoeder zelf.

Vandaag glansde de mehndi helder op.

Dolly had een matte make-up op Rina's gezicht aangebracht. Haar ogen waren vakkundig geaccentueerd. Haar glad naar achteren gekamde haar was in haar nek vastgezet in een elegante wrong, die precies de juiste vorm had om er een pallu over te hangen.

Ja, Rina was tevreden.

Ze had de bruiloft georganiseerd zoals zij het wilde en de instructies van haar moeder en andere vrouwelijke familieleden had ze grotendeels naast zich neergelegd.

Er werd geklopt. Tina deed open. Aan de andere kant van de deur stond de dienstbode, in een helderroze, fluorescerende sari en met een *gajra* van jasmijnbloesem in haar kapsel. 'Beneden staat iemand die zegt dat Rina Memsahib hem heeft uitgenodigd. De bewakers willen een bevestiging van memsahib.'

'Zeg maar dat ze in de hal wachten. Ik kom beneden,' zei Rina, die haar aandacht weer naar de spiegel had verlegd.

Dit was heel ongewoon, en de dienstbode wist het. Maar ze durfde niets te zeggen, want Rina Memsahib kon nogal opvliegend zijn. Als ze kwaad was, zei ze kille, ongevoelige dingen waar het sarcasme vanaf droop en maakte het haar niets uit of ze daarmee iemand voor schut zette.

Normaal gesproken zat een bruid zedig in een kamer, te midden van giechelende meisjes en bazige, oudere vrouwen die de pallu en sieraden schikten en herschikten en dat vergezeld lieten gaan van een stortvloed aan adviezen voor de jonge bruid.

Maar voor Rina Kapoor niets van dat al! Ze vond zichzelf een moderne, verlichte jonge vrouw en liet dat weten. Ze had per se alleen gelaten willen worden, met enkel haar zus en de ingevlogen Dolly als gezelschap. Ook had ze alle huishoudelijke hulp en het bewakingspersoneel gevraagd om bij twijfel niet naar haar moeder te gaan, die druk was met de ontvangst van de echtgenotes van de vips, maar naar haar toe te komen. De dienstbode knikte en vertrok.

Een paar minuten later, toen Rina haar sieraden en pallu naar volle tevredenheid had geschikt, schreed ze de trap af en liep naar de hal, waar Ramchand, geflankeerd door de bewakers en de dienstbode, stond te trillen. Zijn oren gloeiden en hij voelde zich afschuwelijk vernederd. Met onverholen nieuwsgierigheid staarde de dienstbode hem nagelkluivend aan. De enorme hal was doortrokken van een bedwelmende jasmijngeur.

'Ja?' vroeg Rina Kapoor, die zich er terdege van bewust was dat ze er oogverblindend uitzag.

Een van de bewakers, met Ramchands elleboog nog steeds in een stevige greep, nam het woord. 'Hij stond beneden, Memsahib. Hij zei dat u hem had uitgenodigd.'

'Ik ben uw sari-wala,' flapte Ramchand er angstig uit. Rina herkende hem niet en keek hem een ogenblik twijfelend aan, maar uiteindelijk verscheen er een geamuseerde glimlach om haar lippen.

'En ik had je uitgenodigd?' vroeg Rina, nog altijd glimlachend. Ramchand antwoordde niet. De manier waarop ze lachte stond hem niet aan. Maar toen verraste ze hem door zich ineens tot de bewakers te wenden en te zeggen: 'Ja, ik heb hem uitgenodigd.'

Hierop lieten de beide bewakers Ramchand staan waar hij stond en maakten zich stilletjes uit de voeten. Rina keek Ramchand aan. Hij op zijn beurt staarde, volkomen verbijsterd, de ravissant uitgedoste bruid aan. Ze lachte stilletjes, draaide zich om en liep de marmeren trap weer op, met de vorstelijk zwierende zoom van haar lehnga achter zich aan.

*

En zo geschiedde het dat Ramchand toch nog de tijd van zijn leven had op de bruiloft van Rina Kapoor. Hij sprak niemand aan. Hij doolde enkel rond en nippend van een koude, groene drank waarvan hij de naam niet wist, nam hij alles in zich op. Hij knabbelde aan de op dienbladen geserveerde paneer pakora's waar ingehuurde obers in keurige, grijs met rode uniformen mee rondgingen. Verder at hij een hoop geraffineerd uitziende hapjes waarvan hij niet wist hoe ze heetten, heerlijke hapjes die je vastpakte aan het stokje dat erin was gestoken. Toen de *baraat* ten slotte aankwam, stond hij achteraan in de menigte die de bruidegom welkom heette en probeerde hij reikhalzend een blik van het paard met de ruiter op te vangen. Aan het begin van de bruidsstoet werd wild gedanst door familieleden en daarachter reed de bruidegom, met een versierd zijden parasolletje boven zijn hoofd.

Het onthaal en het dansen gingen lang door, geschenken werden uitgewisseld en Ramchand werd het kijken niet moe.

Toen werd de baraat in de roodwitte *shamiana's* genood voor het diner. Ramchand hoorde iemand zeggen dat de *mahurat* voor de eigenlijke huwelijksceremonie pas heel laat in de avond zou vallen en dat alleen goede vrienden en familie daar dan bij zouden zijn. Ramchand bedacht dat hij beter nu, met de baraat, kon eten en snel daarna weggaan. Terugfietsen zou hem ruim een halfuur kosten.

En dus liep ook hij de klapperende rood-witte shamiana's in. Er stonden hem nog meer verrukkingen te wachten. Als welkom voor de gasten werd rozenwater gesprenkeld. Van de tenten was een grote zaal gemaakt. Als je opkeek, flonkerden de kroonluchters je tegemoet. Ramchand kon er niet over uit. Kroonluchters in een tent! Overal hingen guirlandes. De rode, troonachtige stoelen, waar een paar voor en na de eigenlijke huwelijksvoltrekking normaal gesproken op zat, had Rina niet gewild. In plaats daarvan stond op de ereplaats een ouderwetse, met rode zijde beklede schommel, zo groot als een klein bed. Het decor werd gecompleteerd met een geïmproviseerde waterfontein. Op zilveren dienbladen kregen de gasten lekkernijen aangeboden.

Het diner was nog grootser. Wijn en vlees kwamen niet op tafel, want de Kapoors aten strikt vegetarisch en waren geheelonthouders. Het eten, in kunstig gegraveerde metalen schalen, stond op lange tafels waar kraakheldere, witte kleden overheen lagen. Onder de schalen brandden vuurtjes, precies zo klein dat ze de schalen warm hielden. Ramchand stond voor raadsels. Hoe deden ze dat? De warme, droge, schone porseleinen borden die werden rondgedeeld gingen vergezeld van mooie witte papieren servetten, afgezet met een blauw bloemenpatroon. Ramchand wist niet goed wat te doen met zo'n wondermooi stukje gevouwen papier. Hij besloot af te wachten wat de andere gasten ermee deden. De volgeladen tafels voor hem boezemden hem zoveel ontzag in dat hij niet overal van proefde. Hij schepte zich een ruime portie geurige *pulao* op en een paar andere dingen waarvan hij niet wist wat het waren.

Tot zijn verrassing zag Ramchand heel veel mensen die hij kende. Of liever, veel vrouwen die hun sari's bij Sari-huis Sevak kochten. Daar had je mevrouw Gupta, in die prachtige smaragdgroene sari die ze een paar maanden geleden had aangeschaft, met in haar kielzog haar glitterende, zwaar met sieraden behangen verse schoondochter. Mevrouw Gupta stelde haar aan iedereen voor. De schoondochter begroette iedereen warm. De glimlach zat op haar gezicht vastgeplakt. En daar was mevrouw Sandhu, die echter een salwaar kameez in glanzend roze aanhad. Maar ja, zij was een sardaarni, dus dat sprak voor zich. Ze was druk in gesprek met een vrouw die er ook als een sardaarni uitzag. Toen ze Ramchand op weg naar de tafel voor een tweede portie voorbijliepen, hoorde hij mevrouw Sandhu bezorgd zeggen: 'En ze hebben zo'n vol programma, moet u weten, en de boeken zijn zo dik. Manu heeft er wallen van onder zijn ogen. Hij werkt toch zo hard. Ik hoop dat hij het haalt. Dan heeft hij het voor elkaar. Als hij dit examen haalt, hoeft hij zich zijn verdere leven geen zorgen over geld meer te maken...' Haar stem stierf weg, omdat ze buiten zijn gehoorsafstand kwamen. Mevrouw Sachdeva was er, in een eenvoudige beige zijden sari, waarvan hij zich de aankoop nog herinnerde. Wat was dat een afschuwelijk gedoe geweest! Ze had een bril op en praatte geleerd met een lange, kale man, die er op de een of andere manier uitzag alsof hij niet in Amritsar thuishoorde. Misschien was hij een gastdocent. En daar, in het gezelschap van haar knappe man, was mevrouw Bhandari, in dat pauwblauw met groene brokaat waar ze zo lang over had gesjacherd dat zelfs die ongevoelige Mahajan er hoofdpijn van had gekregen. Ramchand bekeek iedereen. Dat hij al die vrouwen en hun sari's hier zag, verraste hem enigszins. Op de een of andere manier verbaasde het hem dat de vrouwen en de sari's een bestaan buiten de winkel hadden, buiten zijn sfeer. De winkel, zijn hele bestaan, de plek waar voor hem de dingen begonnen en eindigden, was voor deze mensen slechts het beginpunt. Hij deed niet meer dan sari's tonen, maar zijn klanten, die kochten ze, droegen ze en deden dingen met die sari's aan.

Hij keek rond. Hari had gelijk gehad. De upper ten van Amritsar was hier. Ineens werd Ramchand zich bewust van zijn afgedragen schoenen, zijn zweetvoeten, zijn rare gestreepte overhemd en zijn ongekamde haar. Hij ging haastiger eten. Het was vast niet waarschijnlijk dat iemand hier nog wist wie hij was, maar als iemand dat wel deed, en Mahajan vertelde dat... Hij rilde bij de gedachte aan wat er dan zou gebeuren.

Toen het diner ten einde liep, zag hij tot zijn schrik dat men de prachtige papieren servetten gebruikte om er vuile vingers aan af te vegen en ze daarna, zonder oog voor het mooie blauwe bloemenpatroon aan de rand, in elkaar frommelde en weggooide. Die mensen waren echt niet goed wijs. Het kon wel zo horen, maar zagen ze dan niet hoe dun en kwetsbaar dat papier was, zagen ze die kunstige bloemetjes niet, voelden ze niet hoe zacht zo'n servet was? Hij liet zijn eigen servet in zijn zak glijden.

Ten slotte werden de veertig nagerechten opgediend. Het gezelschap verstomde toen de tafel werd afgeruimd en ze alle veertig in grote schalen werden neergezet. Ramchand proefde er drie en fietste toen voldaan, opgewonden en ietwat van slag naar huis.

*

Drie dagen na de bruiloft van Rina Kapoor gebeurde er iets wat Ramchand verraste. Het was een rustige ochtend en hij zat in de winkel met Hari te praten. Hari was voor de tweede keer naar *Gadar* geweest en vertelde Ramchand, scène voor scène, het hele verhaal. Ramchand ging er helemaal in op.

Ondertussen kwam Rina Kapoor binnen, alleen.

Ramchand zette grote ogen op. Een verse bruid waagde zich maandenlang niet in haar eentje buiten de deur. Ze moest na-huwelijkse feestelijkheden bijwonen, er kwamen uitnodigingen voor diners en lunches, er moesten speciale puja's worden gehouden. Van horen zeggen wist hij hoe zoiets toeging in een familie. Maar dit kwam als een verrassing. En ze liep in een eenvoudige gele salwaar kameez in plaats van de mooie kleren van een pasgetrouwde vrouw. Ook was ze niet getooid met allerhande sieraden. Ze droeg niet de massa's gouden snoeren die een vrouw kort na haar huwelijk droeg, maar enkel diamanten. Hij had het niet zo op die glitter, al vond hij dat Sudha er, zelfs vlak na haar huwelijk en behangen met alle sieraden die ze bezat, prachtig had uitgezien. Maar ja, Sudha was een geval apart.

Ramchand zat met open mond te dromen. Hij zag Rina's grote, oplettende ogen door de winkel schieten en stilhouden toen ze hem in het vizier kreeg. Zonder aarzeling stevende ze op hem af. Even raakte Ramchand in paniek. Op haar trouwdag had ze gezwegen, maar misschien kwam ze vandaag een klacht indienen. Ze zou hem openlijk aan de schandpaal nagelen. Ze zou Mahajan vertellen dat hij, Ramchand, het had gewaagd om onuitgenodigd op haar huwelijk te verschijnen. Ze zou erop staan dat hij stante pede de laan uit werd gestuurd.

Bij de gedachte aan al die dingen kreeg Ramchand het zweet in zijn handen. Intussen was ze rustig voor hem komen staan en keek ze hem recht in de ogen.

'Namaste,' hakkelde Ramchand.

'Namaste,' zei ze zacht, met dezelfde geamuseerde glimlach die hij de vorige keer had gezien.

'Een sari, Memsahib?'

Ze glimlachte nogmaals, raadselachtig. 'Goed, laat me er maar een paar zien,' zei ze, op een toon alsof ze hem een gunst verleende.

Plotseling verscheen Mahajan boven aan de trap en hij liep snel en energiek op haar af. 'Ik zag uw auto beneden, mevrouw. En uw chauffeur. Gaat u alstublieft zitten. Waarom al die moeite hierheen te komen? Als u had doorgebeld wat u wilde, hadden we het graag laten brengen. Hé, Hari, haal even Coca-Cola voor mevrouw. Met een rietje. Zorg voor een schoon glas. Gaat u zitten, ik help u persoonlijk. *Ay*, Gokul...'

Hooghartig stak Rina haar hand op. Daarmee hield de woordenvloed uit de mond van Mahajan onmiddellijk op. Eerbiedig, met een afwachtende, vragende uitdrukking op zijn gezicht keek hij haar aan.

Ze wees naar Ramchand. 'Hoe heet hij?' vroeg ze.

'Ramchand, mevrouw,' antwoordde Mahajan.

'Laat hem me helpen. In alle rust,' zei ze scherp. Mahajan vatte de hint en met een verbaasde blik liep hij weg.

Ramchand kon er geen touw aan vastknopen. Ze was alleen, ze was pas drie dagen getrouwd en drie dagen na je bruiloft kocht je nog geen nieuwe sari, ze glimlachte zonder reden en ze keek alsof ze iets over hem wist, een geheim van hem kende dat hij zelf niet kende.

Ramchand draaide zich naar de schappen en herinnerde zich toen dat hij haar niet had gevraagd wat voor sari ze wilde.

'Wat voor sari, Memsahib?' vroeg hij.

Ze gooide haar hoofd in haar nek en lachte, een hese lach die goed bij haar stem paste.

'Een zijden sari,' zei ze, nadat ze weer tot rust was gekomen.

Ramchand haalde sari's tevoorschijn en liet ze zien. Rina wierp er slechts een snelle, plichtmatige blik op en keek er niet echt naar. In plaats daarvan begon ze een gesprek met Ramchand. Ze informeerde naar hem, vroeg waar hij woonde, hoeveel hij verdiende, of hij getrouwd was enzovoorts. Ramchand gaf beleefd antwoord. Maar daarna begon ze hem andere dingen te vragen, wilde ze weten hoe hij over bepaalde zaken dacht, vroeg ze hem naar zijn voorkeuren, naar zijn gevoelens. Ramchand kreeg algauw een onbehaaglijk gevoel. Het was voor het eerst dat een vrouw, en nog wel zo'n geweldige vrouw, hem van die persoonlijke dingen vroeg en het bracht hem totaal van de wijs. Hij werd rood, ratelde maar door, zei dingen die hij niet bedoelde en hield soms midden in een zin op in de hoop dat ze begreep wat hij wilde zeggen.

Zij bleef geamuseerd kijken. Hari kwam met cola en een rietje op een blad aanzetten. Ze nam het glas aan en zette het naast zich op de grond, maar liet het onaangeroerd. Ze leek aandachtig naar hem te luisteren. Dat zinde Ramchand niet, want hij wist dat hij er maar op los kletste en een hoop onzin verkocht.

Ten slotte bedankte ze hem minzaam, pakte in het wilde weg een blauw met zwarte zijden sari op, schonk hem nog een vertrouwelijke, geamuseerde glimlach, betaalde de sari en vertrok in de grote, grijze slee.

Toen ze weg was, kwam Mahajan naar Ramchand toe. Ramchand verwachtte dat hij kwaad zou zijn omdat Rina hem had weggestuurd, maar hij straalde.

'Heel mooi, jongen, heel mooi. Je hebt vast een goede indruk op hen gemaakt toen je bij hen was. Zo houd je je klanten. Heel mooi, heel mooi.'

Zijn oog viel op het onaangeroerde glas fris.

Naar het glas wijzend vroeg hij Ramchand: 'Heeft ze die niet opgedronken?'

'Nee, Bauji, zelfs geen slokje.'

'Drink jij het dan maar op,' zei Mahajan, nog steeds blij kijkend. 'Je hebt het verdiend.'

Ramchand glimlachte en Mahajan ging, opgewekt handenwrijvend, naar beneden.

Niemand keek. Ramchand pakte het glas op dat zij in haar prachtige blanke handen had gehad, zette zijn mond aan het rietje en hevig blozend dronk hij het tot op de bodem leeg.

DEEL II

1

De lente was snel gekomen en gegaan, zoals de lente vaak doet. De zachte, frisse lucht met de geur van lentebloesem had plaatsgemaakt voor de droge, stoffige hitte van mei.

De kinderen hadden hun vliegers opgeborgen, want de daken, waarop ze in de voorjaarsmaanden enthousiast hadden staan vliegeren, brandden nu ongastvrij in de hete zomerzon.

De lucht op de fruitmarkten raakte doortrokken van de bedwelmende geur van rijpe mango's en huisvrouwen staken de handen uit de mouwen om de onrijpe in te leggen. Discreet verschenen op terrassen en binnenplaatsen enorme potten ingelegde mango's, waar de zon voor het verdere proces zorg zou dragen.

De dagen werden langer, de hoofden heter. Men verlangde naar de regen, maar in de heldere, zinderende hemel was geen wolkje te zien. Het water in de goten verdampte, zodat een stinkende derrie achterbleef. De enkele meertjes aan de rand van Amritsar droogden eveneens op en lusteloze karbouwen zakten dieper weg in de zompige modder, waardoor enkel hun ogen nog zichtbaar bleven in de koele prut die langs hun hete, zwarte lijven gleed.

De straten werden stoffig en de fietsers en voetgangers zagen doorlopend grauw. Meerdere malen per dag was er een stroomstoring. Overal in Amritsar werden mensen moe en dwars, of lusteloos en gelaten. Overal snauwden moeders lawaaiige kinderen af, kiftten schoonmoeders met hun jonge schoondochters en werd in winkels, kantoren en fabrieken het personeel door de chefs afgeblaft.

Bij stroomstoringen brachten hele gezinnen zwijgend de nacht door op hun donkere, stille dakterras, waar in de hete lucht boven hun hoofd de gedeelde herinneringen met de zwermen muskieten ronddwarrelden. Oude vrouwen wuifden zich op hun charpai koelte toe met een juten waaier en prevelden gebeden met een bidsnoer in hun gerimpelde, bezwete handen. Over de hele stad hing een bedrukte sfeer. Zelfs de rijken – en daar waren er veel van in Amritsar – werden gek wanneer ze vanuit hun airconditioned huizen en auto's voor korte tijd de droge, brandende hitte ingingen.

's Middags zag je in de verlaten, naar hete teer ruikende straten alleen ongelukkige, transpirerende ijscomannen bij hun karretjes, riksjarijders die in de schaduw van een boom in hun riksja lagen te doezelen en hijgende zwerfhonden met de tong ver uit de bek.

*

Het dak van Chanders huis bestond uit een plaat zink en al na een uur in de brandende zon was het gloeiend heet. De zon maakte van het huisje een bedompte oven. En hier zat Chanders vrouw op een hete ochtend, haar magere lijf badend in het zweet.

In Sarihuis Sevak hadden ze het gewoon over 'Chanders vrouw', maar ze heette Kamla. Ooit was Kamla een kind geweest met een slordige vlecht in haar nek, een mager lijf en grote, onderzoekende ogen. Met haar ouders en broer woonde ze in een huisje in Jandiala, een klein, nietszeggend stadje – weinig meer dan een dorp – op zo'n twintig kilometer van Amritsar. Zij was jonger dan haar broer; hij was al dertien toen zij acht was. Haar vader werkte in een fabriekje waar Chamki, een plaatselijk merk zeeppoeder, werd gemaakt.

Wanneer haar vader op de fabriek was en haar broer op de kleermakerij, waar hij leerjongen was, werkte Kamla's moeder als kokkin en schoonmaakster. Soms ging Kamla mee om een beetje te helpen.

Op haar achtste had Kamla slechts twee jurkjes. Het waren oude jurkjes, waar de kinderen van haar moeders werkgevers waren uitgegroeid. Het ene was blauw-rood geruit met zakken in de rok en het andere een sjofel roze jurkje met gescheurde witte kant aan de kraag en de zoom.

Haar moeder waste de kleren van haar broer, maakte zijn middageten en ruimde achter hem op, maar van Kamla werd verwacht dat ze haar eigen klusjes opknapte. Ze zei dat meisjes moesten leren huishouden en dat het het beste was om daar zo vroeg mogelijk mee te beginnen. En daarom zat de achtjarige Kamla, in ernstige navolging van haar moeder, eens per week op haar hurken bij de kraan en boende haar jurkjes, wrong ze uit totdat ze haast in de knoop zaten en hing ze dan in de zon te drogen. Hoewel ze eigenlijk het meest van het blauw-rood geruite jurkje hield, voelde ze zich in het met kant gezoomde roze jurkje voornaam, alsof ze zo'n meisje was dat in een groot huis woonde, in een auto zat en van die chocolaatjes in paarse wikkels kocht. Toch hield ze het meest van het blauw-rood geruite. Het had zakken om dingen in te stoppen, het oogde nieuwer dan het roze, en veel, heel veel fleuriger. Kamla droeg de jurkjes strikt om de beurt – de ene dag het roze, de andere dag het blauw-rood geruite.

Op de dag dat haar moeder stierf had Kamla het blauw-rood geruite aan. Kamla was met haar moeder alleen. Het was avond en ze zouden gaan koken.

Kamla had net leren aardappelen schillen. Ze zat op de grond, luid pratend tegen haar moeder, en schilde met een bot mes, omdat haar moeder haar nog niet met het scherpe vertrouwde. Kamla's moeder stond op een kruk om van boven op een kast een pot tafelzuur te pakken.

'En toen, mam, toen zei Ganga dat Mina altijd vals speelde. Ze zei dat de steen tegen de krijtlijn aan lag, maar dat Mina hem met haar voet had verschoven. Maar ze had niks gedaan, mam. Ik heb niks gezien. Zou Ganga dan jokken? Ik denk van niet. Ganga jokt nooit, maar misschien had ze zich vergist. Ze weet het altijd zo goed. Volgens mij, mam...'

Om bij de pot te komen was haar moeder op haar tenen gaan staan. Ze hield niet op met knikken en Kamla nam niet de moeite haar moeders antwoord af te wachten, maar bleef kwebbelen.

'Mam, Ganga's getrouwde zus is terug en heeft haar een zilveren armband gegeven. Van echt zilver. Een hele mooie, met piepkleine gunghroos eraan, die rinkelen als ze beweegt. En als Ganga praat, gaat ze de hele tijd expres met haar arm heen en weer, alleen om op te scheppen...'

Toen wist Kamla's moeder eindelijk haar vingers om de pot te krijgen. Voorzichtig pakte ze hem vast en terwijl ze hem naar zich toe trok, zei ze: 'Zo. Dan hebben we aardappelen en pepertjes, en met wat...'

Op dat punt gekomen begon ze, met een ietwat verbaasde uitdrukking op haar gezicht, de wenkbrauwen opgetrokken en de glazen pot stijf vast, te wankelen. Toen gleed ze ineens weg, de kruk viel met een klap op zijn kant, er klonk een luid gekraak en zonder geluid te maken viel ze neer. Onder haar hoofd vormde zich langzaam een plas bloed. De glazen pot met zuur was ook kapot. Een laagje mosterdolie vloeide naar het bloed en vermengde zich ermee. Als kiezelstenen lagen stukken ingelegde limoen en wortel in de plas bloed met olie. Stil bleef Kamla, de lippen iets van elkaar, met een halfgeschilde aardappel in de linkerhand en het botte mes in de rechterhand, tussen de gekrulde aardappelschillen, als verlamd naar haar moeder staren.

Zo trof haar broer haar aan toen hij twee uur later thuiskwam. Hij nam het tafereel in zich op en proefde gal. Geschrokken pakte hij het mes uit haar hand en stuurde haar weg om hun tante te halen, de zus van hun vader, die vlakbij woonde.

Eerst was Kamla niet in beweging te krijgen, maar haar broer gaf haar, met een brok in zijn keel, zacht een zetje. 'Toe, Kalma, toe. Ga *Bua* halen. Vertel wat er is gebeurd. Dan komt ze. En ik ga dan naar de fabriek om *Pitaji* te halen.'

Bijna verdoofd liep Kamla de gewone weg naar haar bua's huis. Daar aangekomen herhaalde ze steeds weer dat de pot met zuur kapot was. Ten slotte begon ze te huilen. Bua rammelde haar door elkaar en vroeg wat er was gebeurd. 'De pot met zuur is gevallen,' zei Kamla nog een keer, 'en mam ook.'

Bua ging met Kamla mee. De dagen erop bleef Kamla verdoofd rondlopen. Haar vader en haar broer, druk met de voorbereidingen van de crematie en de puja, leken afstandelijk. Ook Bua had haar handen vol, want zij regelde dat de familieleden die kwamen rouwen konden eten en slapen. Kamla moest haar de hele dag helpen en met continu brandende ogen en een hart, waar de pijn niet uit week, sneed ze groente en vouwde ze beddengoed. 'Kom,' zei haar bua, 'nu je moeder er niet meer is, moet jij het huishouden doen. Moet je voor je vader en je broer zorgen, hè? Wees nou een grote meid.'

Kamla knikte.

Zij ging uit werken in haar moeders plaats. Bua verdiende haar brood als kokkin en schoonmaakster bij vooraanstaande families, net als Kamla's moeder. Zij nam nu Kamla onder haar hoede en Kamla vergezelde haar naar haar werkhuizen. Kamla leerde snel; ze was vaardig met de veger, ze lag bijna op haar buik om in de verste hoekjes te komen, veegde onder de bedden en maakte ook achter de banken en onder de kleden schoon. En bij het soppen van de keukenkastjes ging ze met een nat doekje over olie- en jusvlekken tot ze helemaal verdwenen waren. Als ze de gootsteen schoonmaakte, verwijderde ze zorgvuldig alle etensresten en slablaadjes, die de *jali* over de afvoer verstopten. Ze sneed uien, gember en tomaten en netjes dekte ze met een stalen bord de bergjes af, zodat de vrouw des huizes er zo de middagmaaltijd van kon maken. Haar werkgeefsters waren tevreden en algauw bracht ze zo'n honderd roepie per maand binnen. In haar eigen huishouden kookte ze ook helemaal alleen.

Haar jurkjes droeg ze nog altijd strikt om de beurt, totdat ze er uit was gegroeid en promoveerde naar een salwaar kameez.

Toen ze veertien werd, trouwde haar broer en nam zijn vrouw, die erop gebrand was haar plaats in het huis veilig te stellen, de keuken over en degradeerde Kamla tot hulpje.

Bhabhi besloot nu wat er gegeten ging worden, hield de voorraden bij en kookte op haar eigen manier. Kamla ging weer hakken, snijden en schoonmaken, en deed de karweitjes die Bhabhi haar vroeg te doen.

*

Toen Kamla op haar zestiende met Chander trouwde, was ze een knap meisje met levendige ogen, dat meestal vrolijk was, maar soms een nukkige bui had waar haar familie niets van begreep. Soms wilde ze met niemand praten. Dan neuriede ze in zichzelf of borduurde bloemen op restjes popeline uit de confectiefabriek waar haar broer als coupeur werkte. Als ze in zo'n stemming was, antwoordde ze niet op vragen, zelfs niet met een knikje of een gebaar. Haar familie vond het heel vervelend, maar het was vrij onschuldig en daarom weten ze het maar aan de labiliteit van een puberend meisje en maakten ze er doorgaans geen probleem van. Als ze eenmaal was getrouwd, redeneerden ze, ging het wel weer over.

Inmiddels was Kamla een uitstekende kokkin en bereidde ze dagelijks bij drie families de daalschotels en de groente, kookte ze de rijst en liet ze de pannen schoon achter.

Ze verdiende nu vierhonderd roepie per maand. Daarnaast kreeg ze nu en dan een afdankertje, eenmaal per dag een maaltijd in het grote, witgeschilderde huis en een kop thee in het mooie huis met de karmijnrode bougainville tegen het hek. Bij elke familie kreeg ze met Diwali nog eens een bonus van twintig roepie en wat zoetigheid. Soms kwam ze zelfs thuis met een paar overgebleven chapati's met in elk een vettig, donkergroen stukje ingelegde mango.

Kamla was een keer de vloer aan het vegen in een van de grote huizen, toen ze een mooie, rode glazen kraal op de grond zag liggen. Hij glinsterde en had aan twee kanten een gaatje om een draad doorheen te rijgen. Kamla's rechterhand, die de veger vasthield, kwam tot stilstand. Met haar linkerhand raapte ze, nog steeds gehurkt, de kraal op. Ze hield hem in het zonlicht, dat door het raam naar binnen viel. De kraal fonkelde. Kamla glimlachte.

Haar werkgeefster, een blijmoedige vrouw die haar tijd grotendeels doorbracht met het kijken naar films op de plaatselijke kabel, wendde haar blik af van de tv en vroeg: 'Ay, Kamla, waar komt dat lachje vandaan?'

'Dit is een hele mooie kraal, *Bibiji*. Allemachtig mooi.'

De vrouw glimlachte. 'O, die? Gewoon een goedkoop dingetje. Mijn dochter heeft er een doos vol van gekocht om kettingen te rijgen voor haar poppen. Ze is ermee klaar. Ze doet zulke onnozele dingen. Leren doet ze niet.

Ik weet echt niet wat er van haar terechtkomt. Alleen al om te trouwen moet je tegenwoordig een bachelor-diploma hebben.' Toen ging ze weer over op de kraal en zei: 'De rest moet nog ergens liggen. Zo blijft het hier nog jaren een rommel. Wil jij ze hebben?'

Kamla knikte. De vrouw stond langzaam op, liep naar een kast en kwam terug met een kartonnen doos. Die gaf ze aan Kamla.

Kamla deed de doos open. Hij zat boordevol rood oplichtende kralen van glad, glanzend glas.

Met glinsterende ogen klemde Kamla de doos tegen zich aan en zei blij: 'Dank u wel, Bibiji.'

'Blij?'

'Ja.'

'Zorg dan dat je vandaag de kleren goed boent. Gisteren was het witte overhemd niet helemaal schoon.'

'Dat was een kurkumavlek, Bibiji. Je kunt boenen wat je wilt, maar die krijg je niet weg.'

*

Toen haar vader die avond thuiskwam van de zeepfabriek, zat Kamla de rode kralen met naald en draad aaneen te rijgen. Meestal kwam hij moe en stil thuis en zei hij pas iets als zijn dochter of schoondochter een kop thee voor hem klaar had. Maar vandaag zette hij de driedelige stalen etensdrager neer, waar Kamla 's ochtends zijn lunch in deed, en riep hij de hele familie bij elkaar. Haar broer was net een paar minuten thuis. Zorgelijk, hopend dat het niet om een financiële crisis ging, liep hij naar zijn vader, met achter zich aan zijn vrouw, die nu een baby in haar armen had. Kamla bleef zitten waar ze zat, met de naald, de draad en de kralen nog op schoot. Toen vertelde de vader zijn verzamelde familie dat hij die dag had geregeld dat Kamla ging trouwen met de zoon van een collega. Kamla's broer glimlachte, haar bhabhi kwam haar omhelzen en iedereen leek blij. Kamla glimlachte gelaten. Ze had het aan zien komen. Het liet haar volkomen koud. Een meisje wist van jongs af aan dat er getrouwd moest worden en Kamla was er klaar voor.

Haar vader en broer begonnen de trouwerij te regelen en Kamla en haar bhabhi trokken zich in de keuken terug om het eten klaar te maken. Kamla was stil, omdat dat zo hoorde, maar haar bhabhi ratelde maar door over van alles en nog wat. Kamla luisterde nauwelijks.

Later, toen iedereen zich te ruste had begeven, ging ze in het licht van het peertje verder met het rijgen van de glazen kralen. Het huwelijk overkwam iedereen, rode kralen kwamen zelden op iemands weg.

De klap kwam echter een week voor haar huwelijk, toen ze erachter kwam dat de man die spoedig haar echtgenoot zou worden, de man die ze nooit had gezien en waar ze niet echt belangstelling voor had, in Amritsar woonde en werkte. Ze zou moeten verhuizen.

Zodra ze het hoorde, smolten haar ogen weg in tranen. Huilend zei ze haar vader dat ze niet zou trouwen. Haar bhabhi trachtte haar te kalmeren, maar Kamla duwde haar troostende armen weg. Zachtjes zei haar vader dat ze dat soort dingen niet moest zeggen. Het was definitief en ze moest gewoon haar best doen een goede echtgenote te worden.

Kamla bedaarde, want ze wist dat hij gelijk had, maar haar angst bleef. Ze was ervan uitgegaan dat Chander, want ze had gehoord dat hij zo heette, eveneens in Jandiala woonde. Ze was Jandiala nooit uit geweest en het was een bang vooruitzicht om helemaal alleen, weg van haar familie, in een grote, vreemde stad te wonen. Ze was nauwelijks met de buitenwereld in aanraking geweest. Naast de mensen voor wie ze werkte kende ze alleen haar directe familie en de verwanten die bij hen op bezoek kwamen.

Haar vader had haar zorgvuldig van de boze buitenwereld afgeschermd. Hij was altijd bang geweest dat Kamla, zo zonder moeder, zou verwilderen en slechte gewoontes op zou pikken.

Het kleine huis was haar echte wereld, de veilige wereld waar ze 's avonds na haar werk naar terugkeerde. Het had twee kamertjes. In het ene woonde haar broer met zijn vrouw. Omdat ze kort tevoren een zoontje hadden gekregen, hadden ze nu een eigen kamer nodig. Het andere kamertje was weinig meer dan een nis in de muur met net genoeg ruimte voor het eenpersoonsbed van haar vader en een kan water. Kamla sliep in een hoek van de keuken. Daar had ze een touwbed met een groen laken, dat soms ook als sjaal dienst deed. Onder haar bed had ze een blikken kist, waar al haar aardse bezittingen in zaten.

Dat was haar wereld, met alle vertrouwde voorwerpen geruststellend op hun eigen plek. En nu zou dat alles verdwijnen en zouden er andere dingen voor in de plaats komen. Dat was geen spannend, maar juist een angstaanjagend vooruitzicht.

Zowel haar naasten als die van Chander zouden in Jandiala blijven wonen.

Ze zou helemaal alleen zijn in Amritsar, met een onbekende. In een ander, onbekend huis.

Nachten achtereen bleef ze wakker liggen en herhaalde in zichzelf die twee zinnetjes tot ze er hoofdpijn van had. Maar toen op een nacht was ze de angst beu. Er was niets aan te doen en bovendien, een meisje moest zich aanpassen. Ze draaide zich om en ging slapen.

*

En zo trouwde Kamla op een mooie morgen met Chander.

Wat ze zich later van haar trouwdag het helderst voor

de geest kon halen was de alomtegenwoordige geur van *laddu's*.

Zoete, gele laddu's die, in mooie piramides op stalen schalen gestapeld, de opgedirkte gasten werden voorgezet, onder onderdrukt gegiechel door buurtkinderen werden gepikt, aan goden werden geofferd en in rode kartonnen doosjes aan verwanten werden meegegeven.

Op de ochtend van haar trouwdag werd er zelfs een voor Kamla de binnenkamer, de kamer waar haar bhabhi en broer sliepen, binnengesmokkeld door een klein meisje. Kamla, in het rood gekleed, zat er de hennaversieringen op haar handpalmen te bestuderen. De dag ervoor hadden haar bhabhi en enkele meisjes uit de buurt in een stalen kommetje mehndi aangemaakt. Daarna had haar schoonzus met een in het mengsel gedoopte kop van een lucifer een tekening in Kamla's handpalmen gemaakt en ingekleurd. Toen hadden de meisjes om de beurt al giechelend haar vingertoppen met mehndi geverfd. Haar handpalmen waren nu mooi donker oranje. Ook haar vingertoppen vlamden op, maar ze wou dat haar schoonzus haar fantasie wat meer had gebruikt. Toen het meisje met de laddu, verpakt in een vieze zakdoek, naar binnen was geslopen, nam Kamla hem afwezig aan, maar ze was zo zenuwachtig dat ze er alleen maar een beetje aan kon knabbelen. Het huis, het versleten groene laken op haar touwbed, haar kleren, de kleine rokerige keuken, haar haren – alles rook naar laddu's.

Het enige andere dat ze zich duidelijk herinnerde was dat ze haar tante met tranen in de stem had gevraagd of ze bij haar huwelijk de rode glazen kralenketting mocht dragen.

Haar tante had het resoluut afgewezen.

'Die doe je niet om. Wat zullen de mensen denken?'

'Maar ze passen precies bij mijn kameez, Bua,' zei Kamla, bijna hysterisch. Ze had een effen rode salwaar kameez aan van synthetische glansstof, die haar broer voor weinig geld van de fabriek had meegenomen. Ze had een effen chunni gekocht, die in een bijpassende kleur rood geverfd en toen zelf een rand gemaakt van gouden *gota*, zodat hij er als een bruids-chunni uitzag. Later had bhabhi ook nog wat goedkope goudkleurige pailetten gekocht en eraan genaaid. Met de flonkerende chunni over haar hoofd zag Kamla er heel knap uit, maar haar verlangen naar het glazen kralensnoer ging niet over.

'Die wil ik écht graag om, Bua. Toe.'

'Nee, Kamla. Je doet alleen die dunne gouden ketting van je moeder om en de gouden oorhangers in die je vader voor je bruiloft heeft laten maken. Het is misschien niet veel, maar voor mensen als wij is het genoeg. Wat moeten de mensen denken als je op je trouwdag met glazen kralen loopt?'

'Ik zal me beter voelen als ik mijn eigen kralen draag naar Amritsar. Dan zal ik me nog mezelf voelen,' zei Kamla onsamenhangend en bijna in tranen.

'Wat een flauwekul. Natuurlijk ben je jezelf,' zei Bua, nu iets vriendelijker. 'Alle meisjes zijn zenuwachtig op hun trouwdag, Kamla, maar nu moet je braaf zijn. Bedaar wat en luister naar de mensen die je moet gehoorzamen. Nu word je huisvrouw, krijg je verantwoordelijkheden. Niet zo kinderachtig doen.'

'Maar, Bua...'

'Zo is het genoeg, Kamla, ga nou geen problemen maken. Wees een braaf meisje en wees dankbaar voor wat je vader voor je doet. Hij mag dan arm zijn, maar op je trouwdag ga je geen glazen prullen dragen. Je vader is geen straatveger.'

Bua was niet op andere gedachten te brengen en Kamla schikte zich.

Verder herinnerde ze zich weinig meer van die dag.

Met al haar bezittingen in haar oude blikken kist kwam

Kamla met Chander in Amritsar te wonen. Ze had er de twee nieuwe sari's ingedaan die haar vader had gekocht, een stuk of wat salwaar kameezes en sari's, ruimhartig geschonken door haar werkgeefsters, al haar ondergoed, blouses en onderrokken, haar kam, haar spiegel, de nieuwe sindoor en bindipakketjes, en de zelfgemaakte maandverbanden.

Dat alles was onder Bua's toezicht en volgens Bua's instructies ingepakt.

Maar toen Bua weg was, had Kamla de kist weer opengedaan en er stiekem nog meer bij gedaan.

Dus nam ze haar dierbare halssnoer van rode glazen kralen mee naar Amritsar, de twee jurkjes van toen ze klein was – een roze en een blauw-rood geruite – voor als ze een dochter kreeg, de nieuwe tube Fair and Lovely, waar ze de laatste twee maanden voor had gespaard, een geïmporteerde koperen veiligheidsspeld en een oude Chinese sjaal, die ze een keer van een werkgeefster had gekregen. En ook nam ze de rotsvaste overtuiging mee dat een kurkumavlek niet weg te krijgen was, hoe hard je ook boende.

2

Kamla was haar leven als echtgenote begonnen als alle andere meisjes van wie ze weet had. Nu ze was getrouwd, werd niet van haar verwacht dat ze buiten de deur ging werken. Er werd verwacht dat ze spoedig kinderen kreeg en Chander zei haar dat het weinig zin had een baan te nemen als ze er toch gauw mee zou moeten stoppen.

'Als de kinderen wat groter zijn, kun je altijd nog gaan werken,' had hij gezegd. 'Tot dan redden we het wel. Zó arm ben ik nu ook weer niet.'

Dus maakte Kamla elke dag het eten klaar, waste ze de kleren en maakte ze haar nieuwe huis, een piepklein huis met één kamer en een plaat zink als dak, aan kant. Volgens Chander zouden ze gauw, zodra hij wat had gespaard, naar een betere plek verhuizen.

Chander had weinig geld en werkte lange dagen. Vroeg in de ochtend ging hij naar de fabriek en laat in de avond kwam hij thuis. Ze moest erg op de kleintjes letten, maar dat was ze gewend. In het huis van haar vader was het er nauwelijks anders toegegaan, alleen was ze daar nooit alleen geweest. Kamla leerde heel goed met haar huishoudgeld omgaan. Ze verstelde oude kleren, repareerde en verstevigde de naden en zoomde gerafelde randen om. Ze deed de bakolie niet weg, maar bewaarde hem zorgvuldig om nog een paar keer te gebruiken. Restjes stof en papier kregen zoveel mogelijk een tweede leven. Ze kookte altijd met zo weinig mogelijk kruiden en knoflook liet ze helemaal weg. En zo zag ze aan het eind van elke maand steevast haar moeite beloond met een beetje spaargeld.

Maar ergens onderweg was er iets misgegaan. Ze was gaan piekeren, was haar leven moe geworden. Chander dronk veel en sloeg haar. Dat was vrij normaal, wist ze. Veel vrouwen kregen slaag van hun man. Het hoorde erbij en was niet persoonlijk bedoeld. Ze zou zich er niet druk om moeten maken.

Maar dat deed ze wel. Het verbitterde haar. Wanneer ze, gevangen in het huisje waar door het enige raampje slechts somber, grijs licht binnenkwam, met gefronst voorhoofd aan het boenen, hakken of vegen was, knaagde de eenzaamheid.

De hele dag ging heen met klusjes die met de dag zinlozer leken te worden en met kijken naar het licht dat naar het middaguur toe veranderde van dofgrijs naar iets lichter grijs en naar de avond toe weer dofgrijs. Dan kwam de duisternis en knipte ze het licht aan, een peertje aan de muur. De draden van het peertje naar het schakelbord lagen bloot.

Ze kookte en dan begon het wachten op Chander. Dronken kwam hij binnenzwabberen, soms na middernacht. Dan viel hij óf zwijgend op bed neer óf hij ging ruziemaken en slaan. Als hij haar daarna een aai gaf en probeerde te troosten, deed hij dat met klamme handen en een dikke tong.

Een halfjaar na haar huwelijk kreeg ze bericht dat haar vader was overleden. Haar broer had naar de fabriek gebeld, waar Chander werkte. Het was aan Chanders baas doorgegeven, die er helemaal niet blij mee was dat Chander het nummer aan zijn familie had gegeven. Chander was meteen thuisgekomen, had Kamla op de hoogte gebracht en haar, nog voor ze het nieuws goed tot zich had kunnen laten doordringen, op een bus van Punjab Roadways gezet, waarin ze de hele weg naar Jandiala door elkaar was geschud. Ze had een biljet van twintig roepie meegekregen.

Ze had verwacht dat haar broer of een ander familielid haar bij de bushalte op zou komen halen, maar in de menigte was geen enkel vertrouwd gezicht te zien. Met angst en beven nam ze, voor het eerst in haar leven, helemaal alleen een riksja naar het huis van haar vader. De dag erop voegde Chander zich bij haar.

Een maand later verloor haar broer zijn baan bij Confectiefabriek Chandrika. Ze hadden nieuwe machines binnengehaald en hadden niet zoveel ervaren coupeurs en tailleurs meer nodig.

Hij zocht nog twee maanden naar ander werk, maar geen enkele fabriek had vacatures. Teleurgesteld verhuisde hij met zijn vrouw en zoontje naar Jalandhar. Zijn zwager had beloofd hem te helpen daar werk te zoeken. Na de verhuizing had hij alleen nog maar aandacht voor zijn nieuwe leven in Jalandhar en nam hij nooit meer contact met Kamla op. Kamla maakte zichzelf wijs dat ze het niet erg vond, maar ze besefte dat ze haar thuis, het enige thuis dat ze ooit had gekend, voor altijd kwijt was.

Nu zou het huis van Chander voor de rest van haar leven haar thuis zijn. Elke dag van haar leven zou daar beginnen en eindigen. Kamla werd eenzamer en stiller.

*

En toen werd Kamla zwanger. Voordien had ze niet echt een kinderwens gehad en zag ze zwangerschap als nog zoiets dat een vrouw gewoon overkwam, net als het huwelijk. Het vooruitzicht moeder te worden had haar volkomen koud gelaten.

Ze had nooit gedacht dat het haar zo gelukkig zou maken. Van het ene moment op het andere leek haar leven totaal anders. Het werd nieuwer, frisser en de somberheid die het jaar ervoor op haar was neergestreken viel van haar af. Onder het werk lachte ze soms in zichzelf. Ze begon uit te zien naar een eigen kind. Als het er eenmaal was, was ze vast nooit meer lusteloos en eenzaam en zou ze zich niet meer vervelen.

Ze kreeg meer belangstelling voor de dingen om haar heen. Soms sloeg ze vanuit de deuropening de vuile witte koe gade die bij haar in de straat huisde en met zijn neus in de vuilnishoop aan de overkant naar eten wroette. Of ze keek naar de buurtkinderen, die op een met krijt getekende baan aan het hinkelen waren en als verstoorde mussen uiteenstoven wanneer een fietser zich door de smalle straat een weg baande.

Ook luisterde ze wel opmerkzaam naar het gekijf van de vrouwen rond de kraan van Gemeentewaterleidingen. Enkele dagen na haar huwelijk had Kamla bij toeval het geheim van de kraan ontdekt. Bij het ochtendgloren was ze wakker geworden met het gevoel dat de muren op haar afkwamen. Omdat de kamer naar zweet en alcohol stonk, had ze haar sjaal omgeslagen en was ze naar buiten gevlucht. Hoopvol had ze de koperen kraan opengedraaid en er was inderdaad wat water uitgekomen, waarmee ze, voordat ze weer naar binnen ging, haar gezicht had natgemaakt. Niemand wist dat er op dat uur water uit de kraan kwam en ze had het voor zich gehouden. Nu vulde ze haar groene plastic emmer altijd om vier uur 's ochtends, zodat ze niet om negen uur tussen hele volksstammen vrouwen in de zon op haar beurt hoefde te wachten. Dan stond ze, een schimmige gedaante in de duisternis, naast de kraan, waaruit sputterend een iel straaltje water in haar emmer liep, en was ze Gemeentewaterleidingen dankbaar voor deze onachtzaamheid.

Kamla begon zich thuis te voelen. Soms, als ze vanuit de deuropening naar de reuring op straat en de kwebbelende vrouwen met hun drukke leven zat te kijken, vroeg ze zich af of er een paar tussen stonden waar ze vriendschap mee kon proberen te sluiten. Dan zou ze af en toe misschien een praatje kunnen maken, ook al kwam ze van buiten. Misschien kon ze erbij gaan horen. En ze moest het wel proberen, want anders zou haar kind straks niemand hebben om mee te spelen. Ze moest er eigenlijk meteen aan beginnen.

Maar alle zorgen en alle plannenmakerij bleken uiteindelijk niet nodig. In de derde maand van haar zwangerschap kreeg Kamla een miskraam.

Chander was naar zijn werk, en toen Kamla de rode klonters tussen haar benen zag en besefte wat er gaande was, raakte ze in paniek. Ze vloog naar buiten en haastte zich naar de grote weg. Voor de tweede keer in haar leven nam ze helemaal alleen een riksja en zei de riksja-wala naar een overheidsziekenhuis te gaan, het goedkoopste dat hij kende. Met tegen elkaar geperste dijen en bitter wenend legde ze schuddend de dikke twee kilometer naar het ziekenhuis af.

Ze was kwaad op haar schoonmoeder, omdat die er niet was, ze was woest op haar eigen moeder, omdat die dood was en ze haatte Chander, omdat die haar elke dag alleen liet. Ze hield niet op met huilen, had een hekel aan iedereen, en de nattigheid tussen haar benen nam steeds angstwekkender vormen aan.

In het ziekenhuis was alles koud. De geur van ontsmettingsmiddelen was koud. De gezichten om haar heen waren koud. De mensen waren gekleed in koud rouwwit. De nattigheid tussen haar benen was koud. De witgeverfde metalen veldbedden, rondgedragen door onverschillig personeel met lege blikken, waren koud.

In de drukke ziekenhuisgangen week de verschrikking niet van haar zijde. Ze liep in de misselijkmakende stank van medicijnen en bloed, zag overal verminkte mensen, die op behandeling wachtten. In de wachtruimte, in de gangen en zelfs in een klein magazijn met veldbedden zaten of lagen patiënten en hun verwanten uit omliggende dorpen te praten en te eten en te slapen. Het ene gezicht verried spanning en het andere stond strak van het wachten. Met tranen op haar wangen vroeg ze dwingend bij wie ze terecht kon. Pas toen iemand van het personeel bloed aan haar enkels zag, onder de zoom van haar sari, werd ze serieus genomen. Toen werd ze in een grote zaal vol met kermende mensen gelaten. Er liep een man rond die de oude, bloedbevlekte verbanden in een mand verzamelde. Kamla moest haast overgeven.

In de zaal moest ze snel gaan liggen en werd ze onderzocht door een onbeschofte dokter, een plompe vrouw met een grote mond, wier adem naar uien stonk.

Kamla werd opgenomen en dezelfde dag nog ontslagen. De hevige pijn en de doodsangst maakten haar blind voor wat er om haar heen gebeurde. Handen aan haar lijf... vage gezichten boven zich... kou... Meer drong niet tot haar door. Zonder dat ze goed begreep wat er was gebeurd en zich slechts bewust van de pijn in haar onderbuik die erger werd als ze haar benen bewoog, kreeg ze van de dokter kortaf te horen dat ze haar kind kwijt was en nooit meer in verwachting zou raken. Meer uitleg kreeg ze niet, al mompelde de dokter, voordat ze naar de volgende patiënt ging, nog iets over onnozele buitenlui.

Kamla betaalde met het geld dat ze van haar huishoudgeld had overgespaard. Verdoofd, met nietsziende ogen gericht op een stad die haar vreemd was, ging ze in een andere riksja naar huis. Die avond wachtte ze ongeduldig Chander af.

Hij was laat, nog beschonkener dan anders. Slikkend om vast van stem te blijven – een stem die weliswaar dikwijls trilde, maar het niet één keer begaf – vertelde ze hem alles. Ze wilde niets liever dan huilen, maar eerst wilde ze het hem vertellen. Daarna zou ze tegen hem aan gaan liggen en huilen en huilen en zou hij haar troosten.

Met een doffe blik in zijn ogen luisterde hij aandachtig.

Toen zei hij dat hij geruïneerd was. Haar miskraam kwam niet ter sprake. Met een dikke tong bleef hij herhalen dat ze op straat kwamen te staan. Pas nadat hij er vijf minuten over door had zitten lallen, snapte Kamla waar het over ging. Hij bleek zijn baan kwijt te zijn. De fabriek waar hij werkte leed verlies en ging sluiten. Over de afgelopen drie maanden had hij geen loon gekregen. Hij had geen geld. In feite zat hij in de schulden.

En toen zei Chander vlak en toonloos, met een stem die plots niet meer dronken maar helder klonk: 'Je hebt me heel weinig geluk gebracht, Kamla. Sinds ik met jou ben getrouwd, heb ik niets dan tegenspoed.'

Er viel een stilte. Geschrokken en vol ongeloof staarde Kamla naar zijn onbewogen gelaat.

'Je brengt zelfs je eigen familie ongeluk,' zei hij, maar zijn woorden gleden van haar af zonder dat ze inhoud kregen.

Toen verhief hij zijn stem. Hij kreeg het bijna te kwaad en met tranen in zijn ogen herhaalde hij enkele malen: 'Je hebt een duister hart, een duister hart, een duister hart. Je hebt je moeder gedood. Je hebt je vader verslonden. Je broer is zijn baan kwijt. Nu heb je mijn kind verslonden. Het duurt niet lang meer of je vreet ook mij op.'

Er druppelden tranen over Kamla's wangen, maar haar lippen bewogen niet en haar ogen waren als steen.

'Ik had het kunnen weten. Al op het moment dat je hier in huis kwam, bracht je ongeluk. We waren nog geen twee dagen getrouwd of ik liet de foto van mijn moeder vallen. En dat was toen ik hem van de plank pakte om ruimte voor jouw spullen te maken. Het glas ging kapot. Weet je dat nog?'

Zwijgend schudde ze haar hoofd.

'Je weet het niet eens meer,' zei hij vol afkeer. 'Het glas ging kapot en ik sneed in mijn vinger. Toen had ik het al moeten weten. Het voorspelde onheil. Het was een slecht voorteken.'

Op dat moment viel Chander huilend met gevouwen handen op de grond. Hij griende, riep de goden aan en vroeg ze luidop waarom ze hem met een heks met een zwarte tong hadden laten trouwen en hem daarmee in het verderf hadden gestort. Hij kwijlde. Spuug liep over zijn gevouwen handen. Hij was ladderzat.

Zonder een woord te spreken zag Kamla het aan. Haar tranen droogden op. Toen haalde ze gedachteloos een glas water voor hem. Ze wachtte af en zag het hem in een keer opdrinken, zag zijn keel samentrekken en verwijden toen het water naar binnen ging. Toen er geen druppel meer over was, pakte ze het glas van hem over. Ze zette het weg zonder het af te spoelen en ging op het touwbed liggen. Ze was volkomen uitgeput en viel onmiddellijk in slaap.

De volgende ochtend was Chander afstandelijk en stil. Kamla stond niet op om thee te zetten of eten te maken. In stilte verzonken bleef ze gewoon op bed zitten. Chander vroeg ook niet naar eten.

Maar voordat hij vertrok, draaide hij zich op de drempel naar haar om en zei kwaadaardig: 'Je kind was dood. Je man was bijna dood. En jij hebt de hele nacht als een vorst liggen slapen.'

Kamla zei niets.

*

Chander had thuis heel vaak een fles goedkope rum staan. Hij dronk weliswaar met zijn vrienden van de fabriek meestal bij kleine slijterijtjes, maar hij vond het prettig om een fles bij de hand te hebben, weggestopt onder de charpai of in de hoek bij de bezem. Af en toe stond hij 's nachts op om zo uit de fles een paar slokken te nemen.

Dat was de fles waarmee Kamla begon. Wanneer ze er een paar slokjes uit had gedronken, deed ze er wat water in om dat te camoufleren, waarbij ze niet vergat de fles en de kurk met het uiteinde van haar sari pallu af te drogen.

Vervolgens nam ze af en toe wat muntgeld uit de zak van Chanders overhemd, dat hij voor het slapengaan had opgehangen. Als hij eenmaal snurkte, sloop ze stilletjes naar het haakje met het overhemd. Dan tastte ze in zijn zak naar de kleinste munten, die hij niet zou missen. Als hij gromde in zijn slaap of zich omdraaide, bleef ze stokstijf staan wachten tot ze hem weer hoorde snurken.

Wanneer ze genoeg bij elkaar had, kocht ze bij een plaatselijke stoker een fles binnenlandse drank. Chander zocht de hele dag naar werk. Het kwam niet bij Kamla op het werk weer op te pakken, dat ze voor haar huwelijk had gedaan. Ze stak al haar energie in het veilig stellen van de volgende fles.

Ze ontwikkelde een sluwheid waarvan ze niet wist dat die ergens diep in haar verscholen zat. Ze wist haar drank zelfs te bemachtigen wanneer hun financiële toestand schrikbarend was geworden en ze slechts één keer per dag konden eten.

Elke avond kwam Chander, meestal dronken, teleurgesteld thuis om dan, na een ruzie waarbij hij haar in het gezicht sloeg en tegen de muur gooide, op bed neer te vallen. Hij merkte niet op dat Kamla meestal in kennelijke staat verkeerde en ook zag hij haar geheimzinnige glimlach niet, wanneer ze met haar hoofd tegen de muur smakte – een glimlach waar een normaal, gezond mens bang van zou worden. Zo ging het elke dag, totdat haar voorhoofd hard was van de builen.

Het bericht dat Chander een baan had gekregen in de een of andere sariwinkel drong nauwelijks tot haar verstompte dronken hersens door. Chander verweet haar dat ze niet blij voor hem was. Ze keek hem slechts aan, zonder met haar ogen te knipperen. Chander wist bij god niet waar het knappe, vrolijke meisje was gebleven dat hij had getrouwd, en wie dat monster met die keiharde ogen was.

Op een keer kwam Chander vroeg terug van de winkel. Maanden stress, drankgebruik en overgeslagen maaltijden hadden hun tol geëist. Hij was duizelig geweest en was bijna voorover van de trap gevallen. Na een blik op zijn krijtwitte, afgetobde gezicht had Mahajan hem gezegd dat hij eerder naar huis mocht.

Bij thuiskomst zag Chander de deur van zijn huis aan zijn scharnieren zwaaien. Hij ging naar binnen en zag Kamla met de fles in haar hand op de grond zitten. Chander kon geen woord uitbrengen. Ze keek naar hem op en toen weer naar de fles. Waarlijk geschokt dat zíjn vrouw dronk, tuigde Chander haar ruwer af dan anders. Daarna ging hij een poosje naar de Hanuman-tempel, waar hij probeerde zijn tranen te bedwingen.

Nadien was Kamla openlijk gaan drinken. Haar ogen werden waterig en ze werd grof in de mond. Ze hield het huis niet meer schoon, zei geen gebeden meer voor het aardewerken Shivabeeldje in de hoek – het beeldje waar ze eens elke morgen met veel liefde een offerande van bloemen voor had neergelegd – en waste zich niet meer. Haar sari's werden vies, het huis ging stinken en Chander begon er geplaagd uit te zien. Algauw had ze wallen onder haar ogen, zag ze bleek en afgemat en vielen haar haren in dikke plakken langs haar gezicht. En ze huilde en ze dronk. En Chander sloeg haar elke dag, waarna hij het dan meestal zelf te kwaad kreeg.

Hoe meer Chander tegen haar schreeuwde, hoe zelfgenoegzamer haar lachje werd. Hoe vaker hij haar sloeg, hoe meer ze dronk. Ze werd zwijgzamer en nog maar zelden hoorde hij haar uit eigen beweging iets zeggen.

Ze deelde haar lot met vele anderen, maar zonder dat ze wist waarom (ze was nog nooit naar school geweest) vond ze het moeilijk te accepteren. Ze ging beseffen dat niet alleen kurkumavlekken niet weg te krijgen waren, hoe hard je ook boende. Ze zat vol met bitter gif. En wanneer dat gif zich met alcohol mengde, kenden haar onberadenheid en woede geen grenzen.

Dan kookte haar van drank verzadigde bloed en stormde ze, schreeuwend en scheldend tegen iedereen, met boze, rode ogen de wereld in. Het pak slaag dat Chander 's avonds gelaten gaf kon het gif niet verdunnen en maakte het woeste beest in haar juist nog meer los.

Automobilisten die niet genoeg vaart minderden om haar te laten oversteken konden een grauw krijgen en mannen die misbruik wilden maken van haar kennelijke staat en haar op straat probeerden te betasten een snauw.

Zelfs de pundit van de tempel vlakbij kreeg een keer de wind van voren omdat hij, telkens als hij haar zag, zijn handen naar zijn oren bracht – kennelijk om te bidden dat de mensheid, een mens als zij ten spijt, zou worden gered. Ze gaf hem luidkeels te verstaan wat ze dacht van hem en zijn maniertjes. Ze gilde dat hij vet werd van de kokosnoten en de rijst die gelovigen in de tempel kwamen offeren. Hoewel de pundit doorgaans reageerde met een verontwaardigd dédain, vreesde hij de rappe tong waarmee ze, voor de hele straat hoorbaar, zulke pijnlijke dingen riep. Ook deed ze soms of ze een steen naar hem wilde gooien en dan werd hij bang, en daar moesten de kinderen die eromheen stonden weer om lachen. Kamla werd een schande voor de hele buurt.

Chander was opgelucht dat hij werk had, maar om te voorkomen dat ze langskwam om ruzie met Mahajan te gaan maken, weigerde hij Kamla te zeggen waar de sariwinkel was.

Chander rilde bij de gedachte.

Hij was minder gaan drinken, al kon hij het niet helpen dat hij nu en dan terugviel. Hij was blij dat hij werk had en was vast van plan het te houden.

Het duurde niet lang of Chander negeerde Kamla helemaal. Hij liet haar alleen, hoe ze er ook aan toe was, leefde zijn eigen leven en at meestal in een dhaba of aan een kraampje.

Hij en Kamla wisselden nauwelijks nog een woord.

*

Vandaag had Kamla meer gedronken dan anders. Stomdronken hikkend zat ze, in haar eentje, op de grond in haar vieze huis te huilen.

De vloer lag bezaaid met ongewassen kleren. Van de vuile pannen in de hoek kwam een zurige lucht. Kamla had zich drie dagen niet gewassen en rook ook zurig. Ze had uitslag van de warmte, haar haar zat in de war en haar ogen stonden onberekenbaar.

Haar gedachten buitelden over elkaar heen. En uit al die gedachten ontspon zich er één die samenhangend was.

Ja, ze wist wie alles op hun geweten hadden.

Ze zouden geen rust meer kennen. De vertrouwde woede kolkte door haar bloed en ze worstelde zich overeind.

3

Bij mevrouw Gupta had Shilpa, inmiddels vijf maanden gelukkig getrouwd, juist ontdekt dat ze zwanger was.

Toen Shilpa vijf maanden eerder tot het huishouden was toegetreden, had ze dat gedaan met de angsten van de jonge bruid. Met Tarun, haar man, kwam het wel goed, hij had een grote fabriek en was een lange, gezonde, knappe man. En hij en haar schoonvader waren toch de hele dag op hun werk.

Het draaide eigenlijk om haar schoonmoeder, mevrouw Gupta. Zouden er de gebruikelijke problemen komen – koeioneren, machtsstrijd, keukenintriges?

En ook als die niet kwamen, hoe kon ze op tegen mevrouw Gupta? Want het was wel iemand die in de stad de naam had van een verstandige, scherpzinnige, wereldwijze dame.

Over zichzelf maakte Shilpa zich weinig illusies. Ze had zonder veel interesse maar net haar school en een jaar college weten af te maken en verder het grandioze huwelijk afgewacht dat haar ouders voor haar zouden arrangeren. Niet dat school en universiteit ertoe deden – slechts een enkel meisje uit de prominente zakenfamilies had animo om te leren – maar Shilpa wist dat ze op andere punten tekortschoot. Ze ontbeerde het scherpe verstand en het talent van enkele van haar nichten. Ze was niet adembenemend mooi. Haar haar was wat dun en, wat het ergste was, ze sprak slecht Engels. Haar grootste pluspunt was dat ze een bekende, rijke zakenman als vader had. Haar ouders zouden beslist een magnifieke man voor haar vinden.

En dat hadden ze gedaan! Ze hadden een huwelijk met Tarun Gupta gearrangeerd. Het was de oudste zoon van de Gupta's en ze had het beslist niet beter kunnen treffen. De familie stond hoog aangeschreven en nadat haar nichten Tarun een keer hadden bekeken, hadden ze gezegd dat hij wel wat van Salman Khan weghad. Eén keer was hij met zijn moeder op visite geweest om haar te ontmoeten. Ze hadden vijf minuten over van alles en nog wat gepraat en elkaar toen hoffelijk officieel geaccepteerd.

De bruiloft was exuberant geweest. Alle grote industriëlen van Amritsar hadden een uitnodiging ontvangen, met inbegrip van Ravinder Kapoor, die de Gupta's had verteld dat zijn dochter Rina drie weken later ook zou trouwen. Hij was er zelf niet zo gelukkig mee, omdat het een liefdeshuwelijk was en zijn dochter een kapitein van het Indiase leger had uitverkoren. Het ging zijn verstand nog steeds te boven, maar hij had geprobeerd zijn teleurstelling te verbergen. Hij stak niet onder stoelen of banken dat hij, Ravinder Kapoor, met gemak twee gezinnen, wel zes gezinnen kon onderhouden. Het belangrijkste was dat zijn dochter gelukkig werd. Ze was briljant, zo zei hij trots, en van zo'n meisje kon je niet verwachten dat ze met een zakenman trouwde en de hele dag binnenbleef. Deze opmerking deed Shilpa's ouders huiveren, maar er was niemand die hem tegen durfde spreken. Hij zou ervoor zorgen dat Rina haar levensstijl ook na haar huwelijk niet hoefde te veranderen, zo zei hij.

Tijdens de bruiloft hadden de gasten veel deals gesloten en veel zakelijke contacten gelegd. Al met al was het dus een geslaagd feest geweest.

Shilpa's ouders hadden Tarun een witte Opel Astra gegeven en een binnenhuisarchitect ingehuurd om de slaapkamer van het paar op te knappen. Het schilderwerk – naar de laatste mode crème en licht pistachegroen – had hij uit een tijdschrift gekopieerd. De inrichting was gecompleteerd met kamerbreed tapijt, een weelderige bank met kussens in hetzelfde crème en groen als het schilderwerk en een smeedijzeren tafel met glazen blad.

Shilpa's ouders hadden in de kamer ook nog nieuwe airconditioning laten installeren. Die zoog alle warmte uit de kamer, waardoor het er prettig koel was.

En dit alles – de kamer, het meubilair, de airconditioning en de auto – kwam boven op het geld, de sieraden en de kleren voor Shilpa en boven op de kleren en sieraden voor haar schoonouders en haar man. Ja, ze kon zich met opgeheven hoofd in haar nieuwe familie bewegen.

Maar toch, met een schoonmoeder wist je het maar nooit...

Shilpa had echter niet in angst hoeven zitten. Mevrouw Gupta was slim genoeg om niet onnodig in oorlog met haar schoondochter te geraken. Ze kende te veel huishoudens waar voortdurend gekibbel een wissel op alle gezinsleden trok.

Nee, ze behandelde Shilpa als een dochter, vertelde ze haar theevriendinnen vaak.

Ze adviseerde Shilpa in alles, in kleren, make-up, gedrag en recepten. Ze was lief en aardig tegen haar, maar tegelijkertijd heerste ze, met een scherp oog en ijzeren vuist, over Shilpa's verschijning, kleding en gedrag. Shilpa accepteerde het, al onderkende ze het wel. Ze wist hoe het elders tussen schoonmoeders en schoondochters toe kon gaan en dit was te prefereren.

Bovendien wist Shilpa dat de oudere mevrouw Gupta ook op leeftijd zou komen en dat te zijner tijd alles – de fabriek, het huis en alle bezit – aan haar zou toebehoren.

Beiden gewenden zich dus aan een breekbare verhouding, waarin voortdurend met een aaitje hier, een vriendelijk stootje daar en af en toe een kleine onenigheid of een glimlachje ter beloning het evenwicht diende te worden bewaard. Ze leerden elkaar begrijpen en hoewel de omzichtigheid bleef en altijd zou blijven, brachten ze de dagen vrij gemoedelijk samen door. Wanneer ze de mannen hadden uitgezwaaid, de werksters de deur uit waren en de maaltijd was bereid, nestelden ze zich voor de tv voor de herhalingen van de soaps op Star Plus. Tijdens de reclame dronken ze thee en roddelden ze.

Mevrouw Gupta had iets competitiefs. Ze wilde graag de beste zijn. Ze wilde een gavere huid, een schoner huis en mooiere kleren dan haar vriendinnen en familieleden. En door de voorheen passieve Shilpa te stimuleren aan zichzelf te blijven werken, gaf ze die rivaliteit door.

Het koppel moest iedere vrouw in de buurt overtreffen. Ze probeerden nieuwe recepten uit en lieten dan het eten in stalen etensdragers 'als gebaar' naar de buren brengen, waarna ze minzaam de complimenten in ontvangst namen. Onder het kijken naar *Kyonki Saas Bhi Kabhi Bahu Thi* probeerden ze nieuwe, zelfgemaakte gezichtsmaskers uit. Samen vroegen ze zich af wat mevrouw Sandhu gebruikte om zo'n glanzende huid te krijgen. Ze hielden hun buik strak met lange wandelingen en belandden dan uiteindelijk in een uitverkoop van Chinese spullen, waar ze leuke Chinese lampenkapjes kochten voor een exotisch aanzien van de woonkamer.

*

Vanochtend had Shilpa pasta gemaakt voor het ontbijt. Voor haar trouwen had ze vier maanden de cursus Europees koken van mevrouw Singh gevolgd. En ze had niets liever gewild dan de Gupta's met haar pasta te imponeren.

Iedereen had heerlijk gegeten.

En terwijl haar schoonmoeder een oogje hield op het meisje dat dagelijks kwam schoonmaken, had ze de tafel afgeruimd.

Meneer Gupta had op het laatste moment, vlak voordat hij naar de fabriek zou gaan, gezegd dat hij zich niet lekker voelde. 'Ik denk dat ik iets onder de leden heb,' had hij onzeker gezegd. 'Misschien dat griepvirus. Ik denk dat ik maar thuis blijf, vandaag.'

Zijn vrouw had niet al te blij gekeken. Eigenlijk had ze gekeken of ze hem niet helemaal geloofde, maar hij was het oogcontact uit de weg gegaan.

Mevrouw Gupta had een zucht geslaakt. Zijn aanwezigheid stond hun normale patroon in de weg, zo wist ze, maar er was niets aan te doen.

Daarna was de vrouw gearriveerd die de lunch en het diner klaarmaakte, afwaste en andere klusjes in de keuken deed. Mevrouw Gupta had haar naar de keuken vergezeld.

Intussen had Shilpa de bedden opgemaakt en afgestoft wat er in huis aan tere kristallen en porseleinen snuisterijen stond, waar geen van de dienstmeisjes aan mocht komen.

Toen had ze haar schoonvader thee gebracht op zijn slaapkamer en zich in haar eigen slaapkamer teruggetrokken. Ze had er opgeruimd en was daarna op bed gaan zitten om een berg kleren van haar man op te vouwen. Het liefst bracht ze haar tijd in de slaapkamer door. Het was er zo geriefelijk. Haar ouders hadden bepaald niet op de inrichting beknibbeld.

*

Terwijl zij Taruns Arrow overhemden uitzocht, had haar schoonmoeder een telefoontje van de dokter gehad met de uitslag van het onderzoek. Stralend van blijdschap was mevrouw Gupta naar boven gerend om haar schoondochter in te lichten.

Shilpa had het half en half verwacht, maar was toch verrast. Zij op haar beurt lachte haar schoonmoeder toe en de vrouwen omhelsden elkaar.

'Nu ga ik het Papaji vertellen,' zei mevrouw Gupta. Met een warme glimlach op haar gezicht gaf ze Shilpa een schouderklopje en zei: 'Later moeten we het er nog eens goed over hebben.'

Shilpa's bedeesde glimlach ging vergezeld van een blos toen ze zei: 'Goed, Mammaji.' Ze was wel blij dat ze het volgende stadium had bereikt in wat van haar werd verwacht.

Shilpa hoopte vurig dat het een zoon werd. Dat zou haar van een stevige basis in de familie verzekeren.

*

Toen mevrouw Gupta weer naar beneden ging om haar man, die inmiddels slaperig naar een programma op Zee TV zat te kijken, op de hoogte te brengen, begon Shilpa te mijmeren. Hoe gedroeg iemand zich die een kind verwachtte? Wat werd er van haar verwacht? Ze moest natuurlijk een speciaal dieet volgen, en elke dag een vrouw laten komen die zacht haar benen zou masseren. Dat wist ze allemaal wel, met zoveel nichten. Maar wat nog meer? Van huis uit kende ze *godbharai*. Ze vroeg zich af of ze hier een dergelijk feest hadden. Zo ja, dan kreeg ze nieuwe kleren, een paar sieradensets... het moest een jongetje worden... dat zou alles een stuk gemakkelijker maken... een dochter wilde ze niet...

Ze mijmerde verder terwijl haar handen behendig door de berg kleren van haar man gingen, maar toen hoorde ze een schreeuw beneden. Het klonk alsof het van ergens bij de voorpoort kwam. Shilpa stond op, liep naar het raam, duwde het met crèmekleurige kwastjes afgezette groene gordijn opzij en keek omlaag.

Bij de poort stond een lomp ogende vrouw met verwarde haren, die duidelijk tot een lagere stand behoorde. Ze had een goedkope paarse nylon sari aan met grote witte bloemen. Ze had wel wat weg van een dolle hond, zoals ze daar met rode, boze ogen vol onheil naar de ramen opkeek.

'Het is allemaal jullie schuld,' riep ze luid, heel luid. Haar lelijke kop was vertrokken van woede. 'Het is allemaal jullie schuld. Jullie hebben onze ellende op jullie geweten. Dachten jullie nu in vrede te kunnen leven?'

Shilpa snapte er niets van. Wie was die vrouw? Om niet te worden gezien bleef ze angstvallig door een kier tussen de gordijnen kijken.

Toen begon de vrouw ineens te vloeken en te tieren in termen die Shilpa óf nog nooit had gehoord óf die door de oudere vrouwen in haar familie slechts fluisterend ten voorbeeld werden gegeven van woorden die echt héél lelijk waren. Woorden die een braaf meisje nooit gebruikte. En die vrouw die daar voor de poort van haar schoonouders stond, schreeuwde ze, schreeuwde ze waar alle buren bij stonden.

Bang rende Shilpa naar beneden, waar meneer en mevrouw Gupta opgewonden en onzeker naast elkaar stonden. De chauffeur was er niet. De knecht was groente gaan kopen op de markt. Het schreeuwen werd gillen. De vrouw rammelde zelfs aan de poort. Er viel even een stilte, waarna een nieuwe scheldpartij volgde.

'De Gupta's, hè? Jullie voelen je heel wat, zeker? Stelletje armoedzaaiers. Net jakhalzen die aan kadavers zitten te vreten. Jullie zijn erger dan wij.'

'Doe er wat aan,' kermde mevrouw Gupta tegen haar man. 'Doe alsjeblieft wat. Ik wed dat de hele buurt staat te luisteren. Wie ís dat in hemelsnaam? Wat moet ze? Doe wat.'

Haar man ging naar buiten en schreeuwde van een veilige afstand terug: 'Hé, wie ben je? Ga weg. Ga weg.' Maar toen hij zag dat een groot deel van de buren op hun terras of balkon stond om geen woord te hoeven missen, blies hij de aftocht.

Kamla bleef schreeuwen. 'Moge God dat dikke huis van jullie in de fik steken en die dikke auto ook, met jullie erin. Mogen jullie vergaan van de dorst.'

Op het moment dat meneer Gupta weer binnenkwam, stond zijn vrouw, bij wie al het bloed uit het gezicht was weggetrokken, driftig het telefoonnummer van haar zoon op de fabriek te draaien. Ze kreeg de bezettoon.

'Jullie zoon is ook een schoft. En jullie kleinzoon, wordt dat ook zo'n beest? Zijn jullie wel mensen?'

Buiten schreeuwde de vrouw verder, onvast en hysterisch.

Shilpa's verbijstering veranderde in angst. Van de ene voet op de andere wippend keek ze naar haar schoonouders. Mevrouw Gupta, bijna in tranen, frummelde weer met de telefoon. 'Wie is het?' vroeg ze haar man. 'Al die onheilspellende dingen die ze zegt. Vandaag nog wel, net nu we goed nieuws hebben. We moeten een *havan* houden om het boze oog af te wenden. Blijf jij maar bij de deur en de ramen weg, Shilpa.'

Shilpa, bleek van schrik, knikte. Toen zei ze: 'Als u op de fabriek geen gehoor krijgt, kunt u Tarun ook op zijn mobieltje bellen.'

'Ja, natuurlijk. Waarom heb ik daar niet aan gedacht,' zei mevrouw Gupta, terwijl ze snel het nummer draaide.

Meneer Gupta zag zijn vrouw met tranen in haar ogen hun zoon op de hoogte brengen. Toen zweeg ze even om, voortdurend knikkend, aandachtig te luisteren naar wat haar zoon aan de andere kant van de lijn te vertellen had. Toen ze de hoorn had neergelegd en zich tot haar man wendde, leek ze nauwelijks opgelucht. 'Tarun zegt dat we allemaal binnen moeten blijven,' zei ze met trillende stem en buiten adem. 'Hij zegt dat die vrouw gewelddadig kan worden. Dat het een gek kan zijn. Hij zei dat we de politie moesten bellen. Hij kent iemand op het bureau. Hij zei dat hij naar huis kwam.'

De instructies van hun zoon werden rap uitgevoerd. De politie werd gebeld en muisstil gingen ze in de kamer bij elkaar zitten.

Ondertussen slingerde de vrouw ze de hele tijd verwijten toe, afgewisseld met beschimpingen en vuile taal.

Ongeveer tien minuten later kwam een politiejeep aanrijden. Bruusk werd Kamla door twee mannen geboeid en in de jeep geduwd. Net toen ze met haar weg wilden rijden, kwam een bezorgd uitziende, maar verder kalme Tarun met een noodgang in zijn nieuwe, witte Opel Astra van de fabriek terug. Hij gaf de agenten een hand, bedankte ze en om zijn waardering voor hun snelle reactie tot uitdrukking te brengen overhandigde hij ze elk vijfhonderd roepie. Na verloop van tijd reed de jeep weg en slaakte het gezin collectief een zucht van verlichting. Ze gingen de kamer in en toen de knecht terugkwam met een tas groente, keken ze hem verontwaardigd aan, alsof het zijn schuld was dat hij weg was geweest. Ze zeiden echter niets, maar gaven hem opdracht thee te zetten.

'Stel je voor!' zei een nerveus ogende Shilpa, die in haar verbeelding de baby al zat te wiegen. 'Hoe kan ze nou zulke afschuwelijke dingen over je zeggen,' zei ze tegen haar man. 'Niemand is zo lief, zo aardig als jij.'

Tarun lachte haar vriendelijk toe. Pas toen de thee er was en ze vredig van het geurige brouwsel in de prachtige porseleinen kopjes nipten, kwamen ze tot bedaren.

Toen kreeg Tarun het goede nieuws te horen dat hij vader werd. Glimlachend keek hij Shilpa aan, die bloosde.

Tarun besloot de rest van de dag vrij te nemen en, weer alleen met Shilpa, draaide hij zich naar haar toe.

'Je hoeft je echt geen zorgen te maken,' zei hij. De schrik op haar gezicht gaf hem een afschuwelijk gevoel. Wat had ze toch een goed hart, dacht hij teder. Waarom moest die vreselijke vrouw, wie ze ook was, nu net vandaag komen? Met zijn ene hand streelde hij Shilpa's gezicht en met de andere tilde hij haar kin op. 'Ik zal nooit toelaten dat iemand je pijn doet. Je bent veilig bij me. Stress is slecht voor jou en de baby,' zei hij glimlachend. 'Zal je niet meer denken aan wat er vandaag is gebeurd?'

Verdrietig glimlachend knikte Shilpa. Haar angst verdween als sneeuw voor de zon en ze schonk hem een lieve glimlach. 'Ik had me geen betere man kunnen wensen,' zei ze.

Die avond nam hij haar mee uit eten in een nieuw Chinees restaurant met een chefkok uit een dorp op vijftig kilometer van Amritsar. Ze droeg haar blauwe sari met de rand van dansende pauwen, de eerste sari die ze van haar schoonmoeder had gekregen.

Tijdens het eten wilde Tarun nog wel even horen dat zijn vrouw als huisvrouw en schoondochter niet te veel te verstouwen had. Het nare voorval van die middag was inmiddels volledig uit hun gedachten.

Terwijl zij in het restaurant zaten, werd Kamla verkracht door de beide agenten die haar hadden opgebracht. De ene was getrouwd en ging daarna naar huis, naar zijn vrouw, en de andere bleef met een fles goedkope rum en filmliedjes op de radio achter in de hoop het 's ochtends, voordat ze weg mocht, nog een keer met haar te kunnen doen.

De volgende ochtend kwam Kamla wankelend naar buiten en ging naar huis. Chander wachtte haar op.

'Zover is het dus al gekomen,' zei hij, terwijl hij haar, zelf met tranen in zijn bloeddoorlopen ogen, hard in het gezicht sloeg. 'Nu blijf je de hele nacht dronken weg. God mag weten waar je was. Als je nog een beetje schaamte kende, maakte je er gewoon zelf een eind aan.'

Dit gezegd hebbende ging hij weg. Onder zijn ogen, die er tegelijkertijd zwak, broos en berustend uitzagen, had hij donkere kringen. Ook Kamla had donkere kringen onder haar ogen, maar haar ogen stonden leeg en hol.

4

Het was in Amritsar die meimaand nog niet zo warm geweest als die ochtend. Van alle energie beroofd door de drukkende hitte liep Ramchand naar de zaak. Hij had zijn snor weer laten staan. Hij was tot de slotsom gekomen dat hij er zonder snor te sportief uitzag. Met snor toonde hij aardig en bescheiden.

De warmte had hem de eetlust ontnomen en hij was nog magerder dan in de winter.

Lusteloos begon hij aan zijn werkdag. Om twaalf uur kwam Mahajan witheet van woede boven. Chander was nog niet op komen dagen. Weer niet! Wat voor winkel was dit nou? Zo kon je toch geen bedrijf leiden? Een ander had Chander allang ontslagen! Ramchand moest er onmiddellijk heen en hem naar de winkel sleuren, ongeacht de toestand waarin hij verkeerde.

Ramchand hoorde Mahajans tirade eerbiedig aan, maar inwendig kreunde hij bij de gedachte in de hitte dat hele eind naar Chander te moeten lopen. Hij vroeg zich af of hij een smoes moest bedenken, maar gezien de toestand waarin Mahajan verkeerde, nam hij de gok maar niet. Mokkend sjokte hij de trap af. Toen hij buiten kwam, sloeg de hitte hem met volle kracht in het gezicht.

Hij herinnerde zich de laatste keer bij Chander. Hij hoopte hem niet nog een keer dronken aan te treffen. Ramchand was razend. Wat een stomkop, die Mahajan! Die kon toch niet van hem verwachten dat hij een dronken Chander naar de winkel sleurde? Maar Mahajan nul op het rekest geven ging ook niet. Met tegenzin sleepte Ramchand zich naar het huis van Chander.

De zon brandde op hem in, zijn gezicht droop van het zweet en zijn overhemd werd nat en bleef aan zijn rug en zijn borst plakken. Voor de kraam van de halwai kropen de vliegen over de grond. Elke keer dat hij een theestalletje passeerde, kwam er weer een golf warmte op hem af.

Met een kurkdroge keel sleepte hij zich voort door het stof. Hij was de dag al moe begonnen. Zijn hospes had een paar weken geleden een nieuwe wasmachine gekocht en Sudha deed nu op de raarste uren de was. Het was een lawaaiige machine en niet zo'n nieuw, gestroomlijnd, bijna geluidloos model. Vaak maakte de machine Ramchand om zes uur 's ochtends wakker. Dat was vanmorgen ook gebeurd.

Naarmate de buurten waar hij doorheen kwam armer en viezer werden, werden de winkels kleiner en minder poenerig dan in de hoofdbazaar. Maar ze hadden wel allemaal een bord en, zorgvuldig voor zichzelf articulerend, las Ramchand ze stuk voor stuk hardop. 'Automobielbedrijf Pappu', 'Apotheek Deepak', 'Durga Elektra', 'Bruiloftsorkest Jhimil'... Ramchand las inmiddels heel vlot, zonder bij elke letter te haperen. De afgelopen vijf maanden was hij ijverig met spellen en lezen bezig gebleven. Nog steeds lagen zijn boeken, schrift en woordenboek op tafel, nog verfomfaaider dan in de winter. De pot koningsblauwe Camlin inkt was kapotgegaan en er was een pot permanentzwarte Chelpark voor in de plaats gekomen. Toegegeven, het tempo was na het enthousiaste begin wat gezakt, maar hij had het er niet bij laten zitten. Beetje bij beetje had hij het geheim van het woord ontrafeld. Ook nu nog wist hij van veel moeilijke woorden de betekenis niet, maar hij liet de hoop niet varen.

De woorden met een a in het woordenboek had hij gehad. Het had hem veel meer tijd gekost dan verwacht, vijf hele maanden, maar hij had niet opgegeven. Het laatste woord had hem zowel opgelucht als in een feeststemming gebracht. *Azure*. Azuur. Dat betekende 'hemelsblauwe kleur' en 'hemelgewelf'. Hij had drie dagen vrij genomen en gisteren was hij met de b begonnen en aan de slag gegaan met '*babble*', '*babe*' en '*baboon*'.

Hij las geregeld in de opstellenbundel, maar minder vaak in *De complete brievenschrijver*, want daar begon hij steeds minder van te begrijpen. Hij had nog twee boeken gekocht, waar hij ook regelmatig in las, al pleegde de warmte nu zo'n aanslag op zijn hersens dat hij nauwelijks helder kon denken. Na het getsjak-tsjak van Mahajan de hele dag had hij maar zelden de kracht om na sluitingstijd nog een boek in te kijken. Hij had ook zijn kamer nog niet geschilderd. Maar hij was blij toen hij weer een bord kon oplezen: 'Mahesh Kyriana Store'. Iets had hij in ieder geval weten vol te houden.

*

De twee boeken die Ramchand de afgelopen vijf maanden had gekocht, hadden hem flink beziggehouden.

Nadat hij op een dag in *Schitterende opstellen* 'Pandit Jawaharlal Nehru (Onze geliefde leider)' had gelezen, had hij zich gerealiseerd dat *De complete brievenschrijver* en *Schitterende opstellen* toch wel wat afgezaagd werden. Hij was nog eens naar de stalletjes met tweedehands boeken getogen om te kijken of er iets anders voor hem bij zat. Het eerste boek dat hij in het vizier had gekregen had er veelbelovend uitgezien en bijna had hij het meteen gekocht. *Verbeter uw Engels* heette het, en het was van ene dr. Ajay Rai.

Op de omslag stond iets over de inhoud. Vol verwachting las Ramchand het. Er stond:

Het belang van het Engels is algemeen aanvaard. Dat geldt des te meer voor het belang van goed Engels.

Goede kennis van het Engels en het vermogen om er adequaat gebruik van te maken openen de poort naar een succesvolle loopbaan, alsmede naar een toonaangevende positie in de maatschappij.

Aangezien bijna 90 procent van de in computers opgeslagen informatie in het Engels is, is succesvolle omgang met computers nauw verbonden met succesvol gebruik van het Engels.

Hier aangekomen las Ramchand niet verder. Om te beginnen vond hij het taalgebruik wat omslachtig. En dat plotseling ook computers een plaats moesten krijgen in zijn toch al gecompliceerde pogingen om iets te leren, schrok hem af.

Zijn bange vermoedens werden bevestigd toen hij het boek doorbladerde. Dit boek was te moeilijk voor hem, in dit stadium tenminste. Het bestond uit stukjes tekst die men nauwkeurig diende te lezen. En elk stukje werd gevolgd door twee opdrachten: *beantwoord de volgende vragen* en *corrigeer en voorzie van interpunctie*.

Een beetje moedeloos legde Ramchand het boek op de toonbank terug. Hij vond de stukjes op het eerste gezicht moeilijk te begrijpen en van 'interpunctie' wist hij niet eens wat het betekende. Hij was nog niet bij de i in het woordenboek. Misschien, als hij wat bedrevener was, kwam er een dag dat hij zo'n boek kon kopen...

Ramchand richtte zijn aandacht op de andere boeken.

Er lag er een waar hij zeker niet veel voor zou hoeven betalen, een verbleekt boek dat *Citaten voor elke gelegenheid* heette. Ramchand had geen idee wat citaten waren, maar op het omslag stond dat het wijze of scherpzinnige dingen waren, die belangrijke mensen hadden gezegd. Van 'scherpzinnig' had hij ook nog nooit gehoord, maar wat wijsheid kon hij vast wel gebruiken. Een ander voordeel van het boek was dat de citaten heel kort waren. Om met het boek aan de slag te gaan, hoefde hij geen hele zondag of avond uit te trekken. Het kon tussendoor, wanneer hij even niets te doen had, en wanneer hij wachtte tot de rijst gaar was of waswater warmde, kon hij minstens één citaat lezen. Ramchand sjacherde totdat hij het boek voor twintig roepie mee mocht nemen en kocht het in de overtuiging dat hij nu de lege momenten kon vullen met wijsheid en scherpzinnigheid, twee zaken waarvan hij zeker wist dat ze begerenswaardig waren.

De citaten stonden alfabetisch gerangschikt. Vooraan in het boek stonden citaten over '*ability*'. Even verderop stonden er een paar over '*adversity*'. Zo ging het verder met wat belangrijke mensen hadden gevonden van en gedacht over van alles en nog wat, via '*flattery*' en '*literature*', '*tact*', en daarna '*youth*' en '*Yukon*' om ten slotte uit te komen op '*zeal*'.

De citaten riepen gemengde, maar gepassioneerde reacties bij Ramchand op. Sommige begreep hij gewoon niet en die sloeg hij over. Soms, als een bepaald onderwerp hem helemaal boven de pet ging of hem niet interesseerde, sloeg hij een heel trefwoord over.

Met sommige citaten was hij het van ganser harte eens en met andere hartgrondig oneens. Bij het doorlezen van '*ability*' – 'bekwaamheid' – was hij diep onder de indruk van: 'Bekwaamheid betekent weinig zonder een gunstige gelegenheid – Napoleon.'

Wat school daar veel waarheid in, dacht Ramchand verdrietig, terwijl hij zich tegelijkertijd afvroeg wie Napoleon was. Misschien een buitenlandse dichter. Hij had gelijk! Als zijn ouders niet waren gestorven, zou hij, Ramchand, naar een English-medium school gegaan zijn.

Met enige twijfel las hij een idee dat aan ene Aughey werd toegeschreven.

Aughey, wie dat ook mocht zijn, had iets over '*adversity*'

geschreven. Ramchand zocht het op in het woordenboek. Het betekende 'tegenslag'. Hoofdschuddend zocht Ramchand 'tegenslag' op. Het betekende 'pech'. Ramchand slaakte een zucht en las het citaat: 'God leidt de mens niet naar diepe wateren om hem te verdrinken, maar om hem te zuiveren.'

Ramchand snoof. Ja, dacht hij smalend, en soms laat hij ze in diepe wateren liggen tot hun huid gerimpeld is als de handen van een wasvrouw en ze niets meer voor zichzelf of een ander kunnen betekenen.

De citaten onder de kop 'Amerika' sloeg Ramchand allemaal over.

De waarde van de meeste citaten onder '*borrowing*' – 'lenen' – zag hij in. 'Schuld is een peilloze diepte,' had ene Carlyle gezegd. En was dat niet wat zijn vader altijd tegen zijn moeder had gezegd als ze krap bij kas zaten? 'Maak je geen zorgen,' zei hij dan tegen zijn bezorgde echtgenote. 'We redden het wel met wat we hebben. Maar lenen doe ik niet. Als je er eenmaal mee begint, komt er geen einde aan. Dan wordt het leven een hel.'

En ook van Gokul kwamen die geluiden over geld lenen. 'Het is een bodemloze put, Ramchand. Zorg dat je er niet in valt. Maak dat je uitkomt met wat je hebt. Zet de tering naar de nering. Als een geldschieter je eenmaal in zijn klauwen heeft...' Gokul had zijn hoofd geschud. 'Maar ook als je van een vriend of van familie leent, blijft de druk bestaan. Je kunt beter rust in je hart hebben in oude kleren en met één maaltijd per dag dan op geleend geld leven.'

Tegen februari, na '*capital and labour*' – 'kapitaal en arbeid' – te hebben overgeslagen en vol verbazing over de flauwekul die onder het kopje '*cats*' – 'katten' – stond, was Ramchand al bij '*darkness*' – 'duisternis'.

'Er is geen ruimte om een kat rond te zwaaien – Smollett, *Humphrey Clinker.*'

'Een kat kan een koning in de ogen zien – John Heywood.'

Ramchand was niet erg onder de indruk van wat belangrijke mensen over katten hadden gezegd.

In april kocht Ramchand nog een boek.

Het was niet zijn bedoeling geweest. Hij had gewoon bij een stalletje gekeken wat er lag, maar anders dan bij andere boeken was hij hier verliefd op geworden. *Wetenschappelijk handboek voor kinderen* heette het. Het was een klein boek van hoogglanspapier. Er stonden kleurenfoto's en hele mooie illustraties in, en een voor Ramchand haast verpletterende hoeveelheid kennis.

Hij vroeg hoeveel het kostte. Het ging weg voor honderdvijftig roepie. Hij was ontzet. Het was een enorm bedrag voor maar één boek, maar de handelaar zei dat het geïmporteerd was en dat er geen roepie vanaf kon. Door zijn uiterste best te doen met afdingen wist Ramchand de prijs tot slechts honderdtwintig roepie omlaag te brengen. Maar hij kon beslist niet zonder dat boek naar huis. Bovendien had hij *Citaten voor elke gelegenheid* al zo'n twee maanden geleden gekocht. Het kon er nu best wel vanaf. Zonder er verder nog over na te denken kocht hij het.

's Ochtends voor zijn werk moest hij zich ervan losscheuren, zo'n geweldig boeiend boek was het. En als hij 's avonds thuiskwam, was het het eerste wat hij weer oppakte. Zelfs zijn aandacht voor Sudha leed een beetje onder die voor het *Wetenschappelijk handboek voor kinderen*.

Er stonden foto's in van sterren en planeten, van machines en het inwendige van het menselijk lichaam. Er werd in uitgelegd, in termen die Ramchand nu begreep, hoe elektriciteit werd opgewekt, hoe de remmen van een auto werkten, waarom een heteluchtballon opsteeg, waarom er een gat in een gitaar zat en waarom er een regenboog in de lucht kwam. Er werd in uitgelegd hoe een pinguïn, een vogel die Ramchand nog nooit had gezien en waarvan hij nog nooit had gehoord, bij het zwemmen gebruikmaakte van de golfbewegingen. Vol verbazing staarde Ramchand naar de pinguïns op de bijbehorende foto. Ze leken op de obers met strikje en zwart pak die op de bruiloft van Rina Kapoor plechtig het eten hadden opgediend.

In het boek werd ook uitgelegd waarom een diamant schitterde en tot Ramchands verrassing stond er ook in dat het menselijk lichaam zeshonderdveertig spieren bevatte en dat de mens alles op aarde zo snel opmaakte dat er binnenkort niets meer over was als hij in dat tempo doorging.

Ramchand gaf het zichzelf niet graag toe, maar van alle boeken die hij bezat, was dit hem het liefst.

Als hij erin had gelezen en het boven op de snelgroeiende stapel van nu wel vijf boeken legde, begon de trots van de echte boekenverzamelaar zich al te roeren in zijn binnenste.

Inmiddels had hij een oogje op de *Beknopte wereldgeschiedenis voor de jeugd*, maar omdat dat honderd roepie moest kosten, vond hij dat de aanschaf daarvan beter kon wachten tot augustus. Hij hoopte maar dat het in de tussentijd niet werd verkocht.

*

Nu Ramchand naar Chander wandelde, voelde hij tevredenheid opborrelen over het feit dat hij zonder één keer te haperen het ene bord na het andere kon lezen. 'Fanfareorkest Sunder Ram', 'Sukhvinder IJzerwaren', 'Warenhuis Shiv Shankar'...

Maar al ver voor de buurt waar Chander woonde verdwenen de borden geleidelijk. Er stonden alleen maar huisjes, eerder keetjes, en donkere, benauwde, armzalige winkeltjes. Het had er al erg uitgezien toen hij er de eerste keer liep, maar dat was in de winter geweest. De zomer leek het nog veel erger te maken. Het stonk overal, de goten lagen vol rottende vuiligheid, en in de hitte was het stof nog slechter te verdragen.

Toen Ramchand de Hanuman-tempel bereikte, leek het of hij een eeuwigheid had gelopen. Hij sloeg af. In de lange rij brokkelende muren was een nis, waar de kraan van de gemeente stond.

Twee vrouwen stonden zwaaiend met hun armen bij de kraan te kijven. Ramchand kon er niet langs omdat andere vrouwen en kinderen, die de ruzie belangstellend volgden, de doorgang blokkeerden.

'Die kraan is toch niet van je vader?' gilde de ene vrouw. 'Wij kunnen niet drinken of koken en kijk die *maharani* nou! Die staat haar prinsje te wassen.'

Tussen de twee vrouwen stond een mager, naakt jongetje van een jaar of vijf, zes. Hij was helemaal ingezeept, zijn knokige knieën en korstige voeten incluis. Zelfs zijn kruin zat onder het schuim en alleen op zijn gezicht zat geen zeep. Hij zag er erbarmelijk uit.

Om te voorkomen dat hij wegrende, hield zijn moeder hem bij zijn schouder vast.

'Misschien heb jij er geen probleem mee dat je kinderen een kop vol luizen en pikzwarte knieën hebben, maar we zijn niet allemaal zo!' gilde de moeder van het jongetje op haar beurt.

De andere vrouw hield de kraan in een ijzeren greep. 'Doe nou niet of je net zo schoon bent als een brahmaan of zo! Jij gooit je troep zo op straat!' riep ze terug.

'Wat moet ik anders? Ik ben niet zo intiem met de winkeliers dat ik een gratis plastic vuilnisbak krijg.'

'Kreng!' gilde de ander. 'Wat wil je daarmee zeggen?'

'Alleen dat ik best wel weet wat er gaande is als je man zijn bananen loopt te verkopen! Breek me de bek niet open.'

De vrouwen gilden zich nu de longen uit het lijf.

'Mijn man zoekt het tenminste niet bij een andere vrouw. Ik weet ook het nodige over hoe het er bij jou thuis toegaat, dus hou die vuile taal maar voor je.'

Het kind zag er nog erbarmelijker uit. Om te beginnen had hij al niet gewassen willen worden. De zeep op zijn huid was aan het opdrogen. Zijn haar kwam in punten te staan en hij kreeg overal jeuk. Het was zo warm dat hij stond te zweten onder de zeeplaag. Het zweet en de opdrogende zeep maakten dat hij zich ellendig voelde, maar zijn moeder had zijn schouder nog net zo stevig beet als de andere vrouw de kraan. Enkele kinderen in de menigte lachten hem uit. Hij keek hen woest aan.

Later op de dag zou er op straat nog meer worden geruzied.

Ramchand, die klem stond in de dringende horde vrouwen en kinderen, werd alle kanten op geduwd en moest enorm zijn best doen om zich uit de menigte te wurmen.

Hij was opgelucht toen hij bij Chander voor de deur stond. Lusteloos klopte hij aan. Er kwam geen antwoord. Hij klopte weer, harder nu. Stilte. Zachtjes duwde Ramchand tegen de deur. Toen hij niemand iets hoorde zeggen, vatte hij de moed om de deur open te doen. Eerst dacht hij dat er niemand was. Maar meteen daarop zag hij haar in de hoek tegen de muur zitten, stil, met gebogen hoofd en in haar hand de halfvolle fles rum die Chander had laten staan toen hij driftig het huis uit was gebeend.

Ramchand, geschokt door de aanblik van een vrouw met een fles in haar hand, sloop behoedzaam naar Kamla toe. Het was voor het eerst dat hij een vrouw zag drinken. Hij wilde haar aanspreken en deed zijn mond al open, maar hield zich in. Het leek stom om haar 'bhabhi' te noemen. Een bhabhi was een beschaafde vrouw van wie je thee kreeg, aan wie je je soms ergerde omdat ze het over niets anders had dan haar kinderen en die soms met een pesterige glimlach vroeg wanneer je dacht te gaan trouwen. Dit straalbezopen schepsel dat met lege ogen naar de muur staarde – hoe moest hij dat aanspreken? Maar bij het zien van haar onverzorgde verschijning, haar betraande wangen en strakke gezicht, kwam hij tot de conclusie dat ze geen blije dronk had. Hij boog zich over haar heen en legde zijn arm licht op haar schouder. Hij schudde haar zachtjes door elkaar. Geen reactie. Het waren de ogen van een dode vrouw die in het niets staarden. Even raakte Ramchand in paniek. Was ze dood? Toch hoorde hij haar ademen. Hij schudde haar weer zachtjes door elkaar.

De herinnering aan de keer dat Chander haar had geslagen en hij haar als een zielig hoopje mens had achtergelaten, kwam sterk naar boven en daarmee stak zijn schuldgevoel opnieuw de kop op. Het beeld had dikwijls in zijn gedachten gespookt, maar steeds had hij het naar de verste uithoeken van zijn geest verdrongen. Een vaag, maar aanhoudend schuldgevoel, een gevoel dat hij zelfs zichzelf niet had toegegeven, was echter gebleven.

En daarom raapte hij al zijn moed bijeen en hurkte hij naast haar neer. Toen vroeg hij zacht, met trillende stem: 'Wat is er? Bent u ziek?'

Ze bleef voor zich uit staren. Ramchand voelde zich opgelaten, zo naast een vrouw die hij niet kende. Stel dat Chander terugkwam en hem zag? Wat zou Chander daarvan denken? Maar iets in Kamla's gezicht hield hem vast. Hij zweeg. Minuten gingen voorbij. Er hing een afwachtende stilte. Het werd warmer in de kamer en Ramchand was kletsnat van het zweet. Maar hij wist dat hij niet weg mocht, dat hij hier nodig was, en bleef zitten. Ontzetting bouwde zich in hem op. Hij kon niet weg en hij kon ook niet blijven. Maar hij hield vol.

De grafsfeer in het huis kreeg met zijn gierenklauwen greep op Ramchand. De drukte op straat, de bezige stad, ze leken ver weg. Het huis was een wereld apart, waar je de wanhoop, de ongezegde woorden en ongeplengde tranen in de lucht voelde hangen. Het was of je een reis in het duister maakte en het hart ervan bereikte. Ramchand hield op met denken. Zijn lichaam hield op met bewegen. Hij wachtte af.

Na een tijdje bewoog ze licht en ergens in haar lichaam kraakte een bot.

Verrast over zijn eigen durf begon Ramchand weer te praten: 'Zeg maar wat er mis is. Misschien kan ik helpen.' Al op het moment dat het eruit kwam, hoopte hij dat ze niets zou zeggen en doodstil zou blijven zitten, zodat hij na een tijdje met een rein geweten weg kon glippen. Maar hij had het nog niet gezegd of de vrouw kwam tot leven.

En ze reageerde. Langzaam draaide ze, zonder enig ander deel van haar lichaam te bewegen, haar hoofd en keek hem aan.

Haar ogen leken een donkere dubbele tunnel naar nergens.

Haar starre blik deed Ramchand terugdeinzen.

Maar wegkijken kon hij niet. Iets in haar gezicht hield hem vastgenageld. Hij bleef zwijgen.

Haar kurkdroge lippen trilden, maar er kwam geen geluid uit haar mond. Hij zag opgedroogd braaksel op haar kin. Ze droeg een goedkope, paarse nylon sari met grote, witte bloemen. De pallu zat een beetje scheef. Ook zag Ramchand wat klonterig, opgedroogd braaksel op haar blouse. Ze had donshaar op haar onderarmen en over de binnenkant van haar linkerelleboog liep een lang, oud litteken.

Ten slotte sprak ze. Haar krakende stem kwam van ver.

'Helpen?' vroeg ze, bijna zonder het woord met haar lippen te vormen.

Op dat moment zag hij bij beide mondhoeken een snee, een scherp afgetekende, naar buiten wijzende snijwond, zodat ze een heel klein beetje leek te glimlachen.

Toen begonnen haar dode ogen vuur te schieten. Ze trok haar bovenlip op, als een grauwend beest. Vol afschuw keek Ramchand toe. En plotseling barstte ze los en snauwde: 'Hélpen? Je wilt me hélpen?'

Ramchand was bang. Het liefst was hij opgesprongen en gevlucht. Maar dat kon hij niet. Hij was niet meer bij machte ook maar één spier in zijn lijf te bewegen.

De pikzwarte ogen, de beide bodemloze putten, pinden hem vast waar hij zat.

In een angstig stilzwijgen hield hij, steunend op zijn ene hand, zijn ogen op haar gericht.

Weer sprak ze, met de kaken op elkaar geklemd. 'Wat zou je kunnen doen? Zeg dan, wat zou je kunnen doen?'

De vraag werd een schreeuw. 'Wat zou je kunnen doe-oen?' jammerde ze.

Ramchand was nu doodsbang. Hij wist niet wat hij hiermee aan moest. Zijn hart ging sneller kloppen. Waarom, waarom toch kon hij niet overeind komen en vluchten? Wegvluchten van die vrouw en van de afgrijselijke duisternis in haar ogen. En van die vreemde, smerige geuren om haar heen.

Maar hij kon het niet. Ze had hem verlamd. Haar lichaam, haar houding, de manier waarop ze tegen de muur hing, dat alles deed denken aan een beest dat op sterven na dood was.

'Je wilt me helpen? Zal ik je vertellen wat ze met me hebben gedaan?' zei ze, met een stem die beefde van de zenuwen. Alcohol walmde in zijn gezicht. 'Zal ik het zeggen? Denk je dat ze me alleen maar hebben verkracht? En me toen gewoon hebben laten gaan? Moet je dat zien.' Ze wees naar haar schoot.

Niet-begrijpend keek Ramchand naar haar schoot.

Toen kwam langzaam het afgrijzen. Een afgrijzen dat hij nooit had gedacht te kunnen voelen. Hij zag dat een groot deel van de witte bloemen op de paarse sari onder haar heupen niet wit waren. Ze waren roestrood. Opgedroogd-bloedrood.

Ineens viel alles op zijn plek en zag Ramchand het verband tussen haar woorden, haar ogen en de roestrode bloemen. Hij begon hevig te beven.

'Je dacht zeker dat alleen me verkrachten wel genoeg voor ze was, hè? Maar die tweede... met een *lathi* deed hij dit... omdat ik hem in zijn buik trapte.' Bij het laatste verscheen er een spoor van tevredenheid op haar gezicht, en het begin van een wrange glimlach.

Ramchand was diep geschokt. Als wormen kropen haar woorden zijn oren in en nestelden zich in zijn hoofd.

De palm van zijn rechterhand, die waar hij op steunde, voelde gespannen, en de pols deed pijn, maar hij kon zich niet bewegen. Die afschuwelijke grijns was verdwenen nog voor hij voltooid was en nu snikte ze onbeheerst.

'Met een lathi,' herhaalde ze. Toen bracht ze de fles naar haar mond en dronk.

En op dat moment voelde Ramchand de nattigheid aan de hand waar hij nog op steunde. Hij verroerde zich niet, bewoog zijn ogen zelfs niet. Paniek. Waren het wel oude bloedvlekken op haar sari? Bloedde ze nog? Hij zat ontzettend dicht bij haar. Lag er een plas bloed om haar heen, die hij niet had gezien? Werd zijn hand nat van haar bloed? Hij was misselijk van ontzetting. Hij beefde nu hevig en was niet meer in staat logisch te denken of te handelen. Hij werd zich er vaag van bewust dat zijn gezicht nat was, het kon niet anders of hij huilde.

Toen gingen zijn ogen langzaam naar zijn hand. De vingers waren strak gespannen, de knokkels zagen wit. Hij tilde zijn hand voor zijn gezicht.

Het was gewoon rum die uit de fles was gelopen. Hij bekeek zijn hand goed, van voor en van achter.

Enkel rum. Geen bloed.

'Wil je me nu nog helpen?' schreeuwde ze nog.

Nu hoorde Ramchand zichzelf luid grienen. Hij wist overeind te komen en rende de deur uit en verder, zo hard als hij kon in de drukke straten, en hij stopte pas toen hij zijn veilige, rottige kamertje had bereikt.

5

Die week kwam ook de roman van Rina Kapoor uit.

Als ze een alledaags, ongetrouwd meisje van gewone komaf was geweest, was er niet veel ruchtbaarheid aan gegeven in Amritsar, een stad met veel geld maar slechts één echte boekhandel. Maar aangezien Rina onlangs was getrouwd, geld had, glanzend gepermanent haar had en de aandacht van Amritsars elite opzocht, gold dat niet voor haar. Het boek kreeg een grootse presentatie in Delhi. Er waren persconferenties en interviews in tijdschriften.

Bij de komst van zijn dochter naar Amritsar gaf Ravinder Kapoor een groot feest, waarvoor hij vooraanstaande fabrikanten, ambtenaren en zelfs de regeringsvertegenwoordiger van het district uitnodigde. Rina nodigde al haar kennissen van het college uit, zowel docenten als studenten.

Op het feest werden allerhande, door een kok uit Delhi bereide heerlijkheden geserveerd, alsmede buitenlandse kazen en bonbons. Rina droeg een sari van ragfijne zwarte chiffon, die flonkerde van de zilveren pailletten. Haar man, in blauwe blazer en recht van lijf en leden, zag er knap uit – een waar krijgsman.

Iedereen vond het een markant stel.

Met afgunst in het hart bezagen de jonge, knappe getrouwde vrouwen de volgende dag haar foto in de *Amritsar Newsline*.

De kiem van Rina's roman was uiteindelijk gelegd op

haar huwelijksdag, toen ze haar sari-wala tussen de bewakers met bevende stem had horen jokken dat zij hem op haar feest had uitgenodigd. Wat had ze daar naderhand met Tina om gelachen! En daarna was ze nieuwsgierig geworden en over hem gaan nadenken. Ze was zelfs naar hem toe gegaan, had met hem gesproken om haar plotse ingeving een gezicht te kunnen geven. Al tijdens de huwelijksreis was ze aan de eerste kladversie begonnen, en na op de kop af vijf maanden had ze het boek af.

De roman ging over een winkelbediende in een sariwinkel. De hoofdpersoon heette Sitaram. Het was een grappige, bijgelovige, slimme, sympathieke knul. Andere karakters in het boek waren een sadhu die wonderen verrichtte, een dolle hond en een kleptomane van middelbare leeftijd.

Ook kwam er een heel mooi dorpsmeisje in voor, op wie Sitaram verliefd was. Ze had amandelvormige, met kohl omlijnde ogen en droeg jasmijnbloesem in haar haren. Ze had een zwierige gang en een betoverende glimlach, en ze moest om Sitaram lachen, al vond ze hem wel schattig.

Slechts de hulp van de oude sadhu met zijn toverkruiden stelde Sitaram in staat haar het hof te maken en uiteindelijk voor zich te winnen.

Het was een knap geschreven boek met een goed begin, een goed einde en naadloos aaneengesloten hoofdstukken. Er zat behoorlijk wat humor in. Het kreeg goede recensies. Mevrouw Sachdeva las er veel in de kranten en de weekbladen. De mooiste knipte ze uit en prikte ze trots op het mededelingenbord van de Engelse afdeling. Bewonderend dromden de studenten voor het mededelingenbord samen.

*

Een politieagent is een uiterst nuttige en belangrijke ambtenaar, las Ramchand met pijn in het hart. *Hij heeft een zware taak. De ene keer werkt hij overdag en de andere keer patrouilleert hij 's nachts. Hij waakt over ons leven en ons bezit. Hij assisteert bij de opsporing van wetsovertreders en verbaliseert ze. Ook laat een verkeersagent het verkeer ordelijk en soepel verlopen.*

Zijn werkdag begint met een ochtendparade van de politiemacht. Die stelt hem in staat lichamelijk fit te blijven. Hij draagt een kaki uniform en een blauw met rode tulband. De politie-uniformen zijn in bijna alle deelstaten ongeveer hetzelfde. Een agent heeft altijd gepoetste schoenen. Hij kan beschikken over een goedgebouwd lichaam. Hij is heel groot. Hij draagt een leren riem om zijn middel met daarop zijn nummer en district. Hij draagt een dikke stok die baton wordt genoemd.

Ramchand moest zich inspannen om zijn woordenboek te pakken. Zijn leden voelden loodzwaar. Automatisch zocht hij op wat het betekende.

'Baton', de meest waarschijnlijke betekenis was: 'knuppel van een politieagent'.

'Knuppel', 'korte, dikke stok, geschikt om mee te slaan'.

Het is gewoon een lathi, dacht Ramchand vermoeid. De opwinding die hij doorgaans voelde als hij na een lange zoektocht in het doolhof van het woordenboek de betekenis van een woord had gevonden voelde hij ditmaal niet. Gewoon een lathi. Alleen maar kille zekerheid. Hij deed het met een lathi, zei de gekwelde stem in zijn hoofd.

Hij rook de geur van oude bakolie en opgedroogd braaksel weer.

Buiten kraste een kraai. Ramchand keek ernaar. De kraai zat op zijn vensterbank. Hij had heel kleine ogen. Toen Ramchand bewoog, vloog de kraai geschrokken krassend weg. Ramchand ging verder met het opstel.

Hij heeft de taak om rust en orde in zijn district te handhaven. Hij kijkt uit naar kwalijke figuren als aanranders, dronkaards, gokkers, zakkenrollers e.d. Ook 's avonds loopt hij zijn ronde. Hij arresteert dieven en misdadigers en sluit ze op in het bureau.

Ramchand kon niet verder lezen.

Het was drukkend heet in zijn kamer. Het openstaande raam hielp niet.

Met het raam open kwam het meedogenloze, verblindende licht van de zomerzon de kamer binnen en kreeg hij hoofdpijn. De hitte kwam dan in golven binnen, zodat je prikkende ogen en verschroeide longen kreeg. Met de ramen dicht en vergrendeld werd de kamer benauwd en benauwend.

De ventilator snorde traag. Hij was regelbaar; naast de schakelaar zat een ronde, zwarte knop met streepjes eromheen, als de zonnestralen die Manoj in zijn schetsboek tekende. Er waren vijf van die streepjes, keurig genummerd in westerse cijfers. Maar het was een oud regelmechanisme, dat zich weinig aan de vijf keurige streepjes gelegen liet liggen. Bij aanraking draaide het losjes in het rond zonder de snelheid van de ventilator te beïnvloeden. Ook elders in Ramchands kamer heerste anarchie.

De ventilator snorde dus traag in zijn eigen monotone ritme, en wanneer er weinig netspanning was ging het tempo nog verder omlaag.

Een aanhoudende pijn verspreidde zich over Ramchands voorhoofd. Nee, verder lezen ging niet. De woorden dwarrelden betekenisloos voor zijn ogen en in zijn hoofd, als irritante vliegjes.

Kamla's ogen lieten hem maar niet los. Hoe hij ook zijn best deed. Niets had enige betekenis. Er waren alleen die ogen, die hem bleven achtervolgen, als hij wakker was en zelfs als hij droomde. Hij kon zich nergens op concentreren. Vandaag was hij onder handen genomen door Mahajan, maar Ramchand had enkel een nietszeggende kop gezien met een botte, benepen denkwereld erin, en zwijgend had hij het aangehoord, zonder tot zich te laten doordringen of te begrijpen wat Mahajan zei. Voor het eerst in maanden had hij weer hoofdpijn.

Er waren twee dagen verstreken sinds zijn bezoek aan Chander, maar het leek lang, heel lang geleden. De afgelopen dagen had hij alleen maar lopen denken. Net als vroeger. Geen begrijpelijke gedachten, maar geraas dat doorging in zijn kop, geraas dat klonk of iets steeds maar razendsnel ronddraaide, als Sudha's nieuwe wasmachine.

Niet-begrijpend keek hij naar de *Schitterende opstellen* in zijn hand en ging op de rand van zijn bed zitten. En dacht. Verwarde gedachten. Over met paan bevlekte tanden. Over zijden sari's en goud. Over dansende pauwen. En over een sari met witte bloemen die, ongezien door de wereld, roestrood waren geworden.

Resoluut stond Ramchand op en sloeg het boek dicht. Met een onbewogen gezicht en trage, besliste bewegingen verzamelde hij alles wat hij een paar maanden eerder zo geestdriftig had aangeschaft: de *Schitterende opstellen*, *De complete brievenschrijver*, *Citaten voor elke gelegenheid*, het *Wetenschappelijk handboek voor kinderen*, het schrift, de pen en de inktpot.

Met een brok in zijn keel stapelde hij alles netjes op in het bovenste schap in de muur, een schap dat hij nooit gebruikte. In een schap waar hij het niet meer zag.

Hij besloot niet meer te gaan liggen en zijn laken en kussensloop te wassen. Ze zagen er inmiddels heel goor uit.

Het kussen had een deuk in het midden. Er zaten kokosolievlekken in het sloop en aan de vlekken kleefden een paar haren. Ramchand trok het sloop van het kussen. Het voelde kleverig. Met een stomp hier en een stomp daar bracht hij het kussen weer in vorm. Het laken, gekreukeld aan de kanten waar het onder het matras ingestopt was geweest, rukte hij van het bed.

Algauw zat Ramchand, gehurkt op de badkamervloer, met een blauw stuk zeep energiek zijn sloop te boenen en hield hij zich alleen maar bezig met het verwijderen van de haarolievlekken. Hij wilde nergens anders aan denken.

6

Later die week kwam Ramchand erachter hoe Kamla na haar gang naar de Gupta's was gearresteerd.

Zoals gewoonlijk was het Gokul die het hem vertelde.

Het was een drukke ochtend geweest. In een schrikbarend tempo waren de klanten in- en uitgelopen. En het was zo'n dag geweest van veel kijken en weinig kopen. De meeste klanten namen alles misnoegd in zich op, lieten iedereen draven en wilden een heleboel sari's zien om dan een halfuur later zonder iets te kopen te vertrekken.

Om het allemaal nog erger te maken hadden Gokul en Rajesh het met elkaar aan de stok gekregen.

Gokul was bezig geweest een partij kreukstoffen sari's op een stapel te leggen om ze in een kast op te kunnen bergen. Toen hij opstond om de kast open te maken, struikelde hij opeens, zodat de sari's uit zijn handen gleden en overal in het rond kwamen te liggen.

'Arre Gokul, kijk toch uit!' bitste Rajesh. Toen hij opstond om Gokul te helpen, zag hij een chiffon sari tussen de kreukstoffen sari's. Hij pakte hem ertussenuit en vroeg: 'Wat heeft dat te betekenen?' Zijn toon was onnodig scherp. 'Eerst sorteer je ze niet goed en dan gooi je ze nog op de grond ook. Waar ben je met je hoofd?'

Niemand had er erg in, en er was zeker niemand die verwachtte dat Gokul zou reageren zoals hij deed.

Uiterst waardig zei hij: 'Ik ben met mijn hoofd altijd bij mijn werk. En dat kan ik niet zeggen van iedereen hier.'

De neusvleugels van Rajesh trilden licht van woede toen hij zacht vroeg: 'Wat bedoel je daarmee? Wat wil je daarmee zeggen?'

'Gewoon wat ik zeg,' zei Gokul terwijl hij zich weg-draaide.

'Nou moet je eens luisteren, Gokul. Je kunt niet eerst zoiets zeggen en dan zomaar weglopen. Ik weet wel wat je bedoelt.'

'Des te beter. Dan hoef je het mij niet te vragen.'

'Ik zal je eens wat zeggen. We werken hier al een hele tijd, Shyam en ik, bedoel ik. Langer dan iedereen hier. En als je dan denkt dat we die praat van jou zomaar pikken, dan heb je het mis.'

'Ik weet dat jullie hier al een tijd werken. Misschien zijn jullie daarom vergeten wat dat woord betekent. Ik doe meer dan jullie twee samen.'

Inmiddels luisterde iedereen mee.

Nu verhief Rajesh zijn stem. 'Zo is het genoeg, Gokul. We zijn altijd aardig tegen je geweest, en als je dan zegt...'

Gokul onderbrak hem. Ook hij klonk nu wat luider.

'Het is echt niet genoeg om ons af en toe een aai over de bol te geven en aardig te doen wanneer jullie er zin in hebben, terwijl jullie verder de baas spelen en urenlang naar buiten gaan om bidi's te roken en wij ons hier uit de naad werken. En jullie krijgen nog meer betaald ook.'

'Hier ga je meer van horen, Gokul, wacht maar af.'

Krijgszuchtig stonden de twee tegenover elkaar.

Het verraste iedereen een beetje. Normaal gesproken deden ze geen van beiden moeilijk, maar nu stonden ze el-kaar haast uit te schelden.

Hoe dan ook, ze moesten bijna meteen weer tot beda-ren komen, want er kwam een stel snaterende meisjes binnen, vergezeld door een grote, bezadigde vrouw.

De meisjes giebelden luidruchtig. Uit hun gesprekken maakte Ramchand al snel op dat het eerstejaarsstudentes waren van het Rijkscollege voor Vrouwen. Ze kwamen uit dorpen en stadjes rondom Amritsar en waren enkel voor hun studie naar Amritsar gestuurd omdat het studentenhuis van het Rijkscollege een heel strenge directrice had. Ze stond bekend als een harde, standvastige, heerszuchtige vrouw, die ervan uitging dat zelfs scholing ondergeschikt was aan deugdzaamheid. De kans dat een meisje onder haar gezag verkering kreeg en daarmee de familie te schande maakte was minimaal.

Het bleek dat de directrice zelf ziek was en dat deze vrouw, de onderdirectrice, vandaag de meisjes onder haar hoede had. Ze zag er afgepeigerd uit. De meelevende Gokul kreeg het hele verhaal te horen. Verontschuldigend zei ze dat twee meisjes een sari wilden kopen voor het eerstejaarsfeest in het studentenhuis. Ze zei dat ze anders nooit met ze naar de winkel was gekomen. Gokul knikte begrijpend. Aangemoedigd vertelde ze hem dat het echt een hele klus was om die verdraaide meisjes in het gareel te houden, vooral omdat dit hun maandelijkse uitje was. Als ze na een maand opsluiting in het studentenhuis buiten kwamen, raakten ze helemaal door het dolle heen. Ze werden uitzinnig. Eentje was bijna onder een auto gekomen omdat ze zo hysterisch aan het giechelen was dat ze bij het oversteken niet eens naar rechts en naar links had gekeken. 'Nou wil ik van u horen, wie zou verantwoordelijk zijn gehouden als er een ongeluk was gebeurd? Ik natuurlijk.'

Terwijl zij aan het klagen was, gingen de meisjes in de winkel tekeer. Schor legde de onderdirectrice uit dat dit het ergste groepje van het huis was.

'Maar bij de directrice zijn ook deze meisjes muisstil. Ik weet niet hoe ze het voor elkaar krijgt,' voegde ze er met een zucht aan toe.

Giechelend lonkten de meisjes, een jaar of zestien, zeventien zo te zien, naar de verkopers. Telkens als de vrouw hen zei zich te gedragen, kregen ze een lachbui.

Tot zijn vreugde zag Ramchand dat hij deze keer niet als enige verlegen werd. Hari had een starre, dommige grijns op zijn gezicht en bloosde. Gokul leek zich slecht op zijn gemak te voelen. Ramchand, aangestoken door de dolle pret van de meisjes, wilde een lachje tevoorschijn toveren, maar moest ineens weer denken aan de beroete wanden en de paarse sari. Hij vroeg zich af of Chanders vrouw op haar zeventiende ook zo had gedaan, ook zo'n dwaze giechelbek was geweest.

En de glimlach ging verloren.

Hari bleef de meisjes dommig toelachen, totdat Gokul hem een goedmoedige pets op zijn hoofd gaf. 'Haal die grijns van je gezicht, jongen, en gooi hem naar buiten. Of stop hem onder het matras. Hou de sari's in de gaten. Je wilt toch geen last krijgen?'

De meisjes wilden dure trouwsari's zien en de onmogelijk sjieke sari's van zijde en crêpe. Ze kostten per stuk waarschijnlijk meer dan een jaar zakgeld. Ze hielden elkaar de sari's voor.

'Moet je nemen. Staat je geweldig.'

'Nee, zeg, ik kan mijn vriendin zo'n pracht van een sari toch niet door de neus boren.'

'Neem die groene, met die mooie gouden rand. Straks, met dat examen Hinditalige literatuur, kunnen ze hun ogen niet van je afhouden. Dan mag je best zakken, want ze vergeten je toch nooit.'

'Als je die roze satijnen aanhebt, wil de conciërge vast met je trouwen. Dan mag je weg wanneer je wilt.'

'Nee hoor, ik wil die paarse, die Kanjeevaram. Die is heel geschikt wanneer je om twaalf uur 's nachts aardappelen wilt koken.'

De meisjes lagen inmiddels dubbel van het lachen.

'Meisjes toch, gedraag je,' zei de onderdirectrice. 'Anders gaat er een brief naar de directrice. En wie heeft aardappelen gekookt? Jullie weten dat er op de kamer niet mag worden gekookt. Jullie krijgen goed te eten, dus het is helemaal niet nodig om dan nog wat klaar te maken. En jullie weten ook dat plaatjes, gasstellen en dompelaars niet zijn toegestaan. Kom op, wie zei dat? Wie heeft staan koken?'

Maar de meisjes keken allemaal de andere kant op. 'Maar mevrouw,' zei er eentje onschuldig, 'we hadden het erover dat we het zo op prijs stellen dat de leiding ons drinkwater eerst kookt.'

Dat het drinkwater voor de meisjes eerst werd gekookt was zuivere grootspraak van de leiding en dus zweeg de onderdirectrice.

Het meisje was niet meer te houden en zei: 'We hadden het niet over aardappelen koken, maar over water koken.'

'Goed. Zo kan het wel weer. En als jullie echt iets willen kopen, moeten jullie het snel doen. Jullie verdoen niet alleen jullie eigen tijd, maar die van iedereen.'

Maar de meisjes deden juist het tegenovergestelde.

Ze stuurden de verkopers van hot naar her, drapeerden dure pallu's van brokaat en zijde over hun schouder, bekeken zichzelf in de spiegel, stootten elkaar giebelend aan en gingen uiteindelijk naar huis met twee van de goedkoopste sari's die Sarihuis Sevak voerde, een van nylon en een van katoen. Opgewekt en met sari's in onmogelijk felle kleuren vertrokken ze, gevolgd door een nerveuze, geprikkelde onderdirectrice. Bij hun vertrek wensten ze Mahajan, opgetogen over zijn rode hoofd, met quasi-beleefd gevouwen handen 'Namaste'.

Hun bezoek verlichtte de bittere sfeer die na de ruzie tussen Rajesh en Gokul was ontstaan wel enigzins, maar deed hem niet helemaal verdwijnen.

Om een uur of één was de winkel eindelijk een kwartiertje leeg.

Ramchand ging naast Gokul zitten. Hij liet Gokul beginnen.

Na een tijdje zei Gokul: 'Het kan me niet schelen wat ze

zeggen. Het werd hoog tijd dat Shyam en Rajesh eens te horen kregen dat zij het niet voor het zeggen hebben. Het zijn verkopers, net als wij.'

Ramchand klopte hem op de schouder. 'Zet het uit je hoofd, Gokul Bhaiya. Vergeet dat hele gedoe.'

'Rajesh zei dat ik er nog verder van zou horen,' zei Gokul zorgelijk. 'Denk je dat hij zich bij Mahajan gaat beklagen?'

'Ik denk van niet,' stelde Ramchand hem gerust. 'Dan komt uit dat het zelf lijntrekkers zijn. Mahajan ziet dat heus wel, hoor. Hij moet wel doen of hij het niet ziet, maar ik weet zeker dat hij het niet leuk vindt. Je weet hoe Mahajan is. Als Rajesh of Shyam hiermee aankomen, geeft dat hem juist de gelegenheid hen een standje te geven. Ontspan je nu maar, Gokul Bhaiya.'

Gokul keek hem dankbaar aan. Toen vroeg hij: 'Wat is er eigenlijk met jou? Ik heb je al dagen niet zien lachen.'

'Niets, helemaal niets,' loog Ramchand snel.

Gokul keek of hij het niet geloofde, maar ging er verder niet op in. Toen zei hij met een zucht: 'Misschien staan de sterren gewoon verkeerd. Iedereen heeft problemen. Chander loopt ook met een zuur gezicht rond. Hij heeft het helemaal gehad met die vrouw van hem, als je zo'n schepsel een vrouw mag noemen.'

Ramchand verstijfde. Toen vroeg hij: 'Wat is er dan gebeurd?'

Hij klonk dringend, maar dat ontging Gokul.

'Ze gaat hard achteruit, yaar. Ik weet niet hoe Chander het met haar uithoudt. Weet je wat ze laatst heeft gedaan? Ze was een hele nacht weggebleven, een héle nacht, begrijp je, en toen ze 's ochtends thuiskwam, had ze ook nog het lef om Chander recht in de ogen te kijken. Chander heeft haar een tik gegeven en is weggegaan. Maar later kreeg hij bericht dat hij op het politiebureau moest komen. Hij had geen idee wat hij had misdaan en was bloednerveus. Arme mensen als wij kunnen ons geen akkefietjes met de politie veroorloven.'

Ramchand knikte.

Gokul ging verder. 'Hij is naar het bureau gegaan. En daar was een politieman – Chander weet het verschil tussen een agent en een inspecteur niet eens – die behoorlijk kwaad leek. Hij zei tegen Chander dat zijn vrouw stomdronken naar de Gupta's toe was gegaan. Moet je je voorstellen dat je naar het politiebureau moet en daar te horen krijgt dat je vrouw beschonken een scène heeft staan maken. Dan moet je heel sterk in je schoenen staan. Die politieman vertelde hem dat ze zich écht had misdragen en zelfs schade had aangericht, ruiten ingegooid en ook de ramen van hun auto's ingeslagen of zo. Die mensen staan goed bekend, hoor. Die wisten niet wat hen overkwam. Uiteindelijk hebben ze de politie gebeld. Ze zijn er heel snel met zijn tweeën heengegaan en hebben haar gearresteerd. Kan je je voorstellen hoe Chander zich voelde, toen hij daar op het bureau van alles te horen kreeg over de vrouw met wie hij in goed vertrouwen was getrouwd? Maar gelukkig, zei die politieman tegen Chander, hebben ze het bij een fikse waarschuwing gelaten en haar toen naar huis gestuurd. Maar ze zeiden wel dat ze minder soepel zouden zijn als Chander zijn vrouw niet in het gareel hield en er nog eens zoiets zou gebeuren.

Omdat ze een vrouw was en misschien omdat het de eerste keer was dat ze zoiets deed, waren ze redelijk genoeg om haar meteen te laten gaan. En toch was ze de hele nacht weggebleven. Dat is toch niet te geloven?'

Ramchand schudde zijn hoofd.

'Chander was natuurlijk woest. Arme mensen als wij kunnen ons heus geen akkefietjes met de politie veroorloven. Bij een volgende keer kan Chander er weleens meer last mee krijgen. En zijn schuld is het toch niet? Hij doet wat hij kan. Hij wordt boos, hij geeft haar slaag, maar het is gewoon een heel koppig mens. Chander had het er zo moeilijk mee dat hij is gaan bidden in de Hanuman-tempel bij hem in de buurt. Hij was zo in de war dat hij daar twee uur heeft gezeten voordat hij naar huis ging om haar een pak slaag te geven. Nou mag je mij vertellen wat hij anders had kunnen doen. Hij had toch geen keus? Al vraag ik me af of ze er wat mee opschiet. Logisch dat hij zo vaak niet op komt dagen en dan problemen met Mahajan krijgt.' Gokul kuchte even en schraapte zijn keel. Toen ging hij verder. 'De dag erop was Chander een beetje vroeg. Wilde zo gauw mogelijk bij haar vandaan en dat zogenaamde thuis van hem, denk ik. Ik was ook zo'n tien minuten te vroeg. Lakshmi moest naar familie – haar nicht moest bevallen – en dus kreeg ik mijn ontbijt vroeger dan anders en kon ik vertrekken. Ik loop algauw in de weg als zij met de kinderen ergens heen moet. Maar hoe meer ik over de vrouw van Chander hoor, hoe meer ik God dank dat ik met Lakshmi ben getrouwd. Ze is een kletskous en nogal heetgebakerd, maar voor de rest is ze een nette vrouw en er zit geen greintje kwaad in. Ik vind dat ik het getroffen heb, ja toch?' vroeg Gokul, met een zweem van een glimlach.

Ramchand knikte. 'Maar goed,' zei Gokul, 'die dag waren Chander en ik hier het eerst. Het was niet te geloven. Die arme Chander huilde tranen met tuiten toen hij me het hele verhaal vertelde. Ik heb tegen hem gezegd dat hij gewoon bij die heks weg moet gaan en iemand anders moet trouwen. Hij zou erover nadenken, zei hij.'

Op dat moment zag Gokul de uitdrukking op het gezicht van Ramchand.

'Wat zie jij er ellendig uit, zeg,' zei hij bezorgd. 'Je lijkt wel ziek. Hartstikke wit. Misschien moet je wat vaker buiten komen. Maar hier zijn frisse lucht en een middagpauze van twee uur alleen voor Rajesh en Shyam weggelegd,' voegde hij er bitter aan toe.

Ramchand zei niets. Gokul keek hem nog eens aan. 'Ay Ramchand, *tu theek hai*. Voel je je wel goed? Wat is er?'

'Niets,' zei Ramchand nog een keer, maar ditmaal wist hij er niet eens een van zijn flauwe namaakglimlachjes bij te produceren.

Ramchand kon nu wel raden wat er in werkelijkheid moest zijn gebeurd.

Hij staarde een tijdje in de verte en vroeg toen, met verontrusting in zijn stem: 'Maar waarom? Waarom is ze naar de Gupta's toe gegaan? Wat heeft zij met hen te maken?'

'Het zit zo,' zei Gokul, 'de Gupta's en de Kapoors hadden een paar jaar terug samen een bedrijf opgezet. Ze waren een textielveredelingsfabriek begonnen. Voordat Chander hier kwam werken, was hij daar in dienst. Maar dat bedrijf begon verlies te draaien en uiteindelijk moesten ze de fabriek sluiten. Het personeel heeft de laatste drie maanden niet uitbetaald gekregen, niemand. Chander zat helemaal aan de grond. Ik weet niet precies wat er daarna is gebeurd. Of hij nu ziek werd of zijn vrouw, weet ik niet, maar ze hebben het een tijd heel moeilijk gehad. Ik heb gehoord dat hij zelfs is wezen vragen of meneer Gupta of meneer Kapoor geld voor hem had of in ieder geval een kleine lening totdat hij weer werk had. Ze waren heel aardig voor hem, maar als ze hém geld gaven, zeiden ze, kwamen de andere arbeiders ook hun deel opeisen. Chander zei dat hij het voor zich zou houden, maar ze hebben hun poot stijf gehouden. Het blijven tenslotte zakenmensen.

De details weet ik niet, maar naar wat ik heb gehoord, hebben Chander en zijn vrouw het maandenlang ontzettend beroerd gehad, totdat hij hier kon komen werken. Maar Chander heeft een fout gemaakt. In een dronken bui heeft hij zijn vrouw verteld hoe ze heetten, Gupta en Kapoor, en gezegd waar ze woonden. Bas, meer had ze niet nodig, denk ik. Hij was het allang vergeten, want je moet verder met je leven en dat soort dingen gebeurt gewoon. Zo zit de wereld in elkaar. Maar die vrouw van hem, dat is echt een heks. Gek als ze is, heeft ze na al die jaren nog een wrok tegen de vroegere werkgevers van haar man. En scheldt ze hen ten overstaan van iedereen verrot. Terwijl het toch twee van de meest vooraanstaande mensen van Amritsar zijn. En wie is zíj nou helemaal? Niemand. Ze is echt stom. Ze had toch aan haar man kunnen denken? Een visje kan het zich niet veroorloven de krokodil tegen zich in het harnas te jagen waarmee hij het water deelt. Maar leg haar dat maar eens uit. Volgens mij is ze hartstikke gek. En ze drinkt. Het is een schandaal, en heel zwaar voor Chander, toch? God mag weten wat er in haar omgaat als ze dronken is.'

Ramchand luisterde zwijgend. Hij dacht aan haar, aan de vrouw in de paarse sari, aan haar uitstekende sleutelbeenderen, aan de leegte in haar ogen.

En voor het eerst walgde hij van zichzelf, walgde hij ervan dat hij mevrouw Gupta zoveel respect betoonde als ze inkopen kwam doen, dat hij zo had genoten van de bruiloft van Rina Kapoor, dat hij zich gevleid voelde dat Rina in hem geïnteresseerd was, dat hij was wie hij was.

*

In de dagen erna was Ramchand meer teruggetrokken dan ooit tevoren. Het gevoel bekroop hem dat nergens iets van klopte, en dat gevoel ging maar niet weg. Hij was onrustig en had steeds een wee gevoel in zijn buik. Soms voelde hij zich schuldig. Misschien had hij de andere kant van het verhaal moeten laten horen. Maar waarom had Chanders vrouw dat dan niet gedaan? Misschien wilde ze het voor zich houden. In dat geval hield hij wellicht ook terecht zijn mond.

Hij verloor zijn eetlust en soms verdroeg hij de geur van eten niet eens. Hij voelde zich vies, ook als hij zich gedegen met zeep had gewassen en net schone kleren had aangetrokken. Hij liep voortdurend met een nare smaak in zijn mond. Zijn theeconsumptie steeg, hij zei zelden iets tegen de anderen en wanneer iemand anders tegen hem sprak, hoorde hij het zwijgend aan.

Zelfs de troostende fantasieën over Sudha, over wie dan ook trouwens, raakte hij kwijt. Want als hij op bed ging liggen, zijn ogen sloot en door zijn broek heen zijn kruis begon te strelen om zich in een prikkelende, plezierige dagdroom even van zijn ellende los te maken, wist hij zich enkel de braakselsporen op Kamla's blouse en de bloedvlekken op haar sari voor de geest te halen.

Dan voelde hij de tranen in zijn ogen prikken en verdween elk lichamelijk verlangen.

*

En toen op een ochtend ging de winkeldeur open en zag Ramchand tot zijn grote schrik mevrouw Gupta binnenkomen, zoals gewoonlijk in het gezelschap van mevrouw Sandhu. Alleen Ramchand en Gokul waren niet met een klant bezig.

Ramchand wilde mevrouw Gupta niet helpen. In de hoop niet te worden opgemerkt kwam hij stilletjes overeind en schuifelde naar de hoek.

En dus ploften de beide vrouwen voor Gokul neer.

Gokul lachte zijn mooiste glimlach.

'Ai ai, wat een hitte,' zei mevrouw Gupta, terwijl ze een geparfumeerde, met kant afgezette roze zakdoek uit haar tas pakte. Voorzichtig depte ze haar gezicht, waarbij ze zorgvuldig om haar lipstick heen ging en zachtjes haar ogen met de zakdoek aantikte om haar eyeliner niet uit te smeren.

De lichte huid van mevrouw Sandhu was rood geworden. Met het uiteinde van haar blauwe chunni wuifde ze zich koelte toe.

'Wilt u misschien wat water?' vroeg Gokul bezorgd.

'Nee, nee,' zei mevrouw Gupta, terwijl ze in haar tas graaide en er een biljet van tien roepie uitnam. Ze stak het Gokul toe. 'Laat maar een fles koud bronwater halen. Koud. En denk erom, alleen Bisleri.'

Gokul wenkte Hari, die zeer met zichzelf ingenomen leek omdat hij een iele, afgetobd ogende vrouw juist een perzikkleurige sari had verkocht.

Snoeverig liep Hari naar hen toe. Het gebeurde niet vaak dat hij helemaal zelfstandig een sari verkocht.

Gokul gaf hem het biljet en zei hem wat te doen. En zachter siste hij Hari in het oor: 'En maak een beetje voort. Geen geluier en geen pakora's.'

Hari keek gekwetst. 'Dat doe ik toch nooit, Gokul Bhaiya?' zei hij quasi-zielig. 'Misschien een enkel keertje,' voegde hij eraan toe, 'maar ik blijf nooit lang weg. Misschien heeft u het niet gemerkt, maar tegenwoordig werk ik heel hard. U ziet me haast nooit mijn tijd verdoen. En weet u...'

'Hou je mond, Hari. Geen theater. Schiet op,' gaf Gokul hem te verstaan, om zich daarna meteen weer glimlachend tot de beide vrouwen te wenden.

'We willen wat dunne sari's zien, zomersari's. Maar niet iets wat kreukt,' zei mevrouw Gupta.

'We willen katoen, maar wel de beste kwaliteit die jullie voeren,' voegde mevrouw Sandhu eraan toe.

Gokul knikte en wenkte Chander, aan de andere kant van de ruimte. Chander zag er gekweld uit. Door de hele zaak hoorden ze hem met een klant redetwisten over de prijs van een sari met een *zardosi*-rand. Chander knikte naar Gokul en reikte, nog steeds ruziënd, naar het schap achter zich en nam er een paar ingepakte sari's uit. Nauwkeurig mikte hij ze stuk voor stuk naar Gokul. Ze vlogen over de hoofden van de andere klanten en Gokul ving ze behendig op.

Een voor een pakte hij ze uit en voorzag ze allemaal van lovend commentaar. Hari kwam terug met een fles koud bronwater. Ramchand bleef weggekropen in de hoek zitten, keek stil toe, en dacht aan de vrouw van Chander.

Wist Chander het? Moest hij het tegen Chander zeggen, moest hij vragen of hij het wist? Maar hij kon toch niet beginnen over iets wat Chanders vrouw zo persoonlijk aanging? Hij keek naar het gezicht van de verhit kwetterende mevrouw Gupta. Moest hij het haar vertellen? Wat te doen?

Stilletjes kermend trok hij zijn knieën op en liet er zachtjes zijn hoofd op zakken. Hij zou wel willen huilen, luid willen grienen, iedereen in de winkel bij elkaar willen halen om het te vertellen. Iemand zou toch wel iets doen?

Zou het?

Met alle tien tenen stevig in de zachte matras gegraven bleef Ramchand gehurkt zitten.

Hij schrok op van een stem. 'Ramchand?' Hij keek op.

Mahajan torende boven hem uit.

'Hé, wat is dit? De winkel zit vol. Niemand heeft ook maar tijd om zijn hoofd te krabben en jij zit je hier te ontspannen? Dacht je soms dat je op een bankje in Company Bagh zat?'

'Bauji...' begon Ramchand.

'Goed, goed. Geen smoesjes nu. Als je toch niets te doen hebt, ga dan Gokul een handje helpen,' zei Mahajan, waarna hij zich abrupt omdraaide en wegliep.

Met hernieuwde afkeer keek Ramchand Mahajans onverzettelijke, hatelijk lillende rug na.

Hij wilde net naar Gokul toe schuiven toen hij mevrouw Bhandari met mevrouw Sachdeva binnen zag komen. Het voelde heel onwezenlijk. Hij herinnerde zich een gelijksoortige middag – of was het een ochtend? – in de winter, dat ze allemaal in de winkel waren geweest. Hij had ze allemaal geholpen.

Maar nu hoefde hij mevrouw Gupta tenminste geen sari's te tonen. Hij kwam naar voren en lachte de twee nieuw aangekomen vrouwen flauwtjes toe. Ze keken hem niet aan. Ze lieten hun ogen over de schappen gaan en gingen toen pas zacht fluisterend – anders dan mevrouw Gupta en mevrouw Sandhu, wier op schrille toon gevoerde gesprek in de hele winkel hoorbaar was – tegenover Ramchand zitten.

'Laat maar wat nieuw batikwerk zien,' zei mevrouw Sachdeva. Ramchand knikte en stond op om het te halen. Hij voelde er niets voor om naar Hari te roepen, die dichter bij het schap met batikstoffen stond, en de pakketjes dan onder luid gegrinnik van hem toegegooid te krijgen.

Hij rommelde een tijdje door het schap en de vrouwen wachtten af. Met gefronst voorhoofd ving Shyam zijn blik. In Sarihuis Sevak was het een misdaad om de klanten te laten wachten. Het was veel beter om ze te bedelven onder de sari's, zodat ze er wel een moesten kopen, al was het alleen maar om eronder uit te komen. Gehaast pakte Ramchand een paar pakketjes en liep naar zijn plaats terug.

De vrouwen gingen als vanouds te werk. Ze voelden aan de stof, becommentarieerden fluisterend elke afzonderlijke sari en onderwierpen de randen aan een kritisch onderzoek. Ramchand zei niet veel. Hij probeerde niet bepaalde sari's naar voren te schuiven of van één sari iets opmerkelijks onder de aandacht te brengen. Hij zweeg, en gaf ze stuk voor stuk aan.

Shyam ving andermaal zijn blik en een beetje geërgerd trok hij vragend zijn wenkbrauwen op. Wanneer Mahajan er niet was en zolang het hun thee- en bidipauzes niet in de weg stond, achtten Shyam en Rajesh zich bedrijfsleider.

Ramchand keek expres de andere kant op.

Toen mevrouw Sachdeva een bruine sari oppakte en tegen mevrouw Bhandari pruttelde: 'Kijk eens, met een smallere rand zou deze toch heel mooi geweest zijn,' deed hij zijn best om rustig te lijken.

Ramchand dacht terug aan het moment dat hij in de woonkamer van de Kapoors naar het gesprek tussen Rina en mevrouw Sachdeva had zitten luisteren. De Kapoors, die met de Gupta's de textielveredelingsfabriek hadden gehad, die Chander niet hadden uitbetaald, die Chanders vrouw zo boos hadden gemaakt.

'Luister je wel?' vroeg mevrouw Sachdeva hem scherp. 'Heb je dezelfde sari, vroeg ik, in dezelfde kleur en met hetzelfde dessin, maar dan met een smallere rand?'

Ramchand schudde zijn hoofd.

Ze leek geprikkeld.

Ramchand keek naar de rimpels in haar voorhoofd. Wat zou ze zeggen als ze het wist?

Men zei dat het een geletterde vrouw was. Toen viel hem iets anders in. Wist Rina Kapoor dat haar vader de lonen niet uitbetaalde? Soms tenminste.

Moest hij met haar gaan praten? Maar hij stond in dubio. Wie zou hem geloven? Mevrouw Sachdeva zag Ravinder Kapoor waarschijnlijk alleen maar als de liefhebbende vader van haar favoriete studente.

Ramchand kneep hard in het plekje tussen zijn ogen. Alles leek tegelijkertijd te komen en hij begreep er niets van. Wat moest hij?

Nu keek ook Rajesh hem bedenkelijk aan. Ramchand raakte ineens gepikeerd. Wat een achterlijk figuur was dat toch! Dat kletste maar en dacht nooit eens eerst na!

Ramchand probeerde zich weer onder controle te krijgen en meer aandacht aan de twee vermoeiende vrouwen te schenken. Hij haalde nog een paar sari's tevoorschijn.

'Mevrouw Bhandari, hallo,' zei mevrouw Gupta plotseling.

Ogenschijnlijk verrast keek mevrouw Bhandari op. 'O, hallo, ik had u niet gezien. Aan het winkelen?'

Idioot, dacht Ramchand, natuurlijk waren al die vrouwen aan het winkelen.

'Kent u mevrouw Sandhu?' vroeg mevrouw Gupta, met een handgebaar naar haar metgezellin. 'Haar man is hoofdingenieur van het elektriciteitsbedrijf.'

'Leuk,' zei mevrouw Bhandari vaag. 'Mevrouw Sachdeva kent u vast wel. Hoofd van het Engelse instituut...'

Mevrouw Gupta onderbrak haar met een stralende glimlach. 'Natuurlijk. Natuurlijk herinner ik me haar. We hebben elkaar toch ontmoet op de bruiloft bij de Kapoors, de bruiloft van Ravinder Kapoors dochter, weet u wel?'

'Ja, dat is waar,' zei mevrouw Sachdeva. 'Maar, weet u, dat meisje op zich is intelligent genoeg. U hoeft de vader niet eens te noemen. Ze heeft een eigen persoonlijkheid ontwikkeld, moet u weten, ze is niet alleen maar de dochter van Ravinder Kapoor.'

Er viel een ongemakkelijke stilte. Toen vroeg mevrouw Bhandari: 'En, mevrouw Gupta, heeft u nog nieuws? Hoe staat het leven? En hoe is het met uw schoondochter, Shipra, was het niet?'

'Shilpa,' zei mevrouw Gupta glunderend. 'Ik moet zeggen, God is ons goedgezind. Zeer goedgezind. Afkloppen. Ze is in verwachting, drie maanden.'

Dit bracht bij alle vier een glimlach teweeg.

'Nou, gefeliciteerd. Als het kind er is, verwachten we een feestje,' zei mevrouw Bhandari.

'Maar natuurlijk. En het is zo'n aardig meisje, weet u. Heel gedienstig en beleefd. En, God zij gedankt, de fabriek van Tarun, mijn zoon, doet het ook heel goed. En mijn jongste zoon belt me elke week op vanuit de Verenigde Staten.'

Mevrouw Sachdeva keek haar aan, richtte haar blik

toen weer op de sari in haar handen en zei heel zacht: 'Dat is prachtig.'

Mevrouw Gupta straalde.

Daarna richtte mevrouw Bhandari zich tot mevrouw Sandhu.

'En uw kinderen, hoe gaat het daarmee,' vroeg ze vriendelijk.

Mevrouw Sandhu antwoordde op bedachtzame, berustende toon. 'Goed, hoor. Manu, mijn oudste, hij heet Mandeep, maar we noemen hem Manu, heeft zijn toelatingsexamen gehaald. Nu kan hij hier in Amritsar medicijnen studeren. En kan ik eindelijk de keukenmachine en de wasmachine gebruiken zonder bang te zijn dat ik hem stoor. Dank zij Waheguru.'

'Natuurlijk, zonder academici redden we het tegenwoordig niet,' zei mevrouw Bhandari. 'Mijn Rosie studeert in Delhi, natuurwetenschappen. Doe het toch hier, heb ik tegen haar gezegd, maar ze wilde er niet van horen. Ze kan zo een uitstekende partij krijgen, maar ze zegt dat ze nu nog niet wil trouwen. Volgens haar gaat het in het leven om meer dan trouwen en geld.'

Mevrouw Gupta snoof. Met een innemende glimlach zei mevrouw Sandhu: 'De jeugd van tegenwoordig, mevrouw Bhandari, wil toch alles. Ze kunnen het nog zo mooi vertellen, maar wat ze willen is geld. Mijn jongste zoon zit net in de tiende. En elke dag wil hij weer iets nieuws. Nu wil hij een bromfiets van ons; anders gaat hij niet meer naar school, zegt hij. Daar kun je toch niet tegenop?'

'Voor ons ligt het niet anders, toch?' zei mevrouw Gupta met een samenzweerderig lachje. 'Laatst nog hebben we een magnetron gekocht en nu denk ik er sterk aan een barbecue te kopen voor als we eropuit gaan.'

'Wat kan je anders? Het gaat vanzelf,' zei mevrouw Sandhu. 'Ze kunnen zeggen wat ze willen, maar zonder geld kun je niet.'

Plotseling zei mevrouw Sachdeva poeslief: 'Dat is zo, geld is heel belangrijk. Om een bepaalde leefstijl in stand te houden. Maar er zijn ook andere dingen in het leven. Neem Rina Kapoor. Ze heeft nergens gebrek aan. Ze heeft geld, ze is mooi en haar familie geeft haar een stevige basis. Maar door een boek te schrijven, door haar eigen geld te verdienen, heeft ze een eigen plekje verworven. Hebben jullie het gelezen?' vroeg ze mevrouw Gupta en mevrouw Sandhu.

Beiden schudden het hoofd en mevrouw Gupta zei: 'Ik heb er echt geen tijd voor. Voor u is het werk, maar wij hebben thuis van alles te doen, nietwaar?'

De sfeer was gespannen.

Toen toverde mevrouw Sachdeva ineens een lieve glimlach tevoorschijn. 'Tussen haakjes, mevrouw Gupta,' vroeg ze vriendelijk, 'u heeft een jonge schoondochter, toch?'

'Ja, eenentwintig.'

'Wat heeft ze gedaan?' vroeg mevrouw Sachdeva terloops.

'Hoe bedoelt u?' stamelde mevrouw Gupta.

'Ik bedoel, haar diploma's?'

'Nou, ze was toegelaten voor een bachelorstudie. Maar die heeft ze niet af kunnen maken, want tussendoor hadden we het huwelijk geregeld, begrijpt u.'

'O,' zei mevrouw Sachdeva, waarna ze stilviel.

Een ogenblik leek mevrouw Gupta van haar apropos, maar toen zei ze: 'Ach, ze weet alles wat ze hoort te weten. Het is niet zo'n meisje dat alle hoofdsteden van de wereld kent maar niet weet wat voor daal er op tafel staat.'

'Een meisje mag dat gerust allebei weten,' reageerde mevrouw Bhandari meteen. 'Mijn Rosie bijvoorbeeld is niet alleen een briljant studente, maar kan ook uitstekend koken. Ik mis haar heel erg.'

'Dat begrijp ik,' zei mevrouw Sandhu meevoelend, 'het

moet vreselijk zijn. Vooral omdat u verder geen kinderen heeft.' En alsof het haar op dat moment pas te binnen schoot, voegde ze eraan toe: 'Ik ben blij dat mijn jongens gehoorzamen. Meestal tenminste.'

Onderwijl zaten Gokul en Ramchand, vermoeid en machteloos toekijkend en luisterend, te wachten tot de vrouwen, met de vergeten sari's in hun handen, zich herinnerden waarvoor ze waren gekomen. Maar soms liep het zo. Soms kwam een vrouw in de winkel een bekende tegen en volgde er een lang gesprek, en moesten de verkopers wachten. Er was niets aan te doen.

Gokul, ver weg met zijn gedachten, was nog een en al geduld. Hij twijfelde of hij een nieuw fornuis moest aanschaffen – Lakshmi zeurde er al twee maanden om.

Ramchand had het gesprek nauwgezet gevolgd, deze keer totaal niet onder de indruk. Die vrouwen leken wel een onschuldig leventje te leiden, maar elke medaille heeft zijn keerzijde – zo stond het in *Schitterende opstellen*.

In de wereld die zij opriepen kwam Chanders vrouw niet voor. Hij keek strak naar de vier vrouwen.

Hij bespeurde een leegte waar een soort begrip of kennis had moeten zijn. En daarna een machteloze smart. Ja, links in zijn borst, waar het hart hoorde te zitten, voelde hij die daadwerkelijk.

Plots ving mevrouw Bhandari Gokuls blik. Toen keek ze naar de bruine sari op haar schoot. Ze lachte even en zei: 'Kijk ons nou. We zijn helemaal vergeten dat we inkopen kwamen doen.'

'Dat gebeurt niet vaak,' lachte mevrouw Sandhu.

Mevrouw Sachdeva en mevrouw Bhandari namen als eersten een besluit. Ze kozen elk een sari, de een een mauve en de ander een hemelsblauwe, allebei met een traditioneel batikdessin.

Bij het kiezen vielen ze terug in het zachte mompelen. Ramchand keek onbewogen toe.

'Die vrouwen...' hoorde hij mevrouw Sachdeva bijna fluisterend zeggen, '... allemaal hetzelfde... denken alleen aan geld en dat soort onzin... waarom praten we in vredesnaam nog met ze?'

Hij miste iets wat mevrouw Bhandari zei. Maar haar laatste zin hoorde hij. 'We wonen tenslotte in dezelfde stad... je komt ze tegen... je moet beleefd blijven.'

Mevrouw Sachdeva knikte en gebaarde Ramchand toen om de sari's in te pakken.

Voordat ze weggingen, wuifden ze glimlachend naar mevrouw Gupta en mevrouw Sandhu.

Die wuifden terug. Maar mevrouw Sachdeva en mevrouw Bhandari waren de glazen deur nog niet uit of mevrouw Gupta wendde zich tot mevrouw Sandhu met de woorden: 'Heus, ik weet niet waar die twee dat superioriteitscomplex vandaan hebben. Mevrouw Sachdeva heeft geen kinderen en haar man is ook gewoon maar ergens leraar. Ze stelt niets voor. En mevrouw Bhandari mag dan de vrouw van de substituut-inspecteur-generaal van politie zijn, maar die Rosie van haar is zevenentwintig volgens mij. En niet getrouwd. Een goede partij, het mocht wat! Er zit geen schot in, en daarom gaat ze naar Delhi, haalt daar een leuk diploma. En zíj maar opscheppen. Zoals ze over ons praten. Het is gewoon nijd.'

Mevrouw Sandhu bleef haar gebruikelijke bedaarde zelf. 'Laat toch,' zei ze, 'dat is toch onze zaak niet? Ze zijn gefrustreerd. Wij mogen God danken voor alles wat Hij ons geeft.'

Snel daarna, nadat ze elk een dure sari hadden gekocht en niet de katoenen sari waar ze voor gekomen waren, vertrokken ook zij. Mevrouw Gupta had een van de kreukstoffen sari's waar een paar dagen eerder de studentes zich zo laaiend enthousiast over hadden uitgelaten en mevrouw Sandhu ging naar huis met een uiroze zijden sari met filigraanwerk.

Zodra ze weg waren, zei Gokul: 'Om hoofdpijn van te krijgen, die vrouwen. Als ze niet over hun huis opscheppen, is het wel over hun man. En als ze het niet over hun man doen, doen ze het wel over hun kinderen. Wat denk je, Ramchand, moet ik zo'n nieuw gasfornuis kopen, zo'n Clix?'

'Ik weet niets van gasfornuizen, Gokul Bhaiya. Ik heb een petroleumfornuis,' zei Ramchand zacht.

Het petroleumfornuis, de paarse sari, de bloemen... Ramchand liep naar het wc'tje naast het magazijn boven de winkel, sloot zich op en huilde een poosje. Toen droogde hij zijn gezicht met zijn zakdoek, ging de wc uit en liep terug naar zijn plek in de winkel.

7

Ja, Ramchand was eruit. Hij ging het doen. En hij voelde het als de belangrijkste beslissing van zijn leven. Hij kon zijn eigen onechtheid niet meer verdragen. Hij, die zelfs zenuwachtig werd als hij een klant een mooie sari moest laten zien, zou al zijn moed bij elkaar rapen, uit alle hoeken van zijn geest en zijn ziel bijeenschrapen. En hij gíng het doen. Zodra mevrouw Sachdeva en mevrouw Bhandari weer naar de winkel kwamen. Mevrouw Sachdeva was tenslotte een geletterde vrouw en de man van mevrouw Bhandari was substituut-inspecteur-generaal van politie. En wat nog belangrijker was, het waren allebei vrouwen. Zij zouden het belang ervan beslist inzien.

Ramchand zag ziek en vermoeid. Hij was magerder dan ooit, zijn ogen lagen diep in hun kassen en je zag zijn schouderbladen uitsteken door de dunne, katoenen overhemden die hij tegenwoordig droeg.

Op het besluit volgde het wachten. Telkens wanneer de dagen erna de glazen deur van de eerste verdieping openging, kwam het hoofd van Ramchand met een ruk omhoog, begon zijn hart een fractie sneller te kloppen en kwam hij pas weer tot bedaren als hij zag dat het niet mevrouw Sachdeva en mevrouw Bhandari waren. Maar er ging een hele tijd voorbij zonder dat een van hen verscheen. Ramchand verwachtte ze elk moment, want beide vrouwen gingen vaak uit winkelen. Zoals hij mevrouw Sachdeva dikwijls tegen mevrouw Bhandari had horen zeggen: als je lesgeeft op een goed college, kan je niet elke dag in dezelfde sari verschijnen.

Maar op een dag, juist toen hij aan het raam verontrust naar de vruchtensapventer stond te kijken, die het wiel van zijn kar repareerde – Ramchand was bang dat met het op en neer en heen en weer gaan van de kar de opgestapelde sinaasappelen zouden vallen – hoorde hij de deur opengaan en draaide hij met een ruk zijn hoofd om. En daar stond ze. Mevrouw Sachdeva. Maar anders dan gewoonlijk was mevrouw Bhandari niet met haar mee.

Ramchand was wat van slag. Hij had ze samen willen spreken. Maar hij had zich snel weer onder controle. Hij zag haar naar de lege plek tegenover Chander gaan en liep snel naar voren. 'Gaat u zitten, mevrouw. Wat is er van uw dienst?'

Ze ging dus tegenover Ramchand zitten en haalde toen een beursje uit haar handtas. Ze pakte er een sieradensetje uit, een dunne gouden halsketting met piepkleine groene steentjes en bijpassende oorhangers. Ze liet hem de sieraden zien en wees hem op de groene steentjes.

'Waar het om gaat is het volgende. Ik ben op zoek naar dít groen, precies dít groen, maar dan in zuiver chiffon. Effen of bedrukt maakt me niet uit, ik wil alleen geen rand met schelle kleuren.'

Ramchand knikte afwezig. Hij haalde een paar groene sari's tevoorschijn. Toen zei hij: 'Wilt u niet wat dichter bij het raam? Dan ziet u beter of het dezelfde kleur is. Hier onder de tl ziet u het misschien niet goed. In het daglicht ziet alles er anders uit.'

De zorgzame suggestie leek haar plezier te doen.

Ze ging bij het raam zitten en met armenvol sari's in verschillende tinten groen kwam Ramchand achter haar aan.

Ze namen plaats. Nu kon niemand horen wat hij haar te vertellen had. Mevrouw Sachdeva tuitte haar lippen en met een rimpeltje in haar voorhoofd onderwierp ze geconcentreerd, met een blik die aanhoudend tussen de sari's en de sieraden heen en weer schoot, elke sari afzonderlijk aan een onderzoek.

Dit was het moment. Ramchands hart ging sneller kloppen, zijn ademhaling werd kort, maar ditmaal zou hij niet op de vlucht slaan. Hij zou iets ondernemen.

'Ik zou iets met u willen bespreken, mevrouw.' Zelfs in zijn eigen oren klonk hij onnatuurlijk gespannen.

Ze leek te schrikken.

'Iets van groot belang,' zei Ramchand.

'Wat dan?' vroeg ze achterdochtig.

'Ziet u die man aan de andere kant,' zei hij, naar Chander wijzend.

'Ik zie geen man,' zei ze.

'Die lange, mevrouw, die verkoper.'

'O, die,' zei ze, knikkend. 'Wat is er met hem?'

'Dat is Chander. Ik wil het met u over zijn vrouw hebben,' zei Ramchand.

Mevrouw Sachdeva keek hem aan alsof hij zijn verstand kwijt was.

Toen vertelde Ramchand, met rodere oren en tegelijkertijd onverschrokkener dan ooit tevoren, enigszins stamelend en nu en dan over zijn woorden struikelend, maar wel steeds met zijn hoofd erbij, mevrouw Sachdeva het hele akelige, smerige verhaal, waarbij hij de stukjes, als bij een legpuzzel, zo goed mogelijk aan elkaar legde.

Sprakeloos staarde mevrouw Sachdeva hem aan.

Vervolgens, toen zijn woorden tot haar doordrongen, kwam er beweging in de lijnen op haar gezicht. Ze leken iets van plaats te veranderen, zoals stilstaand water rimpelt als er een steen in wordt gegooid. Ze probeerde ertussen te komen, maar in een poging standvastig te blijven stak Ramchand zijn hand op en zei: 'Laat u me alstublieft uitpraten.'

En dat deed hij, terwijl mevrouw Sachdeva allengs geschokter raakte. Ramchand zag ongeplengde tranen in haar ogen.

Toen hij was uitgepraat, voelde hij zich leeg. Het verraste hem niet dat mevrouw Sachdeva geschokt was. Dat zou hij ook zijn geweest wanneer iemand hem met zo'n verhaal had overvallen.

Maar hij was niet voorbereid op de razernij die nu uit elke porie van het rode gezicht van mevrouw Sachdeva spatte.

Ze keek hem woedend aan. 'Hoe durf je?' siste ze hem kwaad toe, met trillende stem. 'Hoe durf jij, een gewone winkelbediende, mij hier naar een hoek te halen en smerige verhalen op te dissen over het soort vrouwen waar jij kennelijk mee optrekt.'

Hij wilde iets zeggen, maar ze liet hem niet aan het woord komen. 'De Gupta's zijn fatsoenlijke mensen. Het zijn vrienden van de Kapoors. Weet je wel wat je zegt? En kun je het bewijzen? En waarom vertel je het míj? Wat heb ík met die vuiligheid te maken?'

Ze begon te stotteren van verontwaardiging. Zelfs door haar woede heen hoorde je de tranen in haar stem.

'Luister altublieft, memsahib. Het kan zijn dat de Gupta's dit niet hadden voorzien, maar ze hebben haar laten arresteren. En die agenten hebben...'

'Hou toch op,' fluisterde ze met opeengeklemde kaken. Ze waakte ervoor dat iemand in de zaak mee kon luisteren. 'Ik wil die vulgaire onzin helemaal niet horen, en al helemaal niet in het Hindi. Waarom val je míj ermee lastig? Ik heb er toch niets mee te maken?'

Ramchand antwoordde met vertwijfeling in zijn stem. 'Omdat men u respecteert en omdat de man van uw vriendin, van mevrouw Bhandari...'

'O, daar gaat het je dus om. Er zijn smerige dingen gebeurd, afschuwelijke dingen, en nu moet je er zo nodig fatsoenlijke mensen bij slepen. Als je nog eens zoiets waagt, breng ik de bedrijfsleider op de hoogte. Reken daar maar op. Dit kan je je baan kosten, weet je.'

Dat gezegd hebbende, stopte ze de sieraden zorgvuldig in het fluwelen beursje, veegde de groene sari's van haar schoot en liep op trillende benen de winkel uit.

*

Er gingen nog twee maanden voorbij. Juli kwam, maar Amritsar bleef stoffig en droog. De moessonregens kwamen te laat. Toen Ramchand op een dag in de zinderende hitte voor de zoveelste keer de vertrouwde houten trap op was gelopen en door de glazen deur de winkel inkwam, zag hij iedereen somber en zacht pratend in groepjes bij elkaar staan. Shyam keek nadenkend, Rajesh knikte in antwoord op iets wat Mahajan hem net had verteld, Gokul zweeg en Hari fluisterde indringend in Gokuls oor. De ramen waren nog niet opengezet en de verstikkend hete lucht stond stil.

Het volgende dat Ramchand opviel was dat Chander er niet was en hij raakte door paniek bevangen. Chander is weer niet op komen dagen, dacht hij, en hij zou hem weer moeten gaan halen. Hij deed het níet, dacht hij in blinde angst. Wat er ook gebeurde, hij gíng niet. Hij zou doen of hij hoofdpijn had... hij zou zeggen dat hij zich niet goed voelde... hij wilde naar huis...

Maar niemand zei iets tegen hem. Ze stonden daar maar, en bleven op gedempte toon praten.

Gokul ving Ramchands blik en wenkte hem. Langzaam en met angst in het hart liep Ramchand naar hem toe.

'Wat is er gebeurd?' vroeg hij Gokul. 'Waarom kijkt Mahajan zo ernstig? Waar is Chander? Heeft hij de zak gekregen? Waarom zijn...?'

Gokuls donkere ogen stonden bedachtzaam toen hij

zei: 'Ssst. Met Chander is niets aan de hand. Maar zijn vrouw, Kamla, weet je wel. Ik heb over haar verteld.'

Ramchand wachtte.

'Nou... die is vermoord,' zei Mahajan. 'Gisteravond. Dus Chander komt vandaag niet werken.'

'Hè?' fluisterde Ramchand. Alles om hem heen begon te draaien. 'Vermoord? Maar wie...?'

Gokul draaide zich weer naar Hari, die hem, nog altijd fluisterend, iets vroeg.

Ramchand snapte er helemaal niets van. Hij trok Gokul aan de mouw.

'Ja?' vroeg Gokul.

'Heeft Chander... ik bedoel... wie heeft haar vermoord?' Het klonk hem absurd in de oren, dat beredeneerde, verstandige gepraat over zoiets, in het volle daglicht, midden in de winkel, waar iedereen bij was.

Gokul, wiens haar er vandaag nog grijzer en dunner uitzag dan anders, zei geheimzinnig: 'Nee, Chander heeft het niet gedaan. Wacht maar. Straks vertel ik je alles.'

Op dat moment kwam een mollige vrouw met haar mollige schoondochter binnen voor een sari van bedrukte katoen. Moeiteloos zochten de verkopers hun plaats op. Gokul hielp de vrouw nog beleefder en efficiënter dan gewoonlijk. Mahajan ving zijn blik, knikte goedkeurend en ging naar beneden.

Pas later die ochtend, toen de stroom klanten even afnam, kreeg Ramchand het hele verhaal van Gokul te horen.

Volgens Gokul had Kamla haar kunstje een keer te veel geflikt. Ze had zich onbehoorlijk lam gedronken. Toen was ze nota bene naar Huize Kapoor gegaan.

En daar had ze zich voor de poort de longen uit het lijf staan schreeuwen. De chauffeur, de tuinman en de bedienden, die de Kapoors naar buiten hadden gestuurd om haar in te tomen, kregen de volle laag en daarna het hele gezin Kapoor ook nog. De mensen op straat bleven staan luisteren. Uiteindelijk zag Ravinder Kapoor dat er niets anders op zat dan zelf naar buiten te komen.

Toen Kamla hem in het oog kreeg, raapte ze een steen op en gooide die. De steen vloog demonstratief in een boog op hem af en raakte zijn voorhoofd. De scherpe steen maakte een flinke jaap. Het bloed uit de snee druppelde op de witzijden kurta van Ravinder Kapoor. Met een uitdrukking van schrik en ongeloof stond hij daar.

Dat moment bezegelde Kamla's lot. Ravinder Kapoor kon er niets aan doen. Zijn prestige in de stad stond op het spel. Na zoiets kon hij die ordinaire vrouw niet ongestraft laten lopen.

Ja, zijn prestige, zijn eer stond op het spel.

Dit had allemaal de vorige ochtend plaatsgevonden. 's Avonds om zeven uur drongen vier mannen binnen in Chanders huis. Terwijl eentje Kamla vasthield, sloegen de anderen alles kapot, tot de aardewerk waterkruik aan toe. Ze smeten het keukengerei op straat. Ze goten de potten met daal en rijst leeg op de vuilhoop buiten en vernielden zelfs de gammele houten deur. Ze gooiden het oude, dof geworden venster in. Ze maakten de lamp kapot en goten het petroleumfornuis leeg. Inmiddels had zich voor de deur een heel stel mensen verzameld en de mannen zorgden er wel voor dat het niemand ontging wat ze deden. Niemand durfde te protesteren.

Dit alles deden ze werktuiglijk, zonder boosheid of plezier te tonen. Binnen tien minuten was het arme, toch al krakkemikkige huisje compleet gesloopt.

Toen sloegen de mannen Kamla in elkaar.

Met overleg braken ze een sleutelbeen en schopten haar twee gebroken ribben. Toen ze haar tegen de muur smeten, spleet haar achterhoofd. Op de vale muur bleef een klokvormige bloedvlek achter.

Ze sleepten haar naar buiten en lieten haar, met de handen op de rug gebonden, een rondje door de buurt lopen om iedereen goed in te prenten wat je te wachten stond als je je plaats niet kende.

Ze kon nauwelijks lopen, ze moesten haar slepen en duwen. Uiteindelijk duwden ze haar het huis weer in, sloten de deur af, overgoten het huisje rijkelijk met petroleum en staken er de brand in.

Toen Chander 's avonds van zijn werk thuis was gekomen, had hij daar de verkoolde resten van zijn huis en zijn vrouw aangetroffen.

Het verhaal was kort. Het had veel weg van een scène uit een Bombay masala-film. Een kort verhaal maar, in weinig woorden verteld. Maar keer op keer ging Ramchand erin onder, als in de meedogenloze golven waarmee de oceaan aanhoudend op de kust beukt.

De winkel stond stil. Aan een wierookstokje trilde as. Een vlieg probeerde door het glas van het gesloten raam te vliegen. De mensen werden standbeelden. Sari's bleven hangen in de tijd. En de steeg die hij onder zich zag, was een foto, een kiekje in de houten raamlijst. Het was niet echt. Net als de foto van het rietgedekte huisje in zijn kamer, die er al hing toen hij er was komen wonen. Alleen de tekst was anders. In plaats van 'Eigen haard is goud waard' stond er...

'... Met de handen op de rug gebonden... met hun eigen tulband bonden ze de handen van mijn zoons op hun rug... ze heeft haar kunstje één keer te veel geflikt... de verkoolde restanten... tot mijn grote spijt moet ik u meedelen... dat moment bezegelde Kamla's lot...'

Het volgende halfuur liep hij verdoofd van schrik rond en herhaalde hij het verhaal in zichzelf, vermengde hij het met andere dingen in zijn hoofd. Hij was zich er vaag van bewust dat de anderen de gebeurtenis nog zachtjes bespraken.

En toen zag Ramchand op het gezicht van Hari een

grijns verschijnen. En Hari zei: 'Ik weet het niet zeker, hoor, maar ik hoorde van iemand die daar woont dat ze, voordat ze Het deden, haar nog naakt hebben laten rondlopen.'

En toen... toen wierp Hari zijn hoofd in zijn nek en lachte.

Zijn regelmatige gebit glansde, zijn mond was vanbinnen dieproze.

En een fractie van een seconde na Hari's lach hoorden ze tot hun verbazing Ramchand – ogenschijnlijk zonder enige aanleiding – een geluid maken dat het midden hield tussen snuiven en schreeuwen en zagen ze dat hij zich naar de deur draaide en de winkel uit rende. Ze hoorden hem de laatste paar treden van de houten trap afglijden en klepperend wegrennen. En toen was het stil.

Hari lachte.

Hari láchte. De geschokte Ramchand kon het niet geloven.

De vrolijke, zorgeloze Hari lachte.

Hari, zijn vríend, lachte. Hij struikelde Sarihuis Sevak uit met maar één samenhangende gedachte. Daar kwam hij nooit meer. Hij stond nu onder het bord. Ook hier waren mensen. Steeds meer mensen, het wemelde van de mensen, van vreemden met lijdzame gezichten. Je zag niet wat er achter hun berustende gezichten schuilging.

Ramchand kon nauwelijks ademhalen, maar hij hield zijn pas niet in. Zich breed makend duwde hij zich een weg door de menigte. Kamla heette ze dus, dacht hij. Tot vandaag had hij haar naam niet geweten. Tegen de tijd dat hij de steeg met de winkel uit was, baadde Ramchand in het zweet. Hij wilde weg, voor altijd weg van de benauwenis van de winkel en van Hari's bizarre gelach.

Eenmaal uit de steeg ging hij langzamer lopen. Nu hij bij de winkel weg was, wist hij niet wat hij verder moest. Hij was te geëmotioneerd om direct naar zijn kamer te gaan.

Wat hij voelde was nieuw, was sterk, een mengeling van redeloze angst en een woede die hij niet van zichzelf kende.

Ze vulde zijn hart en zijn hoofd.

Ze maakte dat zijn tong besloeg.

Ze nam de plaats in van de verwarring en de afstandelijkheid waarmee hij zich doorgaans door het leven en door de wereld om zich heen bewoog. Het was een krachtig, maar ook wrang gevoel. Hij had een metalige smaak in zijn mond.

Hij liep doelloos door de bazaar, op zoek naar een gelegenheid om lucht te geven aan die emotie. Voor het eerst in zijn leven had hij zin om met iemand op de vuist te gaan. Tegelijkertijd voelde hij zorg en liefde voor al het weerloze. Hij voelde zich sterk.

Een schurftige straathond, die met zijn kop op zijn poten lag, keek hem begripvol aan. Er leek ontzettend veel afval van groentekarren op straat te zijn gegooid.

Ramchand deed zijn uiterste best niet te huilen. Hij vond het vreselijk om in het openbaar te huilen.

Er ging een uur voorbij. Ramchand zwierf maar rond. Elke vezel in zijn lijf stond strak van onderdrukte energie. Hij had zijn voeten niet onder controle – ze gingen hun eigen weg, voerden hem steeds weer naar dezelfde straten, dezelfde tempels, dezelfde winkels.

En toen viel in het voorbijgaan zijn oog op de vertrouwde dhaba van Lakhan. De vele mensen voor de deur, mensen die snel naar binnen of naar buiten liepen, de geuren van pakora's, vers gebakken roti's en thee, de verleidelijke geur van warme, troostende thee. De enigen die in Lakhan Singhs dhaba geen troost leken te vinden waren de man zelf en zijn vrouw. Een krachtig gevoel van medeleven voor de lange sardaar en zijn droevige vrouw trof Ramchands verwarde gemoed.

In een opwelling, nog nahijgend en met een hoofd dat

elk moment uit elkaar leek te kunnen spatten, stapte hij naar binnen.

Hij keek rond, maar Lakhan zag hij nergens. Twee mannen zaten roti's met daal weg te kauwen. Op hun bord lag een berg sabzi. Ze werden bediend door een jonge man die nog maar net in dienst was van Lakhan. Verder was er alleen nog een jongen die in een hoek glazen stond te spoelen en daarbij zomaar wat voor zich uit floot. Ramchand liep naar de jongen en vroeg naar Lakhan. De jongen zwaaide met zijn zeeparm. Hij zei dat Lakhan in zijn huis achter de dhaba was.

Zonder nog iemands toestemming te vragen liep Ramchand onverschrokken door de achterdeur van de dhaba, die toegang gaf tot Lakhans woonvertrekken.

Hij kwam terecht in een kamertje waar de iele, grijsharige, donkere vrouw van Lakhan op een *chatai* de dagomzet zat te tellen. Ze droeg een crèmekleurige salwaar kameez met een bijna onzichtbaar dessin van piepkleine groene blaadjes. Over haar hoofd had ze een grijze, niet bij haar kleding kleurende chunni geslagen. In haar oren had ze grote, onbewerkte gouden ringen. Het waren van die ringen die elke vrouw van haar leeftijd en achtergrond droeg. Ze droeg ze al zo lang dat de gaatjes in haar oren verticale spleetjes waren geworden.

Het was een zeer praktische vrouw. Met het tellen van geld, het kopen van één formaat uien op de groothandelsmarkt en het piekfijn in orde houden van het stille, lachloze huis probeerde ze grip te houden op een leven dat bij toeval plotsklaps tot een smartelijke chaos was verworden. Ja, ze vond het fijn alles op orde te houden. Bij tijd en wijle werd Lakhan doodmoe van haar niet aflatende krachtdadigheid.

Lakhan zat niet ver bij haar vandaan in een dik grootboek de cijfers bij te werken. De ruimte was spaarzaam gemeubileerd. Een tafel, een paar krukjes en een divanbed met een geborduurde, blauwe sprei. Aan een van de muren hing een foto van een gemoedelijk kijkende Guru Nanak met witte baard. Aan de muur ertegenover hingen twee uitvergrote foto's van jongens die net de tienerjaren waren ontgroeid. De ene, met een keurige, marineblauwe tulband op en een geruit overhemd aan, lachte recht de lens in. Een slungelachtige jongen, tegen een boom geleund.

De ander oogde jonger. Hij had een stuurs gezicht en zijn tulband zat een beetje scheef, alsof hij hem nog maar pas had leren wikkelen. De foto's zaten elk in een gouden lijst met een slinger van verse goudsbloemen eromheen.

Het oude echtpaar was verrast en een beetje boos dat Ramchand zomaar kwam binnenvallen. Maar voordat ze iets konden zeggen, begon Ramchand te ratelen. Zonder inleiding zei hij: 'Ik kom zeggen dat het me verdriet doet van uw zoons. Het had niet mogen gebeuren.'

Het bejaarde echtpaar wist van schrik niets te zeggen. Beiden staarden hem stomverbaasd aan en met een wat wilde blik staarde hij terug. Zijn zweterige haar stond in pieken overeind en zijn ogen stonden vol tranen. Hij had zich voor aap moeten voelen staan, maar op een merkwaardige manier voelde hij zich opgelucht.

De stilte werd verbroken door iets wat als een zacht grienen begon en daarna steeg naar een hartverscheurend jammeren. Lakhans vrouw was in huilen uitgebarsten. Om haar te kalmeren sloeg Lakhan zijn arm om haar heen. Bij een tweede blik op de foto's welde woede op in Ramchand. Hij werd laaiend. Al dat onrecht! Wat een pervers bestaan! Er klopte toch helemaal niets van! Hij voelde zich onvervaard, sterk genoeg om alles aan te pakken, om tegen iedereen ten strijde te trekken in naam van rechtvaardigheid, in naam van de waarheid.

'Ik wilde u niet van streek maken,' zei hij, met een nadruk die ze niet begrepen. 'Maakt u zich maar geen zorgen, ik ga actie ondernemen. Zo gaat het niet verder. Er komt een tijd dat alles anders is.' Het klonk overtuigend, vond hij zelf. 'Ik ga actie ondernemen,' herhaalde hij. De vrouw van Lakhan bedaarde wat. Zij en Lakhan zeiden niet veel. Met verdriet in hun vermoeide ogen keken ze hem aan. Na een poosje veegde Lakhans vrouw met het uiteinde van haar chunni haar tranen weg, stond op en kwam terug met een glas melk voor Ramchand. Lakhan en Ramchand zaten intussen zwijgend bij elkaar. Ramchand dronk zijn melk op en een poosje later ging hij weg, met dezelfde wilde blik in zijn ogen als waarmee hij was gekomen.

Na zijn vertrek zaten Lakhan en zijn vrouw nog even niet-begrijpend bij elkaar. Toen begon Lakhan met een zucht weer aan zijn boekhouding. Maar zijn vrouw kon het geld tellen niet meer oppakken. De verdere avond bleef ze stil zitten, de handen in de schoot gevouwen, en deed niets.

*

De zwaar geschokte Chander had nog wat van zijn spullen uit zijn uitgebrande huis weten te redden en daarbij Kamla's blikken kist gevonden, ongeschonden. Hij maakte hem open en vond, naast andere zaken, twee jurkjes, een roze en een rood met blauw geruit, een zorgvuldig in een Chinese zijden sjaal gewikkeld snoer van goedkope, rode, glazen kralen en een geïmporteerde veiligheidsspeld. Chander stond versteld. Hij had nooit geweten dat Kamla die dingen bezat. Ze leken nutteloos en hij vroeg zich af waarom ze ze had bewaard.

8

De nachtmerrie ging maar niet weg. Ze zou nooit meer verdwijnen. Het was de oude, vertrouwde Ramchand die naar de oude, vertrouwde kamer met de afbladderende muren terugkeerde, het waren dezelfde straatjes, dezelfde mensen. Toch was alles plots heel bedreigend geworden. De vertrouwde gezichten oogden boosaardig. De mensen lachten om alles, met het hoofd in de nek. Hij was de enige die normaal was. Of niet? Was hij de gek?

Ineens voelde Ramchand dat hij werd gevolgd. Met een ruk draaide hij zich om, maar het bleek een onbekende. Wie was het? Ramchand keek hem achterdochtig aan. De man leek zich niet op zijn gemak te voelen en liep vlug langs hem heen. Ook Ramchand haastte zich verder, terwijl in hem woede en angst om voorrang streden.

Voor het eerst van zijn leven had hij het gevoel dat hij inzicht had. Dat hij eindelijk had gezien waar hij steeds een glimp van had hopen op te vangen. Maar het gevoel schonk hem geen troost. Hij dacht weer terug aan Kamla. De keer dat hij in het smerige huis gehurkt naast haar had gezeten kwam hem tot in alle bijzonderheden weer voor de geest: de beroete wanden, het petroleumfornuis, het lage plafond, de blikken kist, de paarse sari, de bloemen erop...

En de ogen. Die ogen vergat hij nooit meer. Hij begon te rennen. Mensen draaiden zich om en keken hem na, maar dat kon hem niets meer schelen. Het lachen van

Hari galmde nog na in zijn oren en opgejaagd, achtervolgd door dat lachen, bleef hij rennen. Hij kwam bij zijn kamer en rende de donkere trap op. Zodra hij binnen was, vergrendelde hij de deur en sloot zich in met het hangslot waarmee hij zijn kamer elke dag vanbuiten afsloot.

Ramchand wist waarom hij zich in moest sluiten. Voor het eerst van zijn leven realiseerde hij zich dat enkel zwakte een mens sterk hield. Kracht verzwakte je. En daarom voelde hij zich, juist in die eerste momenten van kracht en inzicht, gesloopt en machteloos en weerloos.

Juist toen hij met het slot en de grote ijzeren sleutel in de weer was, viel de stroom uit. De kamer werd in volslagen duisternis gedompeld. Zelfs als kleine jongen was Ramchand niet zo bang geweest in het donker. Tastend zocht hij zich een weg naar het raam dat op straat uitkeek en deed het open. Buiten was het volkomen donker. De stroom was niet alleen in zijn eigen buurt uitgevallen. Zover hij kijken kon, was geen speldenprikje licht te zien. Maar terwijl hij naar buiten keek, verscheen op bepaalde plekken – waar mensen in hun gerieflijke huis, in de schoot van de familie, geworteld in de traditie en gegidst door de ouderen kalm een kaars opstaken – een flauw schijnsel achter een dun gordijn. Af en toe schoof een schaduw snel achter een gordijn langs. Ergens blafte een hond.

Hij draaide zich om en deed ook het andere raam open. Hij zag dat Sudha twee kaarsen had aangestoken – één in de keuken en één in de woonkamer.

Maar nog voordat hij eraan dacht zelf een kaars aan te steken, greep de angst hem weer bij de keel en ging hij bevend op de rand van zijn bed zitten.

Het duister verstikte hem. Hij kreeg geen adem. Hij had geen naam, geen taal. Hij wist niet waar en waarom hij leefde. Hij begon te beven van razernij. Doodsangst vulde het kamertje. De tijd was weg. Hij wist niets. Hij wist alles. Dat dacht hij niet alleen, hij voelde het door zijn lichaam gaan, als een rilling. Demonen zijn niet buiten te houden, ze hebben een voet tussen de deur, dacht hij verward.

Van buiten kwam geluid: iemand die een fiets voortduwde, lichte voetstappen. Zwakke geluiden, maar aanslagen op Ramchands zenuwen. Hij kreeg het beven niet onder controle. Hij was gek. Gek. Er was geen andere verklaring.

Ramchand holde naar de wc en gaf over, eerst één keer en na vijf minuten nog eens. Hij had weinig gegeten, maar wel liters thee gedronken en dat verdween als zuur, bruin vocht in het gat van het hurktoilet. Hij waste zijn gezicht en ging in het donker terug. Hij zocht niet naar de kaarsen en de lucifers. Onderweg naar zijn bed struikelde hij over een oneffenheid in de vloer en bij het neerkomen klonk er een luid gekraak in zijn knokige lijf. Hij stond niet op. Hij bleef liggen, zo stijf mogelijk opgerold, en gaf weer over, een beetje maar. Er sijpelde nog wat oude thee op de grond. De tranen biggelden over zijn wangen. Hij wilde schreeuwen, de longen uit zijn lijf schreeuwen. Maar hij kon het niet. Want je mocht niet schreeuwen. Niet echt, niet zo in het donker, op je kamer, zonder een echte reden. Huilen mocht ook niet.

Op de bovenste plank reikhalsden zijn boeken, zijn schrift en zijn *Oxford Dictionary*. En de Indiase bedelaar, de politieman, Phyllis, Peggy, de Pinguïns en Pandit Jawaharlal Nehru (onze favoriete leider) grijnsden eensgezind op hem neer.

Ramchand lag op de grond te huilen en pas toen het bijna ochtend was, sukkelde hij van pure uitputting in slaap. Hij sliep onrustig en had een droom. Een levendige droom met alles, het licht, de schaduwen, het duister en de kleuren, waar het hoorde.

Hij droomde dat hij alleen in de sariwinkel was. Het

schemerde en hij was helemaal alleen. Omringd door sari's en stilte. Maar achter hem waren schimmen, bewegende schimmen die wegglipten zodra hij zich omkeerde. Ze waren steeds sneller dan hij zich kon omkeren. Uit de witte matrassen kwamen onzichtbare stekelige dingetjes gekropen. Ze kropen over hem heen, beten niet, deden hem geen pijn, maar ze waren er en nestelden zich tegen zijn lichaam. En hij wist niet wie of wat het waren.

Toen begonnen de sari's zich flapperend te ontvouwen, allemaal. Zowel de opgerolde sari's als de in doorzichtig cellofaan verpakte. Algauw klonk overal in de winkel het zoeven en flapperen van stof. Een paar sari's werden heel lang, langer dan ze ooit in het echt waren, veel langer dan de exquise, ouderwetse negenmetersari's. Ze vlogen op hem af en sloegen zich tot wurgens toe om zijn nek. Een marineblauwe sari zweefde als een gordijn voor het raam. Het was er een zonder rand, zonder borduursel, zonder dessin. Hij was volkomen effen, als een nieuwe, knisperende, marineblauwe tulband.

Tot slot zweefde een papegaaigroene sari (zo een als hij mevrouw Bhandari eens zonder succes had proberen te verkopen) van het schap op hem af. Hij zag hem dichterbij komen.

De sari daalde neer over zijn hoofd en nam hem in zich op als een lijkwade, en de zwarte rand dreigde hem te smoren.

De hele droom lang werd hij gevolgd door de ogen van een dode vrouw.

*

De volgende dag werd hij witheet van woede wakker. Er kwam geen woede op, hij werd gewoon kwaad wakker, op de harde vloer, met zin om iemand te slaan. Ramchand moest er even aan wennen, want het was een nieuw, volkomen onbekend gevoel. Net als een nieuw, hard gesteven katoenen overhemd aan je lijf.

Hij ging niet naar zijn werk. In plaats daarvan beende hij heen en weer, het spoor volkomen bijster, en gaf af en toe een trap tegen de muur.

Met een van die trappen, een heel harde, kwam beneden de pleister van het plafond. De hospes kwam naar buiten en riep: 'Ramchánd!'

Ramchand deed het raam open, keek naar beneden en voor het eerst van zijn leven schreeuwde hij.

'Kop dicht!' gilde hij terug, en zette het kracht bij met een fluim.

Hij zag Sudha verbaasd omhoogkijken. In een leuke bonte bloemetjessari stond ze op de binnenplaats met een bord gedopte erwten in haar handen.

Ramchand sloeg het raam dicht. De hele dag at hij niets. Hij dronk niet eens thee. Hij gulpte heel veel water naar binnen en raakte zijn rusteloosheid niet kwijt.

*

Om vijf uur 's middags kleedde hij zich langzaam aan en liep de straat op. Vandaar liep hij richting winkel. Zijn tred was traag en stil, als van een luipaard die zijn prooi volgt.

In de winkel kreeg Mahajan hem als eerste in het oog. 'Ah, Ramchand! Daar ben je dus. Wat was er met je aan de hand? Ben je je verstand nou helemaal kwijt? Ik zal je zeggen, als het zo doorgaat...'

Plotseling zei Ramchand op bedaarde toon: 'Je vindt jezelf heel wat, hè?'

Mahajan was werkelijk geschokt.

'Wat zeg je me nou? Hoe durf je zo tegen me te praten?' stamelde hij.

Slechts met een uiterste krachtsinspanning wist Ramchand zijn gebalde vuisten langs zijn lichaam te houden.

'Dat durf ik gewoon,' antwoordde Ramchand. 'Je bent God niet, tenslotte.'

Mahajan wilde Ramchand van repliek dienen, maar wachtte er even mee. Dit was niet normaal. Ramchand was altijd een heel schuwe, gehoorzame jongen. Met een oplettende blik in zijn ogen deinsde Mahajan een stukje achteruit. Er was iets mis. Ramchand was in een vreemde stemming. Mahajan dacht eraan Gokul erbij te halen. Ramchand luisterde meestal wel naar Gokul. Maar er waren klanten boven. Hij moest discreet zijn. Voor de zekerheid moest hij Gokul er maar bij halen. Met die jongelui wist je het nooit. Soms werden ze zomaar agressief.

Toen hij weer begon te praten, klonk er nog steeds gezag in zijn stem, en niets erin verried zijn ongerustheid. 'Blijf hier. Ik ben zo terug.'

Mahajan stormde de trap op. Wat had Ramchand opeens? Hij liep naar Gokul en terwijl hij hem iets toefluisterde, zag hij ineens Ramchand door de glazen deur binnenkomen. Mahajan kreunde.

Met een dreigende blik op Mahajan ging Ramchand midden in de ruimte staan, waar hij traag en bedachtzaam zijn knokkels begon te knakken, alsof hij Mahajan uitdaagde hem tegen te houden.

Mahajan stond als aan de grond genageld. Gokul keek bezorgd. De anderen hadden het nog niet door. Nog steeds zijn knokkels knakkend keek Ramchand rond. Zijn ogen gingen naar Chanders hoek. Chander had even niets te doen. Hij zat bij Hari. Ze waren in gesprek en lachten. Ramchand richtte zijn dreigende blik nu op hen. Toen ze dat niet bleken te zien, draaide hij zich naar de enige stoel in de winkel. Het was een kleine stoel, die er stond voor oudere dames wier gewrichtspijn verhinderde dat ze op de grond konden zitten. Nu zat er toevallig niemand op. Ramchand pakte hem, tilde hem boven zijn hoofd en smeet hem uit alle macht naar Hari en Chander.

Gillend krabbelden ze overeind. Iedereen in de winkel hield op met praten. Alle hoofden draaiden zich naar Ramchand. Bijna alle vrouwen gingen angstig staan om ervandoor te kunnen gaan als er klappen vielen.

'Ramchand, jongen, rustig nou,' zei Mahajan bijna teder.

Ramchand kon de zalvende stem niet velen. Waar hij nu het meeste zin in had was slaan. Gewoon slaan, tekeergaan, dingen kapotmaken. Zijn ogen waren rood.

'Hij is dronken,' fluisterde Gokul Mahajan toe.

'Ik hoor je wel, Gokul,' schreeuwde Ramchand woest.

Hij begon steeds harder te schreeuwen. Een paar vrouwen gingen stilletjes weg. Andere bleven, heen en weer geslingerd tussen de angst voor die gek en het verlangen naar een mooie sari. Mahajan werd kwaad toen hij de eerste vrouwen weg zag lopen. Klanten die vertrokken? Dat zou Bhimsen Seth niet aanstaan.

'Ramchand,' zei hij, streng nu. 'Als je niet onmiddellijk weggaat, zal ik iets moeten ondernemen...'

Op dat moment deed Ramchand het ondenkbare. Hij wierp zich op Mahajan en greep hem bij zijn kraag. Door het dolle heen schudde hij hem door elkaar. Mahajan stond perplex, zijn ogen rolden bijna uit hun kassen.

'Kop dicht,' schreeuwde Ramchand, kokend van woede en met bloeddoorlopen ogen. 'Als je je bek niet houdt, hak ik je tong kapot en krijg je hem in stukjes terug in je eigen zakdoek.'

Hierop lieten de klanten de door hun vrouwenhart zo felbegeerde sari's voor wat ze waren en renden voor hun leven. Binnen een minuut waren alleen de verkopers er nog. Ramchand had Mahajan nog steeds stevig bij de kraag.

Met ernstige, maar tegelijkertijd van opwinding blozende gezichten kwamen Gokul en Hari haastig tussenbeide. Hari sloeg een arm om Ramchands schouder om hem tot bedaren te brengen. Worstelend als een wildeman om onder de arm vandaan te komen, keerde Ramchand zich naar Hari en probeerde zijn vingers om diens keel te krijgen.

'En jij, Hari,' gilde Ramchand, 'jij lacht niet meer, nooit meer. Nooit meer. Begrepen? Als ik je ooit nog eens zie lachen, sla ik dat grijnzende gebit van jou compleet aan gruzelementen. Dat zweer ik bij alle goden die me heilig zijn.' Ramchand probeerde Gokuls arm weg te duwen, maar Chander kwam te hulp en klemde Ramchands arm langs zijn lichaam.

'O. Nu durft Chander ook, hè?' schreeuwde Ramchand. 'Als je lef in je donder had, Chander, als je eens wat durfde, als je ergens in geloofde, zat je hier niet als een oud wijf te kletsen.'

En toen spuwde Ramchand. Zijn fluim kwam terecht op een prachtige, turquoise sari met echt zilvergaren, die een van de gevluchte klanten bijna had gekocht. De klodder speeksel lichtte trillend op op het fijne zilverwerk.

Toen wrong Ramchand zijn arm los en holde zonder om te zien de winkel uit.

9

Toen Ramchand, weer wat ontnuchterd, thuiskwam, was het al gaan regenen. Het leek erop dat de moesson er eindelijk was. De mensen keken in blijde verwachting naar de hemel op. Ramchand klom terneergeslagen naar boven en ging zijn kamer in. Hij liep direct door naar het achterraam en deed het open. Beneden op de binnenplaats haalde Sudha haastig de was van de lijn. Ze had een blauwe salwaar kameez aan. De met kant afgezette kameez zat als gegoten. De regendruppels maakten donkere plekjes in de blauwe stof, als kogelgaatjes. Haar haren werden vochtig en haar chunni fladderde in de wind. Haar aanblik kalmeerde Ramchand, maar slechts een beetje.

De paar regendruppels bleken echter vals alarm. Nog terwijl Ramchand naar buiten keek, verdwenen de weinige wolken in de lucht en kwam de zon weer tevoorschijn, wreed en heet als tevoren. De moesson was er nog niet. Sudha verscheen weer, met armen vol wasgoed. Ze leek een beetje knorrig toen ze het andermaal ophing.

Het was of zijn kop uit elkaar knalde. Ramchand smeerde wat zalf op zijn voorhoofd en ging op bed liggen. De damp die van de zalf afkwam, prikte in zijn ogen.

*

Ramchand bracht de volgende twaalf dagen opgesloten op zijn kamer door. Twaalf vreemde dagen. Ineens was hij kapot, had hij niets meer over, was de razernij volledig verdwenen. Geen woede, geen zorgen, geen blijheid, geen plannen, geen twijfels en geen verdriet. Hij was volkomen leeg.

Hij kwam niet één keer buiten, had geen contact met de wereld, hield niet eens bij of het dag of nacht was. Hij lag op bed of zat voor het raam, dacht aan niets en nam niet eens de moeite het raam open te doen.

Hij sloeg de meeste maaltijden over, want hij dacht er pas aan te eten wanneer de knagende leegte in zijn maag te erg werd. En ook dan flanste hij maar wat in elkaar. Hij kookte rijst en nam niet de moeite er daal bij te maken. Dan kauwde hij een massa rijst weg met stukken ingelegde mango uit een pot. Af en toe liep hij na zo'n maal als verdoofd naar het fornuis om thee te zetten en dronk die zonder melk op om het eten weg te spoelen. Doorgaans zwol na zo'n maal zijn maag op, kreeg hij last van maagzuur en uiteindelijk fikse buikpijn.

Hij raakte kwijt wat voor dag het was en welke datum. Hij poetste zijn tanden niet en schoor zich niet, hoewel hij zich nu en dan wel, als hij er zin in had, met koud water waste. Hij kreeg een ruige stoppelbaard; zijn haar werd vet en begon aan zijn schedel te plakken en te jeuken. Zijn teennagels werden lang en ruw. Zijn boeken en zijn schrift raakte hij niet aan. Er kwam niemand langs.

De vloer, het bureau, de planken, de deksels van de potten, de spiegel, de blikken kist en zijn keurige stapel boeken – alles kwam onder het stof te liggen.

Hij zag een spin een web weven tussen de tafel en de muur. De spin ging ijverig en doeltreffend te werk, maar Ramchand keek ongeïnteresseerd en onaangedaan toe. De hele dag werd hij aangestaard door een hagedis op de muur, die niet met zijn ogen knipperde en alleen enthousiast de jacht inzette als hij een insect zag.

Overdag werd het zo heet dat er zelfs warmte uit de

vloer kwam. Vaak viel de stroom uit, maar Ramchand stond niet op om een raam te openen of een kaars aan te steken. Hij bleef waar hij was en deed dat ook als er weer stroom was. De meeste dagen zat er heel weinig spanning op het net, zodat de ventilator vaak alleen maar traag om zijn as draaide. Een enkele keer deed Ramchand het licht aan als het duister inviel. Als hij het deed, gaf het peertje maar heel weinig licht. Als hij het niet deed, werd de kamer een donkere spelonk. In de stilte van de nacht hoorde hij af en toe een muis scharrelen.

Het werd bedompt in de afgesloten kamer. Alles kwam onder een deken van hitte en stof te liggen en onder het gewicht ervan kwam Ramchand nergens toe. Pas toen hij op de dertiende dag koud en rillerig ontwaakte, had hij voor het eerst weer een logische gedachte. Ik vraag me af of ik koorts heb. Dit was de eerste complete en zinnige zin die zich in twaalf dagen in zijn hoofd had gevormd.

Hoe kon hij het koud hebben in juli? Het was toch juli? Met een angstig gemoed stond Ramchand op. Hoe laat was het? Welke maand was het? Waar was hij geweest? Wat had hij gedaan? Hoe lang? En waarom had hij het zo koud? Tot aan gisteren was het heel warm geweest. Ramchand wist het allemaal niet meer.

Hij ging staan en als een zieke oude man liep hij naar het raam. Met stroeve vingers ontgrendelde hij het en zette het open. Het leek een eeuwigheid geleden dat hij naar buiten had gekeken.

Nu deed hij het.

En hij zag dat buiten de ochtendhemel volledig bedekt was met laaghangende, donkere, koele wolken. Het licht boven de oude stad was ongewoon, had iets wazigs, iets paars; het gewone uitzicht werd er ongewoon door en de dingen die hem het meest vertrouwd waren veranderden in vreemde, prachtige voorwerpen. Een kille stormwind, sterker dan Ramchand ooit had meegemaakt, draaide als een blije nar wild in het rond. Hij zwiepte wild door de takken, veegde oude kranten van de daken en woei al het door zorgeloze vrouwen achtergelaten wasgoed van de lijnen. De ochtend had iets magisch, iets onwerkelijks. Het was veel en veel kouder geworden. Plastic tasjes, uitgedroogde fruitschillen, bladeren, stukjes papier en plukjes haar, die de vrouwen bij de dagelijkse kambeurt uit de kam hadden getrokken en achteloos uit het raam hadden gegooid, dansten rond in de door de storm gecreëerde gekte. Een jonge zwerfhond rende achter alles aan om uiteindelijk dol van vreugde woest achter een plastic tas aan te rennen, die de stormwind plagerig net buiten zijn bereik hield. Het hondje joeg de plastic tas na en kinderen op hun beurt het opgewonden piepende hondje. Het blauwpaarse licht leek de oude stadshuizen in zich te hebben opgenomen, zodat ze oogden als de set van een oude film. Op Ramchands ongeschoren, vuile gezicht verscheen voorzichtig een weifelende glimlach. Het was of de wonderbaarlijke, krachtige wind hem meevoerde. Hij bleef een poos bij het voorraam staan.

Toen draaide hij zich om en bezag verbaasd zijn kamer. Wat een troep! Alles lag door elkaar en was bedekt met een dikke laag stof. Het duizelde hem. Wat was er met hem gebeurd? Hoe had hij van zichzelf en zijn kamer zo'n weerzinwekkende bende kunnen maken? Goed, hij was van slag geweest, maar toch...

Daarna liep hij als een slaapwandelaar naar de deur en tot zijn verrassing vond hij die op slot. Hij herinnerde zich niet meer dat hij hem had afgesloten. Hij keek of hij de sleutel zag. Die lag op tafel. Hij deed de deur van het slot en duwde hem open. De wind klapte naar binnen, zodat alles tot leven kwam, het stof op de grond alle kanten opwaaide, de kleren ritselden en de bedompte lucht zich begon te roeren. Wild schoot de spin over de vloer de hoek in.

Ramchand liep naar het achterraam, ontgrendelde het en duwde het open. Het kraakte. Nu beide ramen en de deur open waren, ruiste en suisde de kamer nog dankbaarder in de krachtige wind.

Op de binnenplaats van de hospes was Sudha op een luwe plek druk bezig om met een naald en een zwarte draad de vakantiekleren te verstellen. Om te voorkomen dat het opwoei, hield ze het overhemd dat ze onder handen had stevig vast. Haar ronde gezicht werd omlijst door wild fladderende haartjes, die uit haar knot los waren gekomen. Ze droeg een wit met rode salwaar kameez. Als ze zich over het blauwe overhemd op haar schoot boog, wapperde haar rode chunni, net als haar haren dat deden.

De kinderen renden over de binnenplaats met een vlieger. De koelte en de wind had ze ertoe verleid vandaag hun oude vlieger, die de hele zomer boven op Sudha's kast had gelegen, mee naar buiten te nemen en op te laten. Hij was rood, opgesierd met blauw en geel. Manoj hield de vlieger vast. Vishnu de grote bol touw. Opgewonden danste Alka om ze heen. Haar groene jurk flapperde om haar bruine knieën. De kinderen waren rood van opwinding. Maar nu stormde het te hard. Ze hadden hun pogingen opgegeven en stelden zich er tevreden mee om, nu en dan een kreet van plezier slakend, alleen maar met de vlieger rond te rennen. Ramchand riep Manoj. De jongen bleef staan en keek nieuwsgierig omhoog.

'Wat is het vandaag?' vroeg Ramchand.

De jongen leek in de war. Vervolgens overlegde hij fluisterend met zijn broertje en zusje. Ramchand hoorde ze bekvechten. Ze waren het kennelijk oneens, want plotseling gaf Alka Vishnu een stomp op zijn rug en kneep hij haar in haar arm.

Toen bedacht Ramchand dat het vast zomervakantie was. Je kon niet van kinderen verwachten dat ze bijhielden wat voor dag het was. Manoj stak zijn hand op naar

Ramchand ten teken dat hij moest wachten. Ramchand knikte. De jongen verdween naar binnen en kwam terug met een almanak. Gewichtig, als een zakenman, waardoor hij een moment sprekend op zijn vader leek, keek hij erin en riep toen naar Ramchand.

'27 juli,' schreeuwde hij in het Engels. Van de andere kant van de binnenplaats lachte zijn moeder hem trots toe. Zelf sprak ze geen woord Engels. Maar anders dan gewoonlijk schonk ze Ramchand geen glimlach. Waarschijnlijk herinnerde ze zich nog dat hij, totaal zonder aanleiding, op haar binnenplaats had gespuwd.

27 juli! Geschrokken liet Ramchand zich tegen de muur vallen. De laatste datum die hij zich herinnerde was de veertiende of zoiets. En de winkel! Ramchand dacht terug aan zijn gedrag de laatste keer. Hij had stennis staan schoppen, hij had iedereen uitgekafferd, hij had iemand een stoel naar het hoofd gesmeten, hij wist niet meer wie. Maar hij wist nog wel dat hij Mahajan door elkaar had geschud. En hem had uitgevloekt. Zijn knieën knikten. Mahajan was natuurlijk woest, want anders had hij wel iemand gestuurd om te zien hoe het met hem was. Hij was zijn baan kwijt! En het was de zevenentwintigste! Bijna het eind van de maand. En op 1 augustus moest hij de huur van de volgende maand betalen! En niemand zou hem ooit vergeven! In één klap kwam alles weer boven.

Wat had hij gedaan! Mensen deden alles voor een baan. Ze trokken met gezin, beddengoed en keukengerei van stad naar stad om werk te vinden. Ze verruïneerden hun rug in de bouw en als het werk gedaan was, kwamen ze om van de honger. Lange dagen zwoegden ze in de fabriek totdat ze oud werden en op straat werden gezet. En anders leerden ze weven of sieraden maken en waren ze als handwerksman voor hun vijftigste half blind.

En hij? Hij had een prachtbaan weggegooid. Hoe bleef hij nu in leven? Wat had hij gedaan?

Verdoofd liep hij de badkamer in, spoelde de bestofte tube Colgate en zijn tandenborstel af en poetste met veel schuim zijn tanden. Toen ging hij voor het spiegeltje aan de muur staan. Een naargeestig, mager gezicht met een beginnende baard keek hem aan. Met zijn scheerkwast zeepte hij het vreemde, nieuwe haar in en schoor zich zorgvuldig, zonder aan zijn snor te komen. Zijn nieuwe snor leek anders van vorm, maar hij voldeed. Hij keek rond of hij schone kleren zag. Toen hij er geen vond, opende hij zijn blikken kist en rommelde erin rond totdat hij er een oud bruin overhemd en een schone witte pyjama uit wist te vissen.

Bij het wassen boende hij zich zorgvuldig, schuurde zijn ruwe hielen met een puimsteen, maakte met een oude tandenborstel zijn tenen schoon en nam met het stuk zeep stevig zijn stinkende oksels onder handen.

Daarna droogde hij zich af en trok zijn schone kleren aan. Op het moment dat hij, zoals altijd, zijn vochtige gestreepte handdoek over de rugleuning van de stoel wilde hangen, zag hij dat die onder het stof zat. Hij pakte de lap op die hij als stofdoek gebruikte en maakte hem nat onder de badkamerkraan. Toen maakte hij zorgvuldig de rugleuning schoon en hing er zijn handdoek over te drogen.

Hij keek of hij zijn horloge zag. Het lag op tafel en liet zien dat het tien uur in de ochtend was.

Hij had geen minuut meer te verliezen. Waarschijnlijk was het al te laat. Straks, als hij terugkwam, deed hij de kamer wel.

Ramchand smeerde wat Parachute kokosolie in zijn pasgewassen haar, kamde het netjes in een scheiding opzij en haastte zich naar de winkel. De wind streelde zachtjes zijn geoliede haar toen hij zich door de vertrouwde stegen spoedde.

*

'Ondankbaar! Zo noem ik het. Na al die jaren. In één woord, ondankbaar.' De snor van Mahajan trilde van verontwaardiging en woede. Bedrukt, met gevouwen handen, stond Ramchand voor hem. Aanvankelijk had Mahajan niet eens naar hem willen luisteren. Daarna had hij zich zo'n twintig minuten laten gaan. Hij was als een razende tegen Ramchand uitgevaren. Met de kin op de borst en zonder iets te zeggen was Ramchand blijven staan, hopend dat hij zo gepaste schaamte toonde.

Na de eerste woede-uitbarsting was Mahajan enigszins tot bedaren gekomen. Nu herhaalde hij alleen de eerder gemaakte opmerkingen. Ramchand bleef ootmoedig kijken. Buiten goot het, de eerste echte moessonregen. Het water kwam met bakken uit de hemel. De straat was bespikkeld met zwarte paraplu's. Hoewel de straten vol water stonden, de goten overliepen en de kuilen nu poelen waren, zagen de mensen er blij uit. Aan ieders gezicht was de opluchting af te lezen dat de meedogenloze hitte voorbij was. De meeste winkeliers zaten voor hun zaak thee te drinken. Manoj, Vishnu en Alka zouden inmiddels papieren bootjes in de plassen op de binnenplaats laten varen, wist Ramchand. Dat deden ze elke keer dat het regende.

Mahajan liet niet af hem luid de les te lezen.

Ten slotte keek Mahajan naar hem op, zette een scherpzinnig gezicht, en vroeg sluw: 'Zeg eens eerlijk, Ramchand. Was je dronken?'

Verbaasd keek Ramchand op. Mahajan vatte de blik verkeerd op. 'Ah. Dat was het dus, hè? En jij dacht dat ik dat niet door zou hebben.'

Ramchand dacht erover na. Hij had nog nooit van zijn leven alcohol gedronken. Maar hoe kon hij zijn gedrag wegredeneren als hij zei dat hij niet dronken was geweest? Zou Mahajan minder beledigd zijn als hij dacht dat Ramchand hem onder invloed van drank bij zijn kraag had gepakt? Hoe kon hij anders de razernij verklaren die bezit van hem had genomen?

Ramchand protesteerde dus niet. Hij liet gewoon nog een keer zijn kin op zijn borst zakken.

'Dat was het dus,' zei Mahajan, tevreden kijkend.

Nu kon hij veilig wat zeggen, dacht Ramchand. 'Vergeef me alstublieft, Bauji. Ik heb geen idee hoe ik...' Op dit punt aangekomen, op het juiste moment, begon hij te stamelen. Mahajan legde een hand op zijn schouder. 'Nou, je hebt je nooit eerder misdragen. En het was meteen de laatste keer, hoop ik. We maken allemaal fouten als we jong zijn. Als je wilt, mag je meteen weer beginnen.'

Ramchand viel op zijn knieën.

Eenieder die het tafereel bekeek, leek voldaan. Gokul pinkte zelfs een traan weg. Ramchand was er weer.

*

Omdat er weer klanten kwamen, moesten ze zich verspreiden. Met knikkende knieën liep Ramchand naar zijn plek en ging zitten. Algauw klonk in de winkel het gebruikelijke rumoer en gekwebbel. De volgende twee uur hielp Ramchand drie klanten en verkocht hij twee sari's. Hij ging naar buiten om te lunchen en bij een kraampje at hij twee puri's. Aanvankelijk waren de andere verkopers een beetje terughoudend tegen hem, maar 's avonds trakteerde Ramchand op samosa's – twee op een bordje voor Mahajan, die ze glimlachend aanvaardde.

Daarna was alles weer bij het oude. Niemand kwam terug op de dag dat Ramchand de winkel binnen was gestormd en hen had aangevallen. Zoals Mahajan had gezegd: we maken allemaal fouten als we jong zijn.

's Avonds stelde Hari voor om naar Lakhans dhaba te gaan. Chander was al weg en Shyam en Rajesh zouden bij Rajesh thuis gaan eten.

'Ay, Ramchand. Jij komt toch met ons mee?' vroeg Gokul met een blije glimlach.

Glimlachend knikte Ramchand naar Gokul. Hari sprong op hen af en zei: 'We gaan meteen. Ik sterf van de honger.'

Gedrieën liepen ze naar Lakhans dhaba. Hari ging naast Ramchand zitten, en toen Lakhan de bestelling kwam opnemen, wendde Ramchand zijn blik af.

Ze aten sabzi en roti's van de tandoor en daarna namen ze thee. Toen Ramchand het vertrouwde warme glas thee in zijn handen voelde, moest hij zijn tranen wegknipperen.

Gokul en Hari geinden met elkaar en Ramchand, met weinig inbreng in de conversatie, keek hen glimlachend aan.

Na de maaltijd namen Hari en Gokul afscheid. Hari knipoogde naar Ramchand en Gokul klopte hem op zijn schouder. Daarna ging ieder zijns weegs.

Ramchand nam de gewone weg naar huis, liep de donkere trap op en deed de deur van het slot. Toen hij de deur opendeed, zag hij al het stof in zijn kamer. Hij keek waar de lap was die hij als stofdoek gebruikte en ging aan de slag. Langzaam nam hij alles af, behalve de bovenste plank met zijn boeken. Die vermeed hij zorgvuldig.

Een uur later was de kamer gestoft en geveegd. Ramchand ging op bed liggen en staarde naar een vochtplek op het plafond.

DANKWOORD

Graag bedank ik mijn familie, mijn vrienden en iedereen in en buiten het uitgeversbedrijf die een bijdrage heeft geleverd aan de totstandkoming van dit boek.

WOORDENLIJST

almirah – grote kast
alu tikki – aardappelpannenkoekjes
amla – Indiase kruisbes
arre – hé! uitroep van verrassing of lichte boosheid

bagghi – door paard getrokken wagen; rijtuigje
baraat – stoet van de bruidegom naar het huis van de bruid
barfi – Noord-Indiaas snoepgoed op basis van melk
bas – genoeg!, maar vaak gebruikt als stoplap zonder veel betekenis
bauji – Punjaabse aanspreekvorm voor vader
besan – kekererwtenmeel
beta – lett. zoon, maar vaak een van genegenheid getuigende manier waarop een oudere een jonge man aanspreekt
bhabhi – schoonzus
bhai – lett. broer, maar vaak een beleefde aanspreekvorm voor een andere man
bhaiya – zie *bhai*
bibi – lett. niet-Europese vriendin, hier gebruikt als aanspreekvorm die genegenheid en respect uitdrukt
bidi – Indiase sigaret
bindi – stip, vaak rood, op het voorhoofd van getrouwde hindoevrouwen
bua – tante aan vaderskant
butee – diermotief in blokdruk

CBSE – Central Board of Secondary Education (centrale raad voor het middelbaar onderwijs)
chai – thee
chapati – ongedesemd brood
chappal – teensandaal (Kolhapur, stad in India, befaamd om zijn sandalenindustrie)
charpai – bed of bank met vlechtwerk van touw als bodem
chatai – mat
choli – onder de sari gedragen korte blouse
chooda – armband voor een pasgetrouwde vrouw (traditioneel van ivoor, tegenwoordig van plastic)
chunni – door Punjaabse vrouwen gedragen stola van zeer dunne stof
Company Bagh – park in Amritsar

daal – gedroogde peulvruchten
daal makhani – Punjaabs gerecht, zwarte linzen met boter
Darbaar Sahib – een van de namen van de Gouden Tempel
dhaba – eethuisje
didi – aanspreekvorm: oudere zus
Diwali – Lichtfeest
dupatta – sjaal van dunne stof, gedragen als hoofddoek
Durgiana Mandir – hindoeïstisch heiligdom in Amritsar

elaichi – groene kardemom
English-medium school – school met Engels als instructietaal

falooda – mild smakende mie, traditioneel geserveerd bij *kulfi*

Ganesha – godheid, afgebeeld met olifantskop

gajra – bloemenkrans
ghee – geklaarde boter
ghungroo – kleine ronde belletjes, vaak aan een snoer als arm- of enkelband
godbharai – feest ter ere van de eerste zwangerschap, gevierd in de zevende maand
Godrej – oorspronkelijk merknaam van stalen kasten, nu soortnaam
gota – door een bruid gedragen garneersel van goud of zilver
Gouden Tempel – tempel in Amritsar, het belangrijkste heiligdom van de sikhs
Guru Nanak – grondlegger van het sikhisme en eerste goeroe van de sikhs (1469-1539)

halwai – kok
Hanuman – godheid in de verschijning van een aap
havan – brandofferritueel ter ere van Agni, de vuurgod.

imli – tamarinde

jalebi – zoet gefrituurd gebak
jali – rooster
ji – het achtervoegsel -ji drukt respect en genegenheid uit

kaajal – ogenzwart, kohl
kabaadi – rondtrekkende 'vuilnisman' die herbruikbaar afval ophaalt
kadhai – grote pan, ketel
kaleere – bedeltjes
Kanjeevaram – (sari van) zware, felgekleurde zijde uit Kanchipuram
kheer – rijstepap met kardemom en amandelen
khichdi – gerecht, vaak van allerlei restjes
kirtan – religieuze samenzang

kiryana – kruidenierswaren
kulfi – ijs
kundan – kostbare sieraden van geslepen glas of edelstenen in puur goud
kurta – lang, kraagloos overhemd
kurta-pyjama – kurta met lange broek van dezelfde stof

laddu – zoete, gefrituurde balletjes
lakh – honderdduizend
lathi – (politie)knuppel
lehanga-choli – lange, wijde rok met bijpassende blouse voor feestelijke gelegenheden
lehnga – lange rok

maharani – vorstin; koningin
mahurat – door priester (na raadpleging van een horoscoop of de sterren o.i.d.) vastgestelde gunstige gelegenheid
masala – kruidenmengsel
mehndi – henna, hennaversiering op handen en/of voeten
memsahib – aanspreekvorm voor een getrouwde vrouw, soms sarcastisch gebruikt voor vrouwen die zich westers gedragen
mishthaan – zoetwaren
mithai – zoete desserts, snoepgoed
mossambi – op sinaasappel gelijkende citrusvrucht (*sweet lime*)
mundan – eerste kruinschering van een hindoejongen, meestal op driejarige leeftijd

nahin – nee
namaste – groet waarbij men zich licht vooroverbuigt en de handen tegen elkaar naar het voorhoofd brengt

odhni – sjaal van dunne stof
Om – mystieke klank die verwijst naar het goddelijke

paan – betelpruim, met kalk ingesmeerd betelblad dat om een vulling van kardemom, betelnoot of tabak wordt dichtgevouwen
pallu – los eind van de sari dat over het hoofd wordt geslagen of van de schouder af hangt.
paneer – ongerijpte kaas
paneer masala – *paneer* in gekruide saus
Paraag – merknaam van goedkope, synthetische sari's
parandee – lint dat in het haar wordt gevlochten
pateela – pan met opstaande randen en enigszins bolle bodem
pauncha – geornamenteerde onderkant van de broekspijp
payal – enkelband
phulkari – traditioneel Punjaabs borduurwerk
puja – gebed, gebedsdienst
pujari – priester
pulao – rijstschotel
pundit – brahmaanse geleerde
puri – gefrituurd brood van tarwemeel
pyjama – wijde, om de heupen vastgesnoerde, lange broek

raakshas – demon
raja – heer; koning; leider
rasmalai – in melk gekookte balletjes van zachte kaas
reetha – vrucht van de zeepboom, wordt gebruikt voor huid- en haarverzorging
roti – verzamelnaam voor brood

sabzi – groenteschotel
sadhu – asceet

salwaar kameez – lange pofbroek (salwaar) met hemd (kameez)
samosa – met vlees of groente gevuld pasteitje
sangeet – lett. muziek; feest voor vrouwen, voorafgaand aan een huwelijk
sardaar – lett. leider; titel/aanspreekvorm van een Sikh-man
sardaarni – vrouwelijke vorm van *sardaar*
shamiana – vaak rijkversierde baldakijn of tent
Shiva – deel van de goddelijke drievuldigheid in het hindoeïsme
sindoor – vermiljoen (een rood poeder) in de scheiding van een vrouw ten teken dat ze getrouwd is

tandoor – kleioven
tauba – uitroep van ontsteltenis; 'praat me er niet van!'
thali – metalen bord of schaal
tikka – hoofdsieraad
tilak – teken van sandelhoutpasta of heilige as tussen de wenkbrauwen

Vaastu Shastra – het op de vedische godsdienst gebaseerde systeem van bouw- en ontwerpprincipes

Waheguru – God
wala – verkoper; vaak gebruikt als het Nederlandse 'boer' in bijvoorbeeld groenteboer, kolenboer
wali – vrouwelijke vorm van *wala*

yaar – lett. vriend, losjes gebruikt in het alledaags taalgebruik

zabardast – lett. macht, maar gebruikt om iets kracht bij te zetten
zardosi – borduurwerk van goud- of ander metaaldraad

op zware stoffen als fluweel en satijn, vaak in combinatie met metalen ornamenten, spiegeltjes of (half)edelstenen